GEORGES DUMÉZIL

LOKI

NOUVELLE ÉDITION REFONDUE

FLAMMARION

Du même auteur
chez le même éditeur

HEUR ET MALHEUR DU GUERRIER

© Flammarion, 1986.
ISBN : 2-08-081342-0

PRÉFACE

Cette troisième édition d'un vieux livre est en réalité la troisième élaboration d'une importante matière. La première a paru à Paris en 1948 chez G.-P. Maisonneuve. La seconde, considérablement remaniée, a été publiée en allemand (trad. de Mlle Inge Köck, 1958) à Stuttgart *(Wissenschaftliche Buchgesellschaft),* avec une préface d'Otto Höfler. L'une et l'autre s'attachaient surtout à préciser les ressemblances et les différences entre le dieu scandinave Loki et Syrdon, héros de l'épopée populaire des Ossètes caucasiens, derniers descendants des Scythes de l'Antiquité. La seconde comme la première laissait ouverte la grande question, celle de l'origine : s'agit-il d'un emprunt d'une société à l'autre, dans un sens ou dans l'autre, ou bien chacun des deux personnages prolonge-t-il, dans son caractère et dans son action, avec des évolutions diverses, un type qui s'était déjà formé chez les ancêtres communs des Germains et des Iraniens, c'est-à-dire schématiquement chez les Indo-Européens ? La nouvelle rédaction ne met certainement pas un terme au débat : elle l'ouvre, en exprimant, quant à moi, une préférence lentement mûrie pour la seconde hypothèse. Les raisons en sont exposées ici, dans le dernier chapitre, qui n'est qu'une greffe prélevée sur un autre livre aujourd'hui introuvable, *Les Dieux des Germains,* publié en 1969 aux Presses universitaires de France.

Avril 1985.   Georges Dumézil.

TRANSCRIPTIONS

En vieil-islandais, comme en irlandais, les voyelles longues portent un accent aigu (dans les autres langues où elles sont marquées, un trait); *Þ* et *đ* sont des spirantes dentales, sourde et sonore (« *th* » anglais); *ø* et *œ* sont des variantes de *ö*; *y* est voisin d'allemand « *ü* »; *j* est *i* consonne.

En russe et en ossète, *c š ž č j* valent français « ts ch j tch dj »; *x* et *ǧ* valent l'*ach*-haut-allemand et la sonore correspondante; *j* est « i » consonne; *y* est une voyelle sourde (turc « i sans point »). En ossète *æ* est un *a* très ouvert, *q* une pharyngale sourde.

En sanscrit, *ṛ* est « r » voyelle; *ṃ* nasalise la voyelle précédente; *c j* valent français « tch dj »; *ś ṣ* sont deux variétés de chuintantes sourdes (cf. français « ch »); *ṭ ḍ ṇ* sont des cacuminales; *ḥ* est un souffle sourd substitué à *s* en certaines positions; *y* est « i » consonne.

Dans d'autres langues, *ś ź* sont des chuintantes, variantes de *š ž*; *ə* est la voyelle chva; *θ* grec vaut « th » dur de l'anglais.

ABRÉVIATIONS

Plusieurs revues et collections sont désignées par les sigles usuels :

ANF	*Arkiv för nordisk Filologi.*
DS	*Danske Studier.*
FFC	*Folklore Fellows Communications.*
FUF	*Finnisch-ugrische Forschungen.*
GHÅ	*Göteborg Högskolas Årsskrift.*
IF	*Indogermanische Forschungen.*
IIJ	*Indo-Iranian Journal.*
JRAS	*Journal of the Royal Asiatic Society.*
PBB	*Paul und Braunes Beiträge.*
RHR	*Revue de l'histoire des religions.*
UUÅ	*Uppsala Universitets Årsskrift.*
ZDMG	*Zeitschrift der deutschen morgenländischen Gesellschaft.*
ZDP	*Zeitschrift für deutsche Philologie.*

D'autres abréviations propres à la bibliographie ossète sont expliquées pp. 176-178.

Plusieurs de mes propres travaux sont aussi désignés par des sigles (éditeur Gallimard sauf indication contraire) :

DG	*Les Dieux des Germains*, P.U.F., 1959.
DMAR	*Du mythe au roman*, P.U.F., 1970; 2ᵉ éd. Flammarion, 1985.
DSIE	*Les Dieux souverains des Indo-Européens*, 1977; 2ᵉ éd. 1980.
Esq	*Esquisses de mythologie : Apollon sonore* (esq. 1-25), 1982; *La Courtisane et les Seigneurs colorés* (26-50), 1984; *L'Oubli de l'homme et l'Honneur des dieux* (51-75), 1985.
HC	*Horace et les Curiaces*, 1942.
JMQ I	*Jupiter Mars Quirinus* I, 1941.
MDG	*Mythes et dieux des Germains*, P.U.F., 1939.
ME	*Mythe et épopée* I, *Les Trois Fonctions dans les épopées de quelques peuples indo-européens*, 1968; 3ᵉ éd. 1974.
NA	*Naissance d'Archanges (= JMQ III)*, 1945.
NR	*Naissance de Rome (= JMQ II)*, 1944.
RSA	*Romans de Scythie et d'alentour*, Payot, 1978.

INTRODUCTION

LE PROBLÈME DE LOKI

Loki est un des plus singuliers parmi les dieux scandinaves. Il a successivement déconcerté, lassé ou égaré toutes les écoles d'exégètes et l'on a déjà fort à faire d'énumérer les apories, les antinomies qui se donnent rendez-vous sur ce personnage. Voici les principales.

Loki est un dieu important, qui intervient dans un grand nombre de récits, et cependant, autant qu'on sache, c'était, au temps du paganisme, un dieu sans culte, autant dire un dieu sans fonction, et aucun lieu, dans aucun pays scandinave, n'est nommé d'après lui. S'agit-il, dès lors, d'une figure proprement religieuse, d'un dieu authentique ? N'est-ce pas plutôt un personnage de conte, un type folklorique, introduit après coup dans la mythologie ? Peut-être. Mais alors, il faudra admettre que de gros morceaux de la mythologie scandinave sont non seulement chargés d'alluvions folkloriques, mais dans leur ensemble, d'origine folklorique, car, si l'on en soustrait Loki, il est impossible de maintenir leur forme traditionnelle à beaucoup d'histoires d'Óđinn et de Þórr, c'est-à-dire des divinités les moins contestables en tant que « divinités de culte ».

Au début ou au cours d'un certain nombre de récits, Loki paraît être en rapports spéciaux avec Þórr; quelques critiques ont pensé trouver, dans cette association, un point de départ simple et précis pour l'interprétation du personnage, tout le reste étant ou bien développement de ce germe, ou bien annexion, placage plus ou moins artificiel. Peut-être. Mais d'autres ont noté que les rapports de Loki et d'Óðinn sont plus intimes; et surtout que plusieurs récits où Loki joue un rôle essentiel ne sont centrés ni sur Óðinn ni sur Þórr.

Loki est à la fois l'ami et l'auxiliaire le plus précieux des dieux et leur pire ennemi. Est-il concevable que ces deux attitudes soient également primitives, congénitales ? Ne faut-il pas établir entre elles une perspective chronologique, admettre que le « mauvais Loki » n'est apparu qu'au bout d'une longue évolution, le seul Loki recevable au début étant, comme il convient à un dieu, le « bon Loki » ? Peut-être. Mais on s'expose ainsi — on s'est allègrement exposé — à toutes sortes d'amputations arbitraires, le mauvais Loki étant plus abondamment attesté que le bon, et l'on vérifie une fois de plus qu'il ne suffit pas d'affirmer, de réclamer un « processus historique » pour l'obtenir.

Ami ou ennemi des dieux, confident ingénieux ou redoutable farceur, Loki s'ébat à son aise dans la petite mythologie; il semble qu'il est là chez lui. Et puis, brusquement, dans certains mythes, il prend une valeur et une ampleur énormes, presque cosmiques : qu'il s'agisse du meurtre de Baldr, de son propre supplice, de son épiphanie à la fin du monde, ce deuxième Loki est sans commune mesure avec le gobelin que présentent tant de récits drolatiques. Ne faut-il pas, ici encore, admettre une évolution ? Des modèles chrétiens, à moins qu'ils ne soient iraniens, n'ont-ils pas imposé au petit dieu malin des Scandinaves une transfiguration satanique ou ahrimanienne ? Peut-être. Mais cela mène loin, bien au-delà de Loki, et cela conduit à de grosses invraisemblances : l'histoire de l'exégèse des mythes scandinaves est toute jonchée de ces gageures où les écritures apocryphes, le christianisme latin ou celtique, la Bible ou un dualisme abâtardi prétendaient expliquer les imaginations « tardives » des païens du Nord.

Enfin, aujourd'hui même, les paysans de la Norvège, de la Scanie, du Danemark, des Færöer, de l'Islande, connaissent Loki; des formules, des proverbes, quelques récits contiennent son nom; dans plusieurs de ces régions, Loki est même mis en rapport avec de menus phénomènes naturels, avec quelques incidents de la vie sociale. Comment interpréter ces traces ? Sont-elles postérieures au riche Loki de la tradition littéraire médiévale, dérivées de lui ou déformées à partir de lui ? Ou au contraire conservent-elles un Loki plus fruste, mais plus pur et plus ancien, dont la tradition littéraire médiévale n'aurait été qu'un enjolivement, une amplification, et peut-être une falsification éphémère ? Les deux thèses, *a priori*, peuvent se soutenir, et les images qu'on se forme du Loki primitif dans l'un et dans l'autre cas sont naturellement fort différentes.

Le problème étant si difficile à cerner et à centrer, on ne s'étonnera pas de l'extrême diversité des solutions proposées : Loki est le feu, disaient les premiers tenants de l'exégèse naturaliste. Loki est l'eau ou le vent, rectifiaient d'autres. Des disciples de Mannhardt l'ont vêtu de l'uniforme des « Esprits de la Végétation ». On a vu en lui un dieu infernal, chthonien, ou, à la faveur d'une étymologie, le « fermeur » de l'histoire du monde. Des folkloristes ont cru pouvoir saluer une sorte de sous-officier chanceux de l'armée des génies, trolls et elfes, dont l'horizon scandinave a toujours été peuplé. D'autres folkloristes ont reconnu à la fois le « héros-civilisateur » des récits mythologiques de certains demi-civilisés et le « trompeur » qui parfois le double *(culture-hero and trickster)*. Contre tous ces systèmes, bien entendu, les objections affluent : soit qu'ils réduisent l'essence de Loki à l'un de ses aspects d'où l'on ne peut, à moins d'artifice évident, déduire les autres; soit qu'ils estompent des différences fondamentales entre Loki et le type mythologique ou folklorique, réel ou supposé, précis ou confus, dont ils veulent le rapprocher.

Mais nous ne sommes pas au bout des difficultés qui compliquent et, semble-t-il, condamnent toute tentative pour interpréter Loki. Ce qui vient d'être dit, l'exposé même des antinomies et des exégèses suppose qu'il existe un « dossier Loki », un ensemble de pièces dont on peut discuter l'ancienneté et l'importance relatives, la cohérence et le sens, mais dont on ne conteste pas la réalité. Nous n'en sommes plus là. Depuis trois quarts de siècle, certaines écoles de philologues ont littéralement réduit en poussière la plupart des documents, montrant que les uns ne sont que des combinaisons, habiles ou maladroites, de « motifs de contes », et que, si l'on considère ou reconstitue les formes primitives des autres, Loki n'y intervenait même pas. Si ces jeux étaient légitimes, il ne faudrait donc plus dire que le problème de Loki est insoluble, ou qu'il défie l'énoncé; il faudrait simplement dire qu'il est illusoire.

Si, après tant d'autres, j'aborde le problème de Loki, est-il besoin de dire que c'est parce que je crois qu'il existe, qu'il se laisse formuler et aussi qu'il peut, dans une certaine mesure, être élucidé ?

Je crois qu'il existe : c'est-à-dire que les amenuisements, les dislocations qu'Eugen Mogk et quelques autres ont fait subir à la matière même de l'étude sont sophistiques, dans le principe et dans les applications.

Je crois qu'il se laisse formuler : c'est-à-dire que les apories et antinomies qui ont été signalées tout à l'heure, et quelques autres encore, loin de voiler ou de diluer la personnalité de Loki ou de prouver une « évolution histo-rique » qui en eût infléchi ou même retourné le sens, la définissent constitutivement, en tant que complexe et contradictoire.

Je crois enfin qu'on peut en avancer l'élucidation : c'est-à-dire qu'il existe certains moyens d'exégèse encore inemployés, et en particulier un important *dossier compa-ratif*, déjà brièvement signalé en 1939 dans une note de *Mythes et dieux des Germains* [1].

L'étude se répartit naturellement en deux temps. Je ferai d'abord, à mon tour (chap. I et II), un examen des documents scandinaves, pour montrer comment, dans la grande majorité des cas, la critique philologique ou

---

1. P. 126, n. 1 : « [Loki] a, dans les légendes nartes, un parallèle tout à fait exact : Syrdon, conseiller railleur, compagnon et fléau des Nartes qui, exaspérés, finissent par le tuer. »

folklorique a dépassé ses droits et conclu au-delà de ses moyens, et pour restaurer, contre les simplifications et contre les mises en perspective arbitraires des théoriciens, la riche et mobile figure de Loki. Puis, dans une seconde partie (chap. III et IV), j'examinerai le personnage homologue de l'épopée narte des Ossètes, Syrdon, et, confrontant Syrdon avec Loki, j'essaierai de comprendre, sinon la fonction, du moins la signification de ce type de héros ou de dieu [1].

Avril 1948.   G.D.

---

1. Pour le chapitre v, cf. ci-dessous, pp. 126-127.

CHAPITRE PREMIER

LOKI

Voici la revue des documents scandinaves classés d'une manière qui ne préjuge pas l'interprétation, par simple rapprochement des récits dont le ton et l'orientation sont similaires. Il n'y sera guère fait de référence aux critiques de diverses sortes qui leur ont été appliquées et qui seront discutées ensuite.

On sait que le christianisme a été introduit au Danemark et en Suède dans le premier tiers du IXe siècle, imposé à la Norvège et aux archipels de l'Ouest (Færöer, Orcades) par deux rois énergiques environ deux siècles plus tard; que la conversion de la libre Islande est de l'an 1000. On sait aussi que le bel âge des scaldes, poètes courtisans, de langue savante et contournée, est le bel âge des Vikings, les IXe et Xe siècles; que les poèmes anonymes, plus simples et en général plus puissants, qui constituent le recueil improprement appelé Edda, *ont été composés à des époques très variées, qu'on ne peut pas toujours déterminer, entre le IXe et le XIIe siècles et mis par écrit vers 1250; que le corpus de la mythologie scandinave qu'on appelle* Edda en prose [1] *(et qui seul a droit au titre d'*Edda*) a été rédigé, au début du XIIIe siècle, à l'usage des émules tardifs des scaldes, par l'illustre Islandais Snorri Sturluson (1178-1241), auteur aussi d'une histoire des rois de Norvège, la* Heimskringla,

---

1. V. ci-dessous, pp. 61-84, les discussions relatives à la valeur documentaire de l'*Edda* de Snorri.

*dont les premiers chapitres (*Ynglingasaga*) sont de précieux compléments mythologiques à l'*Edda; *que les histoires et biographies islandaises, les* sögur (pluriel de saga) *ont commencé à être rédigées à la fin du* XIIe *siècle et que le genre s'est perpétué longtemps, en devenant de plus en plus romanesque (*fornaldar sögur); *enfin que, vers la même époque, le Danois Saxo Grammaticus a écrit des* Gesta Danorum *dont les neuf premiers livres sont un important témoignage pour la connaissance de la fable nordique et reposent sur des poèmes et des sagas en grande partie perdus*[1].

LES DOCUMENTS

1. Loki, les dieux et le géant Þjazi

Cette histoire est connue par deux textes : par la *Haustlöng* (« Passe-temps [des soirs] d'automne » ?), poème composé à la fin du IXe siècle par le scalde Þjóðólfr ór Hvíni, et par un texte de Snorri, qui est plus complet et qui dérive sans doute à la fois de la *Haustlöng* et de sources aujourd'hui perdues. Enfin, dans la *Lokasenna* (st. 50), Loki fait lui-même allusion à la part qu'il a eue dans la mort de Þjazi.

---

1. Je cite : les poèmes eddiques, d'après l'édition critique de B. Sijmons, au premier tome de B. Sijmons et H. Gering, *Die Lieder der Edda,* dans la *Germanistische Handbibliothek,* VII, Halle, 1906; l'*Edda* en prose, d'après l'édition critique de Finnur Jónsson, *Edda Snorra Sturlusonar,* Copenhague, 1931, dont les chapitres et les pages sont indiqués ici; les *Gesta Danorum* de Saxo Grammaticus d'après l'édition in-folio de Olrik et Ræder, Copenhague, 1931. Contrairement à un usage qui se développe dans les publications relatives à la vieille religion scandinave, je n'ai pas greffé, sur ces textes, mille et une discussions philologiques qui n'auraient pas eu de rapport avec le problème traité. En particulier, si tel vers de l'*Edda* peut être lu ou interprété de plusieurs manières sans que cela modifie le rôle de Loki dans l'épisode, j'ai simplement choisi la lecture ou l'interprétation qui me paraissaient le plus plausibles. La mythographie néglige volontiers l'une des règles d'or de la morale et de la rhétorique : *age quod agis.*

a) *Skáldskaparmál*, chap. II-IV, pp. 78-81 (= *Bragaræður*, chap. II).

Il (= Bragi) commença ainsi son récit. Trois Ases sortirent, — Óðinn, Loki et Hœnir. Ils passèrent par des montagnes et des terres désertiques où ils furent en peine pour manger. Mais, descendant dans une vallée, ils virent un troupeau de bœufs. Ils prirent un des bœufs et se mirent en devoir de le cuire sur le feu. Quand ils pensèrent qu'il était cuit, ils dispersèrent le feu : ce n'était pas cuit. Quand, une seconde fois, après un peu de temps, ils dispersèrent le feu, ce n'était toujours pas cuit. Ils se demandèrent les uns aux autres ce que cela signifiait. Alors ils entendirent une voix dans le chêne, au-dessus d'eux. Celui qui était perché là disait qu'il était la cause que cela ne cuisait pas au feu. Ils regardèrent : un aigle était perché là, qui n'était pas petit. L'aigle dit : « Si vous voulez bien me donner mon saoul du bœuf, cela cuira au feu. » Ils acceptèrent.

L'aigle descendit de l'arbre, se posa près du foyer et enleva aussitôt les deux cuisses et les deux épaules. Alors Loki se fâcha, saisit une longue perche. Il la brandit de toute sa force et frappa l'aigle en plein corps. L'aigle s'envola. La perche lui resta plantée dans le corps et les mains de Loki collées à l'autre bout... L'aigle vole bas, si bien que les pieds de Loki traînent sur les pierres, les éboulis, les morceaux de bois et il lui semble que ses bras vont s'arracher de ses épaules. Il crie et prie très instamment l'aigle de faire la paix. L'aigle dit qu'il ne le lâchera pas qu'il ne lui ait juré de lui amener de la Demeure des Ases Iðunn avec ses pommes. Loki accepte, retrouve sa liberté et rejoint ses compagnons, — et l'on ne raconte plus rien de ce voyage jusqu'à leur retour chez eux.

Mais, au moment convenu, Loki attire Iðunn hors de la Demeure des Ases dans une forêt, et il lui dit qu'il a trouvé là des pommes qui lui paraîtront être des trésors, et il lui dit de prendre avec elle ses propres pommes pour pouvoir faire la comparaison. Alors survient le géant Þjazi, en forme d'aigle. Il prend Iðunn et s'envole avec elle jusqu'au Pays de Þrymr, chez lui.

Les Ases se trouvèrent mal de la disparition d'Iðunn : ils devinrent vite grisonnants et vieux. Ils tinrent une assemblée, se demandant l'un à l'autre ce qu'on savait, en dernier, d'Iðunn. Or, ce qu'on avait vu en dernier, c'était qu'elle était sortie de la Demeure des Ases avec Loki. Alors Loki fut saisi, conduit à l'assemblée et menacé de mort ou de torture. Il eut peur et dit qu'il irait rechercher Iðunn au Pays des Géants si Freyja lui prêtait le plumage de faucon qu'elle possède... Quand il l'a obtenu, il s'envole vers le nord, au Pays des Géants, et arrive chez le géant Þjazi.

Celui-ci était justement en train de pêcher en mer et Iđunn était seule à la maison. Loki la changea en forme de noix, la prit dans ses serres — et le voilà qui s'envole aussi vite qu'il peut... Mais, quand Þjazi rentre, ne voyant pas Iđunn, le voilà qui prend son plumage d'aigle et qui s'envole à la poursuite de Loki, avec tout le bruit que fait un aigle.

Quand les Ases virent venir le faucon tenant la noix et poursuivi par l'aigle, ils descendirent au pied de la Demeure des Ases, emportant une charge de copeaux. Et quand le faucon eut atteint en volant l'intérieur de la Demeure des Ases et se fut posé dans l'enceinte, ils allumèrent aussitôt les copeaux. L'aigle ne put s'arrêter quand il perdit de vue le faucon. Le feu prit à son plumage et l'empêcha de voler. Les Ases étaient là, qui tuèrent le géant Þjazi à l'intérieur de la grille. Cette bataille est célèbre.

Skađi, la fille du géant Þjazi, prit son casque, sa cotte de maille et toute son armure de guerre et marcha contre la Demeure des Ases pour venger son père. Les Ases lui offrirent accord et compensation : d'abord, elle se choisirait un mari parmi les Ases, mais le choix se ferait sans qu'elle vît autre chose que les pieds de ceux entre lesquels elle choisirait. Elle vit une paire de pieds extrêmement beaux et dit : « C'est celui-là que je choisis, il n'y a que Baldr à être sans défaut ! » Mais c'était (le vieux) Njörđr de Nóatún... Une seconde clause était que les Ases s'arrangeraient — chose qu'elle croyait impossible — pour la faire rire. Loki attacha donc une corde à la barbe d'une chèvre et l'autre bout à ses propres bourses et, chacun tirant et cédant alternativement, ils criaient tous deux bien haut. Alors Loki se laissa tomber aux genoux de Skađi : elle rit et ainsi fut conclue sa paix avec les Ases. On dit encore que, en supplément à la compensation, Óđinn prit les yeux de Þjazi et les plaça dans le ciel où ils devinrent deux étoiles.

b) *Haustlöng* [1], st. 1-13.

Dans ce poème, le scalde décrit deux scènes figurées sur un bouclier. La première (st. 1-13) est l'histoire de Þjazi, mais s'arrête à la mise à mort du géant, elle-même très rapidement expédiée. Le développement du récit est le même que dans Snorri, ainsi que le rôle de Loki, si ce n'est que la métamorphose d'Iđunn en noix n'est pas signalée [2].

---

1. Texte restauré et traduction suédoise dans I. Lindquist, *Norröna lorkväden från 800-och 900-talen, del I : förslag till restituerad text jämte översättning* (1929), pp. 82-83; E. A. Kock, *Den norsk-isländska skaldediktningen*, I, 1946, pp. 9-12. Longue étude philologique du texte, par V. Kiil, dans *ANF* 74 (1959), pp. 1-104.

2. Sur les rôles respectifs de Loki et de Hœnir, v. ci-dessous, pp. 220-221.

Mais on notera les périphrases scaldiques qui désignent Loki et qui attestent que, en cette fin du ixe siècle, certains traits du caractère et de la légende du dieu étaient bien acquis (son parentage, le vol du bijou, et, par rapport aux dieux, son ambivalence) : celles des st. 5, 7, 8 le nomment fils de Fárbauti, mari de Sigyn, père du Loup (Fenrisúlfr) [1]; celle de la st. 9 l'appelle « voleur du [... ? ...] de Brísingr » [2]; la st. 12, entre parenthèses, dit de lui qu'il jouait souvent de mauvais tours aux Ases [3], tandis qu'aux st. 7 et 8, il est appelé ami de Hœnir, de Þórr [4].

c) *Lokasenna* [5], st. 50.

Loki lance à Skaði, la propre fille de Þjazi, le défi suivant :

> « J'ai été le premier et le plus ardent à sa mort,
> Quand nous attaquâmes Þjazi ! »

2. Loki et la naissance de Sleipnir

Cette histoire est connue dans son ensemble par l'*Edda* de Snorri. Des détails en sont mentionnés dans deux strophes de la *Völuspá* [6] et dans une strophe de la *Petite Völuspá (Hyndluljóð)* [7].

a) *Gylfaginning*, chap. xxv, pp. 45-47 et
b) *Völuspá*, st. 25-26 (que Snorri cite immédiatement après son récit).

---

1. Cf. ci-dessous, n° 13, 1).
2. *(Brísings... girðiþjófr).* Cf. ci-dessous, n° 9.
3. *Sveik opt ásu leikum.*
4. *Hœnis vinr, Þórs rúni;* à la st. 4, *Hrafnásar vinr* « ami d'Óðinn » désigne plutôt Hœnir, v. ci-dessous, p. 220.
5. Sur ce poème, v. ci-dessous, pp. 44 et 118-121.
6. Sur ce poème, qu'il faut dater sans doute des environs de l'an 1000, peut-être du milieu du siècle précédent, v. ci-dessous, p. 103, et *Tarpeia*, pp. 253-274.
7. Les *Hyndluljóð* sont un poème apparenté aux poèmes eddiques, qui se trouve dans la *Flateyjarbók*, et qui est composite. Les st. 29-44 sont un fragment d'un poème qu'on appelle, d'après une indication de Snorri, *Völuspá in Skamma* « la Brève *Völuspá* »; il est possible qu'il faille le dater du xiie siècle (où du xie ?).

Alors Gangleri demanda : Qui est possesseur du cheval Sleipnir ? Et qu'y a-t-il à dire de lui ? Hár répond : Tu ne sais pas ce qu'est le cheval Sleipnir et tu ignores l'événement d'où il est sorti; cela te paraîtra mériter d'être conté. Il arriva jadis, au début de l'installation des dieux, lorsqu'ils eurent établi la Demeure du Milieu (*Miðgarðr* la terre) et fait la Valhöll, qu'un certain maître-ouvrier (*smiðr*) se présenta et offrit de leur construire en trois demi-années un château capable de leur donner sûreté et salut contre les Géants des Montagnes et les Thurses du Givre [1] même au cas où ceux-ci viendraient assaillir le *Miðgarðr*. Mais il fixa son salaire ainsi : il prendrait pour lui Freyja et voulait avoir le soleil et la lune.

Les Ases s'assemblèrent, délibérèrent et le marché fut conclu avec le maître-ouvrier, avec la clause qu'il aurait ce qu'il demandait s'il réussissait à faire le château en un seul hiver; si au contraire, au premier jour de l'été, quelque partie du château n'était pas faite, il ne toucherait pas le salaire. Il ne devait recevoir d'aide d'aucun homme. Quand ils formulèrent cette condition, il demanda qu'on lui permît de recevoir l'aide de son cheval, qui s'appelait Svaðilfari. Loki fut cause qu'on lui accorda cela.

Alors, au premier jour de l'hiver, il se mit à construire le château et, pendant la nuit, il apportait les pierres avec son cheval. Les Ases trouvèrent fort étonnant que ce cheval tirât de si gros rochers, et le cheval faisait bien plus de travail que le maître-ouvrier. Le marché avait été conclu devant de puissants témoins et avec de grands serments : sans quoi le géant ne se serait pas senti en sécurité chez les Ases au retour de Þórr qui, pour lors, était allé dans l'Est tuer les trolls.

Quand l'hiver tira sur sa fin, la construction était très avancée et le château était assez haut et assez fort pour résister à une attaque. Quand il n'y eut plus que trois jours avant l'été, il n'y restait plus que peu à faire à la porte du château. Les Ases s'assirent alors dans leurs chaires de juges et cherchèrent conseil, l'un demandant à l'autre qui avait conseillé de marier Freyja au Pays des Géants (*í Jötunheima*) et de gâter l'air et le ciel au point d'en enlever le soleil et la lune pour les livrer aux géants. Ils tombèrent tous d'accord que celui qui avait donné ce conseil devait être celui qui conseille le plus souvent mal, à savoir Loki, fils de Laufey. Ils lui dirent qu'il méritait male mort s'il ne trouvait pas un moyen de frustrer le maître-ouvrier de son salaire et ils s'élancèrent sur lui. Il eut peur et jura en réponse qu'il s'arrangerait pour frustrer le maître-ouvrier de son salaire, quoi qu'il pût lui en coûter.

---

1. *fyrir Bergrisum ok Hrímþursum.*

Et, le même soir, quand le maître-ouvrier s'en alla pour chercher des pierres avec son cheval Svaðilfari, voici que, d'une forêt, une jument accourut vers le cheval en hennissant de rut. Quand l'étalon sentit à quel cheval il avait affaire, il devint furieux, brisa la corde et poursuivit la jument. La jument galopa vers la forêt et le maître-ouvrier courut derrière son cheval pour le reprendre. Les deux chevaux galopèrent ainsi toute la nuit et cette nuit-là fut perdue pour le travail : le jour suivant, la construction ne put avancer comme elle faisait jusqu'alors.

Quand le maître-ouvrier comprit qu'il ne pourrait achever sa tâche, il entra dans une « fureur de géant » (*í jötunmóð*). Alors les Ases, assurés que c'était un Géant des Montagnes qui était venu, ne respectèrent plus leurs serments et appelèrent Þórr. A l'instant il apparut et aussitôt son marteau Mjöllnir se leva dans l'air. Il paya ainsi le maître-ouvrier, non pas avec le soleil et la lune, — bien plutôt il lui refusa d'habiter au Pays des Géants, car, du premier coup, il lui mit le crâne en miettes et l'envoya en bas dans la *Niflhel* (« l'enfer brumeux »).

Quand à Loki, il avait eu commerce avec Svaðilfari et, quelque temps après, il mit bas un poulain qui était gris et avait huit jambes : c'est le meilleur des chevaux chez les dieux et chez les hommes.

Voici ce que dit la *Völuspá* (st. 25-26) :

25. Alors les divinités souveraines allèrent toutes sur les
                                             [chaires de décision,
    les très saints dieux, et voici ce qu'ils examinèrent :
    Qui avait mélangé tout l'air de malheur
    et, à la race du géant, donné la jeune femme d'Óðr ?

26. Þórr, seul, fit cela, bouillant de fureur
    (rarement il reste assis quand il apprend de telles
                                             [choses !).
    Brisés furent les serments, paroles et engagements
    et tous les pactes solennels qui avaient eu cours entre
                                             [eux.

c) *Petite Völuspá* = *Hyndluljóð*, st. 42.

On lit, dans une énumération des enfants animaux issus de Loki :

    Loki engendra le Loup avec Angrboða
    et enfanta Sleipnir avec Svaðilfari...

3. Loki, Þórr et le géant Geirrøðr

Cette histoire est connue par un poème de dix-neuf strophes, obscur et mal transmis, composé vers l'an 1000 par le scalde islandais Eilífr Guðrúnarson, la *Þórsdrápa*, et qui est inséré dans trois manuscrits de l'*Edda* en prose; puis par un récit de cette *Edda* en prose qui se fonde et sur la *Þórsdrápa* et sur un autre poème aujourd'hui perdu dont il cite deux strophes et auquel il paraît avoir emprunté des formules allitérantes. De plus, des versions déformées — et où n'apparaît plus Loki — se trouvent consignées ou mentionnées au livre VIII des *Gesta Danorum* de Saxo Grammaticus et dans deux sagas.

a) *Skáldskaparmál*, chap. XXVII, pp. 105-107.

Cela mérite d'être conté tout au long, comment Þórr se rendit à la Demeure de Geirrøðr. Il n'avait avec lui ni son marteau Mjöllnir, ni sa ceinture de force, ni ses gants de fer, et cela par la faute de Loki. Celui-ci l'accompagnait.

Une fois qu'il s'amusait à voler dans le plumage de faucon de Frigg, il était arrivé à Loki de voler par curiosité jusqu'à la Demeure de Geirrøðr, où il vit une grande salle. Il se posa et regarda à l'intérieur par la lucarne (du toit). Geirrøðr le remarqua et dit de prendre l'oiseau et de le lui apporter. Mais celui qu'il envoya atteignit à grand effort le (faîte du) mur de la salle, tant il était haut. Loki s'amusa de le voir prendre tant de peine pour l'atteindre et se dit qu'il serait temps de s'envoler quand l'homme aurait fait le plus difficile du passage. Au moment où l'homme allait l'atteindre, le voilà qui déploie les ailes et prend élan sur ses pattes, — mais ses pattes restent collées... Loki fut pris et apporté au géant Geirrøðr. Celui-ci, en voyant ses yeux, soupçonna que ce devait être un homme [1] et lui ordonna de répondre, mais Loki se tut. Geirrøðr l'enferma alors dans un coffre et l'y laissa à jeun pendant trois mois. Quand il l'en tira et lui ordonna de parler, Loki dit qui il était et, pour racheter sa vie, jura qu'il ferait venir Þórr à la Demeure de Geirrøðr, mais sans son marteau et sans sa ceinture de force.

(En chemin,) Þórr prit logis chez une géante du nom de Gríðr. C'était la mère de Viðarr le Silencieux. Elle dit à Þórr la vérité sur Geirrøðr, c'est-à-dire que c'était un géant extrêmement malin

---

1. *Þá grunaði hann, at maðr mundi vera* : la distinction « dieu » ~ « homme », par rapport à « oiseau », est insignifiante.

et d'abord difficile. Elle lui prêta la ceinture de force et les gants de fer qu'elle avait, ainsi que son bâton, qui s'appelle Grídarvölr (« Bâton de Grídr »). Alors Þórr arriva au fleuve qui s'appelle Vimur, le plus grand des fleuves. Il se ceignit de la ceinture de force et appuya le bâton de Grídr contre le courant. Quant à Loki, il se tenait sous la ceinture. Quand Þórr atteignit le milieu du fleuve, l'eau monta tellement qu'il en eut jusqu'aux épaules. Þórr dit :

« Ne monte pas maintenant, Vimur, il faut que je passe à gué
[jusqu'à la Demeure des Géants.
Sait-tu que, si tu montes, ma force d'Ase monte alors aussi
[haut que le ciel ? »

Þórr vit, en avant, dans une gorge de la montagne, Gjálp, la fille de Geirrǿdr, debout au-dessus du fleuve, un pied de chaque côté : c'est elle qui faisait la crue. Þórr prit dans le fleuve une grosse pierre et la lança contre elle en disant : « C'est à la source qu'il faut endiguer le fleuve ! » Quand il lançait quelque chose, il ne manquait pas son but. Au même moment il atteignit la rive. Il s'accrocha à un sorbier et sortit du fleuve. De là vient l'expression que « le sorbier est le salut de Þórr ».

Quand Þórr arriva chez Geirrǿdr, les deux compagnons furent d'abord conduits dans la maison des hôtes. Il n'y avait là qu'une seule chaise et Þórr s'y assit. Il s'aperçut que la chaise, sous lui, s'élevait vers le toit. Alors il appuya le bâton de Grídr contre la charpente du toit et pesa lourdement sur la chaise. Il y eut un grand craquement, suivi d'un grand cri : sous la chaise se trouvaient les filles de Geirrǿdr, Gjálp et Greip, et à toutes deux il avait brisé le dos. Þórr dit :

Une fois j'ai exercé la force d'Ase dans la demeure des
[géants
lorsque Gjálp et Greip, les filles de Geirrǿdr, voulurent
[m'élever au ciel.

Ensuite Geirrǿdr fit appeler Þórr dans la salle pour jouer. Il y avait de grands feux qui traversaient toute la salle. Quand Þórr arriva dans la salle en face de Geirrǿdr, celui-ci prit avec des pinces un morceau de fer rougi et le lui lança. Þórr le saisit au vol avec ses gants de fer. Geirrǿdr bondit derrière un pilier de fer pour s'abriter, mais Þórr lança le morceau de fer qui traversa le pilier et Geirrǿdr et le mur et alla s'enfoncer dehors, dans la terre. De là les vers composés par Eilífr Gudrúnarson dans la *Þórsdrápa* :

(Suivent les dix-neuf strophes dont il va être question.)

b) *Þórsdrápa* (dans *Skáldskaparmál*, chap. XXVII, pp. 107-110) [1].

Le sens de ces strophes est loin d'être établi, en dépit de mainte étude érudite.

Il ressort de la strophe 1, où Loki, en accord avec la tradition ultérieure, est désigné comme « le père du Serpent du Monde », que c'est lui qui excita Þórr à se mettre en route, en lui disant que « de verts chemins le conduiraient à la demeure de Geirrøðr ». A cette occasion, en parenthèse, dès le vers 3, le poète précise : « Ample était Loptr (= Loki) à mentir ! » (*drjúgr vas Loptr at ljúga*).

A la strophe 2, Þórr accepte avec empressement : « tous deux avaient hâte de frapper les géants ».

La strophe 3 parle encore de Loki, mais dans des conditions d'obscurité telles qu'on peut en tirer des sens très divers.

Enfin, à la st. 4, Þórr est qualifié de *bölkveitir Loka*, ce qui paraît signifier, comme le propose I. Lindquist, « des-tructeur de la perfidie de Loki ».

Dans la suite, Loki ne paraît plus; on constate une véritable substitution de personnage, que rien ne prépare : c'est le serviteur habituel de Þórr, Þjálfi, qui participe dorénavant à l'expédition et qui notamment se dresse et se cramponne à la ceinture du grand Þórr pendant la traversée du fleuve qu'enflent les filles du géant (st. 9). En corrigeant hardiment le texte, on est parvenu à reconstituer plus loin (p. ex. st. 10) des périphrases susceptibles de désigner Loki, mais c'est là pur jeu.

4. Loki, Þórr et le géant Þrymr

Le thème de la *Þrymskviða* est extrêmement célèbre; il a inspiré à toutes époques, dans les divers pays scandinaves, de nombreuses ballades et n'est pas sans rapport avec des traditions recueillies au sud et à l'est de la Baltique. Il suffira ici de citer le poème eddique. Les philologues ne

---

1. E.A. Kock, *Den norsk-isländska Skaldediktningen*, pp. 76-79.

s'accorde pas sur la date probable de sa composition, mais J de Vries lui-même, qui y voit une des pièces les plus récentes du recueil (vers 1100) [1], admet que la matière peut être beaucoup plus ancienne que la rédaction. Je ne traduirai que les strophes qui intéressent Loki, le reste étant résumé entre parenthèses.

(1. Vingþórr s'aperçoit qu'on lui a volé son marteau pendant son sommeil et il est furieux.)

2. Et il dit d'abord ces paroles :
   « Écoute, Loki, ce que je dis,
   Ce que nul ne sait, nulle part sur la terre
   ni en haut dans le ciel : on a volé à l'Ase son marteau ! »

3. Ils allèrent à la belle demeure de Freyja
   et il dit d'abord ces paroles :
   « Me prêteras-tu, Freyja, ton vêtement de plumes
   — si je pouvais (en m'en servant) retrouver mon mar-
   [teau ! »

4. *Freyja dit :*
   « Je te le donnerais même s'il était d'or,
   je te le remettrais même s'il était d'argent. »

5. Alors Loki vola, le vêtement de plumes tonna,
   Jusqu'à ce qu'il entra dans le pays des géants.
   Þrymr était assis sur une colline, le chef des Þurses,
   tressant pour ses chiens des colliers d'or.

6. *Þrymr dit :*
   « Comment cela va-t-il chez les Ases, comment cela
                              [va-t-il chez les Elfes ?
   Pourquoi es-tu venu seul au pays des géants ? »
   Loki dit :
   « Cela va mal chez les Ases, cela va mal chez les Elfes :
   as-tu caché le marteau de Hlórriði (= Þórr) ? »

7. *Þrymr dit :*
   « J'ai caché le marteau de Hlórriði,
   à huit lieues sous la terre,
   et nul ne le reprendra
   s'il ne m'amène Freyja pour femme ! »

---

1. « Over de dateering der Þrymskviða », dans *Tijdschrift voor Nederlandsche Taal en Letterkunde* 47 (1928), pp. 251-322; cf. P. Hallberg, « Om *Þrymskviða* », *ANF* 69 (1954), p. 52.

8. Alors Loki s'envola, le vêtement de plumes tonna,
   jusqu'à ce qu'il entra au séjour des Ases.
   Il rencontra Þórr au milieu de l'enclos,
   et il (= Þórr) dit d'abord ces paroles :

9. (*Þórr dit* :)
   As-tu un message conforme à ta peine ?
   Dis-moi, debout, ton long rapport :
   souvent les mots manquent à l'homme assis
   et l'homme couché énonce un mensonge ! »

10. *Loki dit* :
    « J'ai un message conforme à ma peine :
    Þrymr, le chef des Þurses, a ton marteau
    et nul ne le reprendra
    s'il ne lui amène Freyja pour femme ! »

11. Ils allèrent chercher la belle Freyja
    et il dit d'abord ces paroles :

(« Habille-toi en fiancée et allons tous deux chez les
Géants ! ». — 12 : fureur et refus de Freyja. — 13 :
délibération des Ases. — 14-15 : Heimdallr propose :
« Qu'on habille Þórr en fiancée ! »)

16. Alors Þórr dit, l'Ase vigoureux :
    « Les Ases m'appelleront efféminé,
    si je me laisse vêtir du lin de la fiancée... »

17. Alors Loki, fils de Laufey, dit :
    « Tais-toi, Þórr, avec ces paroles !
    Les géants habiteront vite la Demeure des Ases,
    si tu ne reprends pas ton marteau... »

(18-19 : on déguise Þórr en fiancée.)

20. Alors Loki, fils de Laufey, dit :
    « Je serai aussi avec toi comme servante :
    nous irons toutes les deux au Pays des Géants ! »

(21 : on attelle; voyage. — 22-23 : attente vaniteuse de
Þrymr. — 24 : arrivée; Þórr mange un bœuf, huit saumons,
boit trois tonneaux d'hydromel. — 25 : étonnement inquiet
de Þrymr.)

26. La tout-habile servante était là,
    qui trouva réponse à la parole du géant :

« Freyja n'a pas mangé pendant huit nuits,
tant elle se hâtait avidement vers le Pays des Géants... »

(27 : Þrymr se penche pour embrasser la fiancée; devant l'éclat des yeux, il recule.)

28. La tout-habile servante était là,
qui trouva réponse à la parole du géant :

« Freyja n'a pas dormi pendant huit nuits,
tant elle se hâtait avidement vers le Pays des Géants... »

(29 : La vieille sœur du géant vient demander à la fiancée les présents d'usage. — 30 : Þrymr fait apporter le marteau pour la bénédiction. — 31-32 : Þórr saisit le marteau et massacre les géants.)

5. Loki et l'or d'Andvari

Dans l'*Edda* en vers, parmi les pièces héroïques inspirées par le cycle allemand des *Nibelungen,* figurent les *Reginsmál,* « les paroles de Reginn » [1]. En tête du poème a été placée, comme il arrive parfois, une introduction en prose qui explique d'où vient la malédiction de ce qui deviendra « l'Or du Rhin ». L'*Edda* en prose fait le même récit [2].

a) *Reginsmál,* début :

Sigurðr alla au haras de Hjálprekr et se choisit un cheval qui fut dès lors nommé Grani. Or Reginn, fils de Hreiðmarr, était venu chez Hjálprekr. Il était plus habile qu'aucun homme et nain de taille. Il était intelligent, farouche et savant en magie. Reginn élevait et instruisait Sigurðr et l'aimait beaucoup. Il parla à Sigurðr de ses ancêtres et des aventures d'Óðinn, de Hœnir et de Loki, quand ils furent venus à la cascade d'Andvari, cascade où il y avait abondance de poisson.

1. Fin du XIᵉ siècle ?
2. Comme nom commun, *andvari* signifie « souci, anxiété »; on a supposé avec vraisemblance que le personnage d'Andvari était né d'une interprétation fantaisiste du mot *andvaranautr* « a precious objet which causes terror or grief », appliqué à juste titre à l'anneau dont il va être question : J. de Vries, *The Problem of Loki* (FFC 110), 1933, p. 42.

Il y avait un nain, nommé Andvari, qui était depuis longtemps dans la cascade en forme de brochet et y prenait sa nourriture. Otr était le nom de mon frère, dit Reginn, et souvent il entrait dans la cascade en forme de loutre (*otr*). Un jour il avait pris un saumon et, assis au bord de l'eau, il mangeait en somnolant. Loki, d'un coup de pierre, l'assomma. Il parut aux Ases que c'était une bonne aubaine et ils écorchèrent la loutre.

Ce même soir, ils demandèrent l'hospitalité à Hreiðmarr et lui montrèrent leur chasse. Alors nous les empoignâmes et leur imposâmes, comme rançon, de remplir d'or la peau de la loutre et de la recouvrir extérieurement avec de l'or rouge. Ils envoyèrent Loki ramasser de l'or. Il alla chez Rán (femme du géant Ægir), reçut d'elle un filet, revint à la cascade d'Andvari, jeta le filet pour prendre le brochet, — et celui-ci s'y précipita.

(Strophes 1-4 : dialogue entre Loki et Andvari. — 1 : Loki lui demande son nom et lui dit de se racheter en lui procurant « l'éclat des flots », c'est-à-dire l'or. — 2 : Andvari se nomme et gémit sur sa destinée. — 3 : Loki demande quel est le sort réservé aux diffamateurs. — 4 : Andvari répond qu'ils sont cruellement châtiés [1]; puis, de nouveau, prose :)

Loki vit tout l'or que possédait Andvari. Quand celui-ci avait livré l'or, il avait retenu un anneau : Loki le lui prit. Le nain entra sous le rocher et dit :

5. Cet or, qu'a possédé Gustr[2],
       causera la mort de deux frères
       et la guerre entre huit seigneurs :
   de mon trésor nul ne jouira !

Les Ases remirent la rançon à Hreiðmarr. Ils bourrèrent la peau de la loutre et la dressèrent sur ses pieds. Alors les Ases durent la couvrir d'or et la masquer. Quand ce fut fait, Hreiðmarr vint et vit un poil de la moustache : il ordonna de le masquer. Óðinn prit l'anneau dit *Andvaranautr* et en masqua le poil [3]. Loki dit :

---

1. Allusion possible aux accusations de Brynhildr contre Sigurðr.

2. Personnage inconnu; peut-être un autre nom d'Andvari lui-même.

3. De cette scène, on a rapproché l'histoire de Fredegar, dans laquelle les Gots ont à payer aux Francs une indemnité consistant à entasser de l'or jusqu'à ce qu'il atteigne le sommet de la tête d'un guerrier franc à cheval, et où les Francs, mécontents, exigent que le tas s'élève jusqu'à la pointe de la lance : G. Schütte, dans *Edda*, II (1917), pp. 249-250; J. de Vries, *The Problem of Loki*, p. 47 (qui pense que c'est là simplement « a literary motive, that consequently may have been added to the Old-norse tradition of the Nibelungs in a rather late period »).

6. L'or t'a été livré, mais tu as reçu une rançon
  grande pour ma tête !
 A ton fils cela ne portera pas bonheur :
  c'est pour vous deux la mort !

7. *Hreiđmarr dit :*
 Tu as donné des cadeaux, tu n'as pas donné de cadeaux
  [amicaux,
  tu n'as pas donné de bon cœur, —
 c'est de votre vie que vous l'auriez payée,
  Si j'avais su cette mauvaise annonce plus tôt !

8. *Loki dit :*
 Ce qui est pire (je crois le savoir)
  c'est la lutte des proches à cause de la sœur.
 Les princes ne sont pas encore nés, je pense,
  à qui cet or inspirera haine.

9. *Hreiđmarr dit :*
 De l'or rouge je compte disposer
  aussi longtemps que je vivrai.
 De tes menaces je ne m'effraie pas le moins du monde,
  — et rentrez chez vous ! hors d'ici !

b) *Skáldskaparmál*, chap. XLVII, pp. 126-128.

On raconte que trois des Ases partirent pour connaître le monde : Ódinn, Loki et Hœnir. Ils arrivèrent à un fleuve et le suivirent jusqu'à une cascade. Près de la cascade, il y avait une loutre qui avait pris un saumon et le mangeait les yeux mi-clos. Loki ramassa une pierre, la lança sur la loutre et l'atteignit à la tête. Alors Loki se vanta de cette chasse parce que, d'un seul coup, il avait eu une loutre et un saumon, et ils prirent avec eux le saumon et la loutre. Ils arrivèrent à une ferme et y entrèrent. Le paysan qui habitait là s'appelait Hreiđmarr ; c'était un homme fort, un grand magicien. Les Ases lui demandèrent l'hospitalité pour la nuit. Ils lui dirent qu'ils avaient avec eux des provisions et lui montrèrent leur butin. Mais quand Hreiđmarr vit la loutre, il appela ses fils Fafnir et Reginn et leur dit que leur frère Otr avait été tué et, aussi, qui avait fait cela. Alors le père et les fils se jetèrent sur les Ases, les saisirent et les lièrent, et leur dirent que la loutre était un fils de Hreiđmarr. Les Ases offrirent de payer en compensation ce qu'exigerait Hreiđmarr ; ils convinrent de cela et

Le motif se retrouve dans le folklore danois des trésors enterrés, *Danske Folkeminder*, 42 (1930), p. 153 : pour le calcul d'une rançon, le roi prisonnier s'agenouille et l'on entasse autour de lui des joyaux jusqu'à ce qu'il disparaisse entièrement.

le confirmèrent par serment. Alors on écorcha la loutre, Hreiđmarr prit la peau et dit qu'ils devaient la remplir intérieurement d'or rouge et l'en couvrir extérieurement, moyennant quoi ils auraient la paix.

Alors Óđinn envoya Loki au séjour des Elfes Noirs. Il alla vers le nain qui s'appelle Andvari. Il était un poisson dans l'eau. Loki le saisit dans ses mains et exigea de lui, comme rançon, tout l'or qu'il avait dans son rocher. Quand ils furent dans le rocher, le nain étala tout l'or qu'il avait, et c'était une grande richesse. Le nain cacha sous sa main un petit anneau d'or. Loki le vit et lui enjoignit de livrer l'anneau. Le nain lui demanda de ne pas lui enlever l'anneau parce que, s'il le gardait, il pourrait reconstituer sa richesse à partir de lui. Mais Loki lui dit qu'il ne garderait pas un *penning,* lui enleva l'anneau et partit. Alors le nain dit que l'anneau coûterait la vie à quiconque le posséderait. Loki répliqua que c'était bien ainsi et qu'il s'en tiendrait à ce qu'il avait dit; que néanmoins il informerait celui qui prendrait l'anneau.

Il revint chez Hreiđmarr et montra l'or à Óđinn. Quand celui-ci vit l'anneau, il le trouva beau, l'enleva du tas et livra le reste à Hreiđmarr. Hreiđmarr remplit la peau de la loutre en tassant l'or autant qu'il put. Quand elle fut pleine, il la mit sur ses pattes et Óđinn s'avança pour la recouvrir. Quand il eut fini, il dit à Hreiđmarr de venir vérifier que la peau était bien couverte. Hreiđmarr vint, inspecta, aperçut un poil de la barbe et dit qu'il fallait aussi le couvrir, faute de quoi l'accord serait rompu. Alors Óđinn retira l'anneau, en couvrit le poil et dit qu'il s'était ainsi complètement acquitté de la rançon. Quand Óđinn eut repris son épieu et Loki ses chaussures [1], en sorte qu'ils n'eurent plus rien à craindre, Loki déclara que ce qu'avait dit Andvari se réaliserait, à savoir que cet anneau et cet or seraient meurtriers de celui qui les posséderait. Et cela s'est réalisé depuis lors.

6. Loki et les trésors des dieux

Ce récit figure uniquement dans l'*Edda* en prose (*Skáldskaparmál,* chap. XLIV, pp. 122-125), où il est destiné à expliquer une des nombreuses périphrases (*kenningar*) par lesquelles les scaldes peuvent remplacer le nom de l'or.

Pourquoi l'or est-il appelé *haddr Sifjar* « chevelure de Sif [2] » ? Loki, fils de Laufey, avait fait la mauvaise farce de couper toute

---

1. Les chaussures magiques qui lui permettaient de circuler dans l'air et dans l'eau, v. ci-dessous, n° 6.

2. La femme de Þórr.

la chevelure de Sif. Quand Þórr apprit cela, il prit Loki et lui aurait broyé tous les os, si Loki ne lui avait juré qu'il ferait faire pour Sif, par les Elfes Noirs, une chevelure d'or ayant la propriété de pousser comme ses cheveux naturels. Loki alla trouver les nains qui s'appellent les fils d'Ivaldi. Ils firent la chevelure (pour Sif) et (le vaisseau) Skíðblaðnir (pour Freyr) et l'épieu d'Óðinn qui s'appelle Gungnir. Alors Loki paria sa tête avec le nain nommé Brokkr que son frère Sindri ne serait pas capable de faire trois trésors d'aussi bonne qualité que ceux-là.

Quand ils arrivèrent à la forge, Sindri plaça une peau de cochon dans le foyer et dit à Brokkr de manier le soufflet et de ne pas s'arrêter avant qu'il ne vînt retirer du foyer ce qu'il y avait mis. Mais à peine était-il sorti de la forge où Brokkr soufflait, qu'une mouche se posa sur la main de celui-ci et le piqua. Mais il continua de souffler jusqu'à ce que le forgeron vînt retirer l'objet : c'était un sanglier dont les soies étaient d'or.

Alors Sindri plaça de l'or dans le foyer, recommanda à Brokkr de ne pas cesser de souffler jusqu'à son retour et sortit. La mouche revint et le piqua au cou deux fois plus fort, mais il continua de souffler jusqu'à ce que son frère revînt et retirât du foyer l'anneau d'or qui s'appelle Draupnir.

Alors Sindri mit du fer dans le foyer et lui dit de souffler, ajoutant que, s'il s'arrêtait, tout serait gâché. Cette fois la mouche se plaça entre ses deux yeux, lui piqua les paupières et le sang lui coula au point qu'il cessa de voir. Alors il la chassa de la main, d'un geste aussi rapide que possible, mais pendant ce temps le soufflet resta immobile. Le forgeron revint et dit que peu s'en fallait que tout ce qui se trouvait dans le foyer ne fût gâché. Il retira du foyer un marteau.

Il mit tous ces trésors dans les bras de son frère Brokkr et lui dit de les porter à la Demeure des Ases, pour soutenir le pari. Quand lui et Loki apportèrent leurs trésors, les dieux s'assirent dans leurs chaises de juges. La sentence serait celle que prononceraient Óðinn, Þórr et Freyr. Loki donna à Óðinn l'épieu Gungnir, à Þórr la chevelure destinée à Sif et à Freyr le bateau Skíðblaðnir, énumérant les vertus de ces trois trésors : l'épieu ne manquait jamais son but; la chevelure pousserait dès qu'elle serait sur la tête de Sif et Skíðblaðnir aurait toujours bon vent, sitôt sa voile déployée, pour n'importe quelle direction; de plus, ce bateau pouvait, si l'on voulait, se plier comme un linge et se mettre dans la poche. A son tour Brokkr présenta ses trésors. Il donna à Óðinn l'anneau et dit que, chaque neuvième nuit, huit autres anneaux aussi précieux se détacheraient de lui. Il donna à Freyr le sanglier et dit qu'il courrait dans l'air et dans l'eau, nuit et jour, plus vite que n'importe quel cheval et qu'il n'y aurait jamais ni nuit ni forêt si sombre qu'il ne l'illuminât sur son passage, tant ses soies étaient brillantes. Enfin, il donna à Þórr le marteau et dit qu'il pourrait frapper n'importe quoi aussi fort qu'il voudrait sans que le marteau s'ébréchât, que jamais il ne le perdrait, où qu'il le lançât, que jamais le marteau ne volerait si loin qu'il ne revînt dans sa main, enfin que, s'il voulait, le marteau se ferait assez petit pour qu'il pût le porter dans sa blouse; il n'avait pas de défaut, sinon que son manche était plutôt court.

La sentence des dieux fut que le marteau était le meilleur de tous les trésors et la meilleure défense contre les Thurses du Givre, et ils arbitrèrent le pari en disant que le nain avait gagné. Alors Loki offrit de racheter sa tête. Le nain répondit qu'il n'en était pas question. « Attrape-moi donc ! » dit Loki. Mais, quand l'autre voulut le prendre, il était déjà loin. Loki avait des chaussures grâce auxquelles il courait dans l'air et dans l'eau. Alors le nain demanda à Þórr de l'attraper et Þórr le fit. Le nain voulut trancher la tête de Loki, mais Loki dit qu'il n'avait engagé que sa tête et non son cou. Le nain prit alors une courroie et un couteau et voulut piquer des trous dans les lèvres de Loki et lui coudre la bouche, mais le couteau ne piqua pas. Il dit que le mieux serait de prendre l'alène de son frère. A peine l'avait-il nommée que l'alène fut là et il perça les lèvres. Il cousit les lèvres ensemble et cassa le cuir au sortir des trous. La courroie avec laquelle la bouche de Loki fut cousue s'appelle Vartari.

7. L'accident du bouc de Þórr

La strophe 38 de l'*Hymiskviða* [1] — où l'on voit en général, sans raison décisive, une interpolation — attribue à Loki la responsabilité de la boiterie d'un des boucs qui traînent habituellement la voiture de Þórr. Mais la strophe suivante (39) paraît l'expliquer tout autrement, en accord avec un récit de l'*Edda* en prose.

a) *Hymiskviða*, st. 38-39.

38. Ils n'avaient pas cheminé loin quand se mit à s'affaisser
    un des boucs de Hlórriði (= Þórr), là, à moitié mort :
    le coursier du trait était boiteux d'une patte;
    de cette mauvaise farce, Loki était cause.

---

1. Poème du XIᵉ siècle.

39. Or vous avez ouï — qui peut, sur cela,
    d'entre les diseurs de mythes, mieux renseigner ? —
    quelle compensation il (= Þórr) reçut de l'habitant du désert
                                                    [(= du géant),
    qui lui donna en rançon ses deux enfants.

b) *Gylfaginning,* chap. XXVI, pp. 49-50.

Le début de ce récit [1], c'est que Þórr partit en voyage avec sa
voiture et ses boucs et, avec lui, l'Ase qui est appelé Loki. Ils
arrivèrent un soir chez un paysan et y prirent logement pour la
nuit. Ce soir-là, Þórr prit ses boucs et les abattit. On les écorcha
et on les mit dans le chaudron. Quand ils furent bouillis, Þórr et
ses compagnons s'installèrent pour souper. Þórr invita aussi le
paysan, sa femme et leurs deux enfants à manger avec eux. Le fils
du paysan s'appelait Þjálfi et la fille Röskva. Puis Þórr plaça les
peaux des boucs près du foyer et dit au paysan et à ses gens de
jeter les os sur la peau. Þjálfi, le fils du paysan, avait l'os d'une
cuisse d'un des boucs : il le fendit avec son couteau pour atteindre
la moelle.

Þórr passa la nuit là. Le lendemain, il se leva avant le jour,
s'habilla, prit le marteau Mjöllnir et bénit les restes des boucs.
Les boucs se levèrent, mais l'un des deux boitait d'une patte de
derrière. Þórr s'en aperçut et dit qu'il fallait que soit le paysan
soit quelqu'un de son ménage eût agi sans prudence avec les os
du bouc, car il voyait bien que l'os d'une cuisse avait été brisé.
Point n'est besoin de conter longuement, car chacun peut
l'imaginer, comme le paysan eut peur lorsqu'il vit Þórr baisser
ses sourcils sur ses yeux; si peu qu'il vît encore des yeux, il pensa
tomber à terre sous la puissance de ce regard. Þórr raidit ses
mains sur le manche de son marteau si fort que ses articulations
blanchirent. Le paysan fit ce qu'on peut penser et tous les siens
criaient à tue-tête, demandant grâce, offrant en compensation tout
ce qu'ils possédaient. Quand Þórr vit leur frayeur, il renonça à sa
colère, s'apaisa et prit en indemnité leurs enfants, Þjálfi et
Rökva : ils devinrent tous deux les serviteurs-liges de Þórr et le
suivirent dès lors partout.

8. Loki et Logi

Chez Snorri, le texte qu'on vient de lire, « l'accident du
bouc », forme l'introduction d'un curieux petit roman
d'aventures où C.W. von Sydow a décelé de fortes

---

1. V. ci-dessous, n° 8.

influences celtiques : le voyage, plein de péripéties, que fait Þórr, accompagné de Loki, et dorénavant aussi de Þjálfi, chez le roi géant Utgarðaloki, sorte de prince infernal. Voici, en résumé, l'autre épisode où intervient, plus activement, Loki [1].

Gylfaginning, chap. XXIX, p. 54.

Dans la grande salle du palais, des sortes de matchs sont organisés entre les domestiques du maître du logis et ceux de son visiteur, car nul n'est admis s'il n'a un talent à faire voir. Loki annonce que nul ne peut manger plus vite que lui. Aussitôt un des hommes du lieu, Logi [2] — un presque homonyme de Loki — se dresse et relève le défi. On leur apporte un pot qu'on emplit de viande. Chacun l'attaque par un côté et se hâte d'engloutir. Ils se rencontrent juste sur le diamètre, mais, comme Loki a laissé de côté les os tandis que Logi a mangé et les os et même le pot, Loki est vaincu.

Le concours suivant oppose Þjálfi et un autre homme du roi, Hugi [3] dans une triple épreuve de course rapide : Hugi gagne. Enfin Þórr lui-même, le grand buveur, perd la face en ne parvenant pas, par trois fois, à vider une corne de moyenne contenance.

9. Loki et le vol du joyau

Quelques allusions contenues dans l'*Edda* en prose, des périphrases scaldiques (cf. ci-dessus au IXe siècle, la st. 9 de la *Haustlöng* [4] ainsi qu'une strophe hermétique [5] de la

---

1. D. Zetterholm, « Studier i en Snorre-text », *Tors färd till Udgård* (*Nord-texter och Undersökningar* 17), 1949. Il y a de bonnes réflexions sur ce récit dans Folke Ström, *Loki* (1956), pp. 76-80, mais avec des déductions excessives.
2. « La flamme, le feu » : allemand *die Lohe*.
3. « La pensée ».
4. N° 1 *b*, p. 27, n. 2.
5. V en dernier lieu : A. Ohlmarks, *Heimdalls Horn und Odins Auge* (1937), pp. 120-136; I. Lindquist, *Årsbok* de la Soc. des Sc. de Lund, 1937, pp. 78-86 (*exeges av kvädet Húsdrápa*); B. Pering, *Heimdall* (1941), pp. 210-221; F. Ström, *Loki*, pp. 131-135. Plus anciennement : R. C. Boer, « Untersuchungen über die Hildesage » dans *ZDP* 40 (1908), pp. 12-19 et J. de Vries, *The Problem of Loki*, chap. VI.

Húsdrápa d'Ulfr Uggason (fin du Xᵉ siècle) citée par Snorri Sturluson (*Skáldskaparmál*, chap. XXIV, p. 100) attestent l'existence d'une tradition où Loki volait (à Freyja ?) un objet précieux appelé, entre autres noms énigmatiques, le *Brísingamen* « collier des Brísingar », et luttait à cette occasion contre le dieu Heimdallr [1], tous deux en forme de phoques [2].

Une autre histoire de vol de collier, à moins que ce ne soit un rajeunissement de la même, est contée dans un récit tardif qui figure dans la *Flateyjarbók* [3] : le *Sörlaþáttr*, « l'épisode de Sörli ». Dans le prologue de ce récit, on lit en bref ceci.

Quatre nains fabriquent un joyau précieux. Freyja désire le posséder, mais cela n'est possible que si elle accorde une nuit d'amour à chacun des nains. Informé de ce marché scandaleux, Loki — un bonhomme de petite taille [4] qui a trouvé du service chez Óðinn et qui est déjà venu à bout de plusieurs missions difficiles — prévient Óðinn qui, pour toute récompense, le contraint à voler le joyau à Freyja. Sous la forme d'une mouche, Loki pénètre dans la chambre bien close de la déesse qui dort, le joyau au cou. Il la pique, ce qui provoque un mouvement brusque de la dormeuse et permet de détacher le collier. Le matin, quand elle constate la disparition de son joyau, Freyja le réclame à Óðinn, qui ne consent à le lui rendre qu'à la condition qu'elle réussisse à provoquer une guerre éternelle entre deux puissants rois. A quoi elle ne réussit qu'au troisième essai.

10. Loki et le meurtre de Baldr

Nous arrivons maintenant aux légendes tragiques, et d'abord au grand crime de Loki. Il est raconté tout au long

---

1. Appelé notamment, par périphrase, « celui qui cherche le collier de Freyja ».

2. *i sela-kíkjum*, *Skáldsk.*, 16, p. 99. Je n'insiste pas ici sur ce mythe qui, de Loki, enseigne des choses qu'on sait par ailleurs (qu'il est voleur et qu'il se transforme en animal), et d'autres qui ne s'éclaireront que par une étude préalable de Heimdallr (duel de Loki et de Heimdallr).

3. I (Christiania, 1860), pp. 275-283.

4. *ekki mikill vexti*.

dans l'*Edda* de Snorri. Deux poèmes eddiques, la *Völuspá* [1] et la *Lokasenna* y font allusion. Saxo Grammaticus, bien que ne mettant pas Loki en scène, doit être cité cependant en vue des discussions ultérieures.

Voici d'abord, par Snorri (*Gylfaginning*, chap. XI, p. 29 et XV, p. 33), la présentation des deux principaux héros de l'épisode :

XI. Un second fils d'Óðinn est Baldr et, de lui, il y a du bien à dire. Il est le meilleur et tous le louent. Il est si beau d'apparence et si brillant qu'il émet de la lumière; et il y a une fleur des champs (*eitt gras*, proprement une herbe) si blanche qu'on l'a comparée avec les cils de Baldr : elle est la plus blanche de toutes les fleurs des champs, — et d'après cela tu peux te représenter sa beauté à la fois de cheveux et de corps. Il est le plus sage des Ases (*vitrast ása*) et le plus habile à parler (*fegrttalaðr*) et le plus clément (*líknsamastr*), mais ce trait naturel (*sú nátura*) le suit, qu'aucun de ses jugements ne peut se réaliser (*at engi má haldask dómr hans; halda-sk* « se tenir, valoir ») [2]. Il habite la demeure qui a nom *Breiðablik* [3] (« [la demeure] largement brillante »), qui est au ciel. En cet endroit, il ne peut rien y avoir d'impur (*óhreint*).

XV. Il y a un Ase qui s'appelle Höðr. Il est aveugle; il est fort, mais les dieux voudraient bien qu'il n'eût pas à être nommé, car l'acte de ses mains (*hans handaverk*) sera longtemps gardé en mémoire chez les dieux et chez les hommes [4].

a) *Gylfaginning*, chap. XXXIII-XXXV, pp. 63-68.

Cette histoire commence par ceci, que le bon Baldr eut des songes graves qui menaçaient sa vie [5]. Quand il raconta ces songes aux Ases, ils délibérèrent entre eux et l'on décida de demander sauvegarde pour Baldr contre tout danger. Frigg [6] recueillit des serments garantissant que le feu ne lui ferait aucun

---

1. Je ne cite pas ici le texte de la *Völuspá*, qui nécessite une longue discussion. On le trouvera p. 103.

2. « Aber ihm haftete die Eigenschaft an, dass keiner seiner Urteilssprüche Bestand hatte » (J. de Vries).

3. Cf. *Grímnismál*, st. 12.

4. Cf. les *kenningar* que les *Skáldskaparmál*, 5, donnent pour Höðr : l'Ase aveugle, le meurtrier de Baldr, celui dont la flèche est une tige de gui, l'ennemi de Váli.

5. C'est le point de départ du poème eddique *Baldrs draumar*, « les songes de Baldr ».

6. Sa mère, femme d'Óðinn.

mal ni le fer ni l'eau ni aucune sorte de métal ni les pierres ni la
terre ni les bois ni les maladies ni les animaux ni les oiseaux ni les
serpents venimeux. Quand tout cela fut fait et connu, Baldr et les
Ases s'amusèrent ainsi : il se tenait sur la place du þing et tous les
autres ou bien tiraient des traits contre lui ou lui donnaient des
coups d'épée ou lui jetaient des pierres; mais, quoi que ce fût,
cela ne lui faisait aucun mal. Et cela semblait à tous un grand
privilège.

Quand Loki, fils de Laufey, vit cela, cela lui déplut. Il alla
trouver Frigg aux Fensalir [1] sous les traits d'une femme. Frigg lui
demanda si elle savait ce qu'on faisait sur la place du þing. La
femme répondit que tout le monde lançait des traits contre Baldr
mais qu'il n'en recevait aucun mal. Frigg répondit : « Ni armes ni
bois ne tueront Baldr : j'ai recueilli le serment de toutes les
choses. » La femme dit : « Tous les êtres ont juré d'épargner
Baldr ? » Frigg répondit : « Il y a une jeune pousse de bois qui
grandit à l'ouest de la Valhöll et qu'on appelle *mistilteinn*
"pousse de gui"; elle m'a semblé trop jeune pour que je réclame
son serment. »

La femme s'en alla, — mais Loki prit la pousse de gui,
l'arracha et alla au þing. Höðr se tenait là, tout en arrière du
cercle des gens, parce qu'il était aveugle. Loki lui dit :
« Pourquoi ne tires-tu pas sur Baldr ? » Il répond : « Parce que je
ne vois pas où est Baldr et, en plus, parce que je suis sans
arme. » Loki dit : « Fais comme les autres, attaque-le, je
t'indiquerai la direction où il est. Lance ce rameau contre lui ! »
Höðr prit la pousse de gui et, guidé par Loki, la lança sur Baldr.
Le trait traversa Baldr qui tomba mort sur la terre. Ce fut le plus
grand malheur qu'il y ait eu chez les dieux et chez les hommes.

Quand Baldr fut tombé, tous les Ases furent sans voix et
incapables de le relever. Ils se regardaient l'un l'autre et tous
étaient irrités contre celui qui avait fait la chose, mais personne ne
pouvait le punir : car c'était là un grand lieu de sauvegarde [2].
Quand les Ases voulurent parler, ils éclatèrent d'abord en larmes,
de sorte qu'aucun ne pouvait exprimer à l'autre sa douleur avec
des mots. Mais Óðinn souffrait le plus de ce malheur, parce qu'il
mesurait mieux le dommage et la perte qu'était pour les Ases la
mort de Baldr.

Quand les dieux revinrent à eux, Frigg demanda qui serait celui
qui voudrait s'attirer tout son amour et toute sa faveur et
chevaucher sur la route de Hel [3] pour essayer de trouver Baldr et

1. Résidence de Frigg.

2. *Gridastaðr;* on ne pouvait, dans le þing et en temps d'assemblée, exercer de
vengeance.

3. La déesse du monde des morts; d'où, ce monde lui-même.

offrir à Hel une rançon, si elle consentait à laisser Baldr revenir à la Demeure des Ases. Celui qui est appelé Hermóđr le brave, fils d'Óđinn, s'offrit pour cette expédition. On prit Sleipnir, le cheval d'Óđinn, Hermóđr s'assit sur le cheval et s'élança.

Les Ases prirent le cadavre de Baldr et l'apportèrent au bord de mer [1]. Le bateau de Baldr s'appelait Hringhorni : c'était le plus grand de tous les bateaux. Les dieux essayèrent de le mettre à l'eau et de dresser dessus le bûcher de Baldr, mais le bateau ne bougea pas. Alors on envoya au Pays des Géants chercher la géante qui s'appelle Hyrrokin. Quand elle fut arrivée, chevauchant un loup et avec un serpent venimeux pour bride, elle sauta de sa monture et Óđinn cria à quatre *berserkir* [2] de garder celle-ci. Mais ils ne purent la maîtriser avant de l'avoir jetée à terre. Alors Hyrrokin alla à l'avant de l'étrave et, du premier coup, la lança avec une telle force que du feu jaillit des rouleaux et que le sol trembla partout. Cela mit Þórr en colère. Il saisit son marteau et il lui aurait brisé la tête si les dieux n'avaient demandé sa sauvegarde.

Alors le cadavre de Baldr fut porté sur le bateau et quand Nanna [3], fille de Nepr, vit cela, elle fut brisée de douleur et elle mourut. Elle fut portée sur le bûcher et l'on alluma le feu. Þórr s'avança et consacra le bûcher avec Mjöllnir. Devant ses pieds courait un nain du nom de Litr. Þórr lui donna un coup de pied, le jeta dans le feu et il fut brûlé. A cette crémation il y avait des assistants de mainte sorte. Il faut nommer d'abord Óđinn, avec qui Frigg, les Valkyries et ses corbeaux étaient venus. Freyr était assis sur son char, auquel était attelé le sanglier nommé Gullinborsti ou Sliđrugtanni. Heimdallr montait le cheval nommé Gulltoppr. Freyja était avec ses chats. Il était venu aussi un grand nombre de Thurses du Givre et de Géants des Montagnes. Óđinn plaça l'anneau Draupnir sur le bûcher (il en résulta pour celui-ci la propriété que, chaque neuvième nuit, huit anneaux d'or de même poids en dégouttèrent) [4]. Le cheval de Baldr, tout harnaché, fut aussi placé sur le bûcher.

De Hermóđr, il y a à dire qu'il chevaucha neuf nuits durant à travers des vallées sombres et profondes et qu'il ne vit rien jusqu'à ce qu'il arriva au fleuve Gjöll et à un pont plaqué d'or. La jeune fille qui gardait le pont s'appelait Móđguđr. Elle lui

---

1. Ce récit semble paraphraser les strophes de la *Húsdrápa* où Ulfr Uggason avait traité des funérailles de Baldr et dont Snorri lui-même a conservé des fragments.

2. Guerriers doués du don de métamorphose animale (ours, loup, chien...).

3. Femme de Baldr.

4. Cf. *Skírnismál*, st. 21-22; sur Draupnir, v. ci-dessus, n° 6. — Dans les *Vafþrúđnismál*, st. 54-55, il est question de paroles mystérieuses qu'Óđinn a dites à l'oreille de son fils « avant qu'il monte sur le bûcher ».

demanda son nom, sa famille et lui dit : « Hier, Baldr est passé
ici à cheval avec cinq troupes d'hommes morts, mais le pont ne
résonne pas moins sous toi seul et tu n'as pas l'apparence d'un
homme mort. Pourquoi vas-tu à cheval sur la route de Hel ? » Il
répond : « Je dois aller à cheval trouver Hel pour chercher Baldr.
As-tu déjà vu Baldr sur la route de Hel ? » Elle dit que Baldr
avait déjà franchi le pont de la Gjöll. « En aval et vers le nord [1],
c'est la route de Hel ! » Hermóðr chevaucha jusqu'à ce qu'il
arrivât à la grille de Hel. Là il descendit, sangla bien son cheval,
remonta dessus et l'éperonna. Le cheval sauta par-dessus la grille
si haut qu'il ne la frôla pas. Alors Hermóðr chevaucha jusqu'au
bâtiment, descendit, entra, vit son frère Baldr assis sur le
haut-siège et resta là pour la nuit. Le lendemain matin, il transmit
à Hel son message, à savoir que Baldr devait revenir à cheval
avec lui, et dit combien grands étaient les pleurs des Ases. Hel dit
qu'il fallait vérifier s'il était aussi aimé qu'on disait : « Si toutes
choses au monde, vivantes ou mortes, le pleurent, il retournera
chez les Ases; mais il restera avec Hel si quelqu'un refuse et ne
veut pas pleurer. » Hermóðr se leva,

Baldr l'accompagna hors du bâtiment et lui remit l'anneau
Draupnir pour l'apporter en souvenir à Óðinn; quant à Nanna, elle
envoya à Frigg une étoffe de lin et plusieurs autres dons et à Fulla
une bague d'or. Hermóðr refit la route à cheval, revint à la
Demeure des Ases et raconta ce qu'il avait vu et entendu.

Aussitôt les Ases envoyèrent des messagers dans le monde
entier pour prier tous les êtres de tirer par leurs larmes Baldr du
pouvoir de Hel [2]. Tous le firent, les hommes et les animaux et la
terre et les pierres et les arbres et tous les métaux — comme tu
dois avoir vu que ces choses pleurent quand elles sortent du gel et
entrent dans la grande chaleur. Alors que les messagers revenaient
après avoir bien rempli leur mission, ils trouvèrent, dans une
caverne, une géante [3] qui se nommait Þökk. Ils lui demandent de
pleurer pour tirer Baldr du pouvoir de Hel. Elle répond :

> « Þökk pleurera avec des larmes sèches la crémation de
> [Baldr.
> Vif ni mort, je n'ai pas profité du fils de l'homme :
> que Hel garde ce qu'elle a ! »

Mais on devine que c'était Loki, fils de Laufey, lui qui a fait
tant de mal aux Ases [4].

---

1. Formule allitérante : *niðr ok norðr.*
2. Belle expression : *at Baldr væri grátinn ór helju* « ut B. ploraretur ex
inferis ».
3. *gýgr.*
4. Suit immédiatement le récit de la capture et du supplice de Loki : ci-dessous,
nᵒ 11 *a.*

b) *Lokasenna*, st. 27-28.

Dans la *Lokasenna*, parmi les insolences et défis que Loki adresse aux dieux, on lit les deux strophes suivantes, qui opposent à Loki la mère de Baldr, Frigg :

27. *Frigg dit* :
> « Sais-tu, si j'avais ici, dans la salle d'Ægir,
> un fils pareil à Baldr
> tu ne t'en irais pas d'entre les fils des Ases
> et l'on te combattrait avec fureur ! »

28. *Loki dit* :
> « Tu veux encore, Frigg, que j'en conte davantage,
> sur mes actions traîtresses :
> c'est moi qui suit cause que tu ne vois plus
> Baldr venir à cheval à la demeure ! »

c) *Völuspá*, st. 32-34 : v. ci-dessous, pp. 135-139.

d) Saxo Grammaticus a combiné avec prolixité deux variantes de l'histoire de Baldr. Voici en résumé la première (*Gesta Danorum*, lib. III, cap. II, pp. 63-66) :

Hotherus est un prince suédois dont s'éprend Nanna, fille du roi norvégien Gevarus qui a dirigé son éducation et qui a fait de lui un jeune homme accompli à tous égards. Mais le fils d'Othinus, Balderus, tombe amoureux de Nanna et décide de se défaire de son rival. A la chasse, Hotherus rencontre des *virgines silvestres* qui lui disent de ne pas essayer de tuer le demi-dieu Balderus avec des armes [1], car son corps est invulnérable au fer [2]. Sur ces entrefaites Gevarus dit à Hotherus qu'il connaît pourtant une épée qui peut donner la mort à Balderus [3] : cette arme est en la possession de Mimingus, génie des bois [4]; il lui indique le moyen de capturer Mimingus et de l'obliger[5] à lui remettre

1. *...hortataeque ne eum, quamvis infestissimo odio dignum, armis lacesseret, semideum, hunc esse testantes, arcano superum semine procreatum.*
2. *ne ferro quidem sacram corporis ejus firmitatem cedere.*
3. *adjecit tamen scire se gladium arctissimis obseratum claustris, quo fatum ei infligi possit.*
4. *hunc a Mimingo, silvarum satyro, possideri;* cf. le *Mîmir* des textes scandinaves, v. ci-dessous, pp. 222-223.
5. Cf. Loki et Andvari, ci-dessus, n° 5.

l'épée, ainsi qu'un anneau, talisman de richesse [1]; Gevarus savait tout cela parce qu'il était un devin fort expert [2]. Suivant ces conseils, Hotherus se procure l'épée et l'anneau.

Dans la bataille qui suit — et où tous les dieux, conduits par Othinus et Thorus, combattent pour Balderus — Hotherus est vainqueur, ayant réussi à rendre inutilisable le marteau de Thorus en lui coupant le manche [3]. Blessé, Balderus fuit honteusement. Et Hotherus, beau joueur, fait de magnifiques funérailles, *rogo navigiis exstructo* [4], à un allié de Balderus tué sur le champ de bataille, le roi des Saxons, Gelderus.

e) Dans la seconde version utilisée par Saxo Grammaticus (lib. III, cap. II, pp. 67-69), la qualité semi-divine de Balderus n'intervient plus. Avant la bataille décisive, des *nymphae*, des *virgines ignotae* rencontrées par Hotherus alors qu'il parcourt *extrema locorum devia*, lui apprennent qu'il aura la victoire s'il peut dérober et manger le premier un certain aliment tout à fait succulent qui a été imaginé pour accroître les forces de Balderus [5]. Se faisant passer pour un musicien (*citharædus*), Hotherus décide en effet les jeunes filles qui portaient le plat magique à lui en laisser manger. Rencontrant ensuite Balderus, il le frappe [6]. Après un dernier et inutile effort, Balderus meurt de sa blessure et son armée l'enterre royalement.

(Suit la naissance, puis l'exploit du frère et vengeur de Balderus, Bous [7].)

---

1. Cf. Draupnir, ci-dessus, n° 6.

2. *quippe divinandi doctissimus erat industriaque præsagiorum excultus.*

3. *Victoria ad superos concessisset, ni Hotherus inclinata suorum acie celerius advolans, clavam præciso manubrio inutilem reddidisset.* Cf. Loki et la malformation du manche du marteau de Þórr, ci-dessus, n° 6.

4. Cf. le bûcher de Baldr lui-même dans la var. *a.*

5. *Nymphae.. dicebant.. in expedito victoriae gratiam fore, si inusitatae cujusdam suavitatis edulium, augendis Balderi viribus excogitatum, præripere potuisset; nihil enim factu difficile futurum, dummodo hosti in augmentum roboris destinato potiretur obsonio.*

6. *Obvii sibi Balderi latus hausit eumque prostravit.*

7. C'est sous un tout autre nom, le Váli, frère et vengeur de Baldr, de plusieurs textes scandinaves. M. Baldieri publiera dans *Ogam* une étude sur lui.

f) Une saga composée dans la seconde moitié du XIIIᵉ siècle, la *Hrómundar saga Greipssonar,* présente une utilisation romanesque et artificielle de quelques traits de ce conflit [1] avec une curieuse combinaison du gui de Höðr et de l'épée de Hotherus : « Bildr » est tué par les gens de Hrómundr à l'aide d'une épée nommée *Mistilteinn* (« pousse de gui »), dont il avait appris l'existence et la puissance par un païen nommé Máni et qu'il est allé chercher dans un tumulus funéraire. A la fin le frère de Bildr, Váli, fait quelque chose qui ressemble à une vengeance. Il frappe Hrómundr de son épée qui s'enfonce dans les eaux glacées d'un lac; Hrómundr n'en réussit pas moins à lui casser le cou.

11. Le châtiment de Loki

Tantôt présenté comme la suite du meurtre de Baldr, tantôt indépendamment, le supplice de Loki revêt une forme précise et constante.

a) *Gylfaginning,* chap. XXXV-XXXVI, pp. 68-70.

(Aussitôt après la mort et les funérailles de Baldr, Snorri montre Loki traqué par les Ases :)

Gangleri dit : Loki commit un très grand forfait quand il fit en sorte, d'abord, que Baldr fût tué, puis qu'il ne fût pas racheté de Hel. A-t-il reçu quelque châtiment pour cela ? — Hár dit :

Il a expié de telle façon qu'il s'en souviendra longtemps. Les dieux étant furieux, comme on peut le penser, il s'enfuit et se cacha sur une montagne. Il s'y fit une maison avec quatre portes afin de pouvoir, de l'intérieur, voir dans toutes les directions. Souvent, pendant le jour, il prenait la forme d'un saumon et se cachait à l'endroit appelé Cascade de Fránangr. Il se demandait quel moyen les Ases pourraient bien imaginer pour le prendre dans la cascade. Une fois qu'il était dans sa maison, il prit du fil de lin et en tressa des mailles, comme sont faits, depuis lors, les filets. Du feu brûlait devant lui. Il vit alors que les Ases étaient proches de lui, — car Óðinn, du haut de la Hliðskjölf, avait vu

---

1. *Fornaldar sögur,* II, pp. 363-371; A. Le Roy Andrews a étudié les sources de cette saga dans *Modern Philology* 10 (1912-1913), pp. 601-630. Sur Baldr et Váli, pp. 55-56. Il réduit à presque rien le rapport avec la légende de Baldr.

où il était. Il bondit aussitôt dehors et s'élança dans l'eau, après avoir jeté le filet dans le feu.

Quand les Ases arrivèrent à sa maison, le premier qui entra fut le plus sage de tous (*inn, er allra var vitrastr*), qui s'appelle Kvasir; et lorsqu'il vit dans le feu la cendre blanche que le filet avait faite en brûlant, il remarqua que ce devait être un moyen de prendre les poissons et il le dit aux Ases. Ils se mirent donc à faire un filet sur le modèle de celui de Loki, tel qu'ils le voyaient dans la cendre. Quand le filet fut prêt, ils allèrent à la rivière et jetèrent le filet dans la cascade. Ils tirèrent le filet (en travers de la rivière et vers l'aval), Þórr tenant un des bouts, et tous les Ases l'autre. Mais Loki partit en avant et se plaça (sur le fond) entre deux pierres, si bien que le filet, pendant qu'ils le tiraient, passa au-dessus de lui. Ils remarquèrent pourtant qu'il y avait là quelque chose de vivant. Ils revinrent donc à la cascade et jetèrent le filet après y avoir attaché un poids assez lourd pour que rien ne pût échapper par-dessous.

Loki se sauve devant le filet (vers l'aval); mais, quand il voit qu'il est près de la mer, il bondit par-dessus la corde du filet et revient en hâte à la cascade. Les Ases virent où il allait. Ils retournent à la cascade et cette fois se divisent en deux équipes et Þórr marche à pied au milieu de la rivière. Ils descendent ainsi vers la mer. Loki fuyant vers l'aval voit deux partis possibles : se lancer dans la mer au péril de sa vie ou bien sauter encore par-dessus le filet. Ce fut cela qu'il choisit : il sauta aussi vite qu'il put par-dessus la corde. Þórr étendit brusquement la main et l'attrapa, mais Loki glissa entre ses doigts si bien que la main de Þórr le saisit juste par la queue : c'est pourquoi le corps du saumon finit en pointe.

Loki était pris sans merci. Ils allèrent avec lui dans une caverne; ils prirent trois pierres plates, les dressèrent sur le petit côté et percèrent un trou dans chacune. Puis ils prirent les fils de Loki, Vali et Nari ou Narfi; ils transformèrent Vali en loup et il déchira Narfi, son frère; ils prirent ses boyaux et s'en servirent pour lier Loki sur les trois pierres : l'une se trouvait sous les épaules, la seconde sous les reins, la troisième sous les jarrets; et les liens devinrent de fer. Skaði[1] prit un serpent venimeux et l'attacha au-dessus de lui de sorte que le venin dégouttât sur son visage. Mais Sigyn, sa femme, est debout près de lui, tenant une cuvette sous les gouttes. Quand la cuvette est pleine, elle va vider le venin, mais, pendant ce temps, le venin dégoutte sur le visage de Loki : alors il tressaille si violemment que la terre entière tremble, ce qu'on appelle « tremblement de terre ». Il reste là, dans les liens, jusqu'au Crépuscule des Dieux (*til ragnarøkrs*)[2].

1. Cf. ci-dessus, n° 1 *a*, fin.
2. Sur ce mot, v. ci-dessous, p. 122, n. 3.

b) *Lokasenna*.

Un poème eddique — qui fait d'ailleurs, dans son corps (st. 27-28 : ci-dessus, n° 10 *b*), allusion à la responsabilité de Loki dans le meurtre de Baldr —, explique autrement la colère des Dieux et le châtiment de Loki : c'est la fameuse *Lokasenna* [1], avec l'introduction et la conclusion de prose qui l'encadrent.

Mais, avant d'analyser le poème, extrayons les st. 49-50, qui annoncent la forme du supplice de Loki :

49. *Skaði dit* :

    Tu est joyeux, Loki ! Tu ne t'en donneras
        plus longtemps en liberté :
    au dur rocher, avec les entrailles du fils glacé,
        les dieux me lient —,

50. *Loki dit* :

    Sais-tu, — si, au dur rocher, avec les entrailles du fils
                                   [glacé,
        les dieux me lient,
    j'ai été le premier et le plus ardent à sa mort,
        quand nous attaquâmes Þjazi !

Voici maintenant, dans la *Lokasenna*, tout ce qui intéresse Loki.

Ægir, appelé aussi Gymir, avait préparé de la bière pour les Ases, après avoir reçu le grand chaudron, comme il a été dit [2]. A ce festin se présentèrent Óðinn et Frigg, sa femme. Þórr ne vint pas, parce qu'il était en voyage à l'Est. Sif, femme de Þórr, était là, ainsi que Bragi et Iðunn, sa femme. Týr était là, manchot : le loup Fenrir lui avait arraché sa main quand on l'avait enchaîné. Il y avait là Njörðr et sa femme Skaði, Freyr et Freyja et Viðarr, fils d'Óðinn. Loki était là, ainsi que les serviteurs de Freyr, Byggvir et Beyla. Il y avait là foule d'Ases et d'Elfes.

Ægir avait deux domestiques, Fimafengr et Eldir. De l'or flamboyant remplaçait la lumière du feu. La bière se servait d'elle-même. C'était un grand lieu de sauvegarde [3]. On louait fort

---

1. Sur « l'esprit de la *Lokasenna* », v. ci-dessous, pp. 119-121. Il semble que le poème soit du Xe. peut-être du IXe siècle; mais certains critiques le placent dans la première moitié du XIe siècle.

2. Sujet de la *Hymiskvida*.

3. Sur la « paix de la bière », v. Maurice Cahen, *Etudes sur le vocabulaire religieux en vieux-scandinave. La libation* (1921), p. 134.

l'excellence des serviteurs d'Ægir. Loki ne put entendre cela et tua Fimafengr. Là-dessus, les Ases agitèrent leurs boucliers, crièrent contre Loki et le pourchassèrent jusqu'à la forêt. Puis ils revinrent boire. Loki rebroussa chemin et rencontra dehors Eldir. Il lui dit :

1. Dis-moi, Eldir, avant que tu fasses
       un pas de plus en avant :
    ici, à l'intérieur, au festin, que font
       les fils des dieux de la victoire ?

2. *Eldir dit* :
    Ils parlent de leurs armes et de leurs exploits,
       les fils des dieux de la victoire.
    Des Ases et des Elfes qui sont ici, à l'intérieur,
       aucun n'est amical pour toi dans ses paroles.

3. *Loki dit* :
    Il faut que j'entre dans la salle d'Ægir
       pour voir ce festin.
    Tumulte et querelle j'apporte aux fils des Ases
       et j'assaisonne leur hydromel de nuisance !

4. *Eldir dit* :
    Sais-tu bien, si tu entres dans la salle d'Ægir
       pour voir ce festin,
    Si tu verses injures et accusations sur les dieux gracieux,
       c'est sur toi qu'ils les nettoieront.

5. *Loki dit :*
    Sais-tu ceci, Eldir ? Si nous devons combattre tous deux
       avec des paroles blessantes,
    je serai riche en réponses,
       si tu en dis trop.

Ensuite Loki entre dans la salle. Quand ceux qui étaient là virent qui était entré, tous se turent :

6. *Loki dit* :
    C'est par soif que je viens dans cette salle,
       moi, Loptr, après une longue route,
    prier les Ases pour qu'un d'eux me donne
       la merveilleuse boisson d'hydromel.

7. Pourquoi vous taisez-vous, dieux gonflés
       à ne pouvoir parler ?
    Assignez-moi siège et place au festin
       ou chassez-moi d'ici !

8. *Bragi dit* :

   Siège et place au banquet les Ases
       ne t'assigneront jamais,
   car les Ases savent quelles gens ils doivent
       admettre au grand festin.

9. *Loki dit* :

   T'en souviens-tu, Óðinn, que tous deux, jadis,
       nous avons mêlé nos sangs ensemble ?
   Tu ne devais pas goûter la bière,
       que nous n'y fussions conviés tous deux !

10. *Óðinn dit* :

    Lève-toi donc, Viðarr, et laisse le père du Loup
        s'asseoir au festin,
    de peur que Loki ne nous dise des mots injurieux
        dans la salle d'Ægir.

    Alors Viðarr se leva et versa à boire à Loki. Avant de boire, il
(= Loki) dit aux Ases :

11. Salut aux Ases, salut aux Asinnes,
        et à tous les dieux très saints,
    à l'exception d'un seul Ase qui est assis là
        — Bragi — sur les bancs !

12. *Bragi dit* :

    Je te donne un cheval et une épée de mon bien,
        et Bragi te dédommage par un anneau,
    Pour que tu ne fasses pas payer ton déplaisir aux Ases.
        N'irrite pas les dieux contre toi !

[De la st. 13 à la st. 56, les invectives se poursuivent sur
le rythme suivant : une divinité essaie de faire taire Loki; il
lui répond de façon cinglante; une autre divinité intervient,
qui attire sur elle la verve du dieu malin. Mais voici que
Þórr arrive :]

57. *Þórr dit* :

    Tais-toi, sale créature [1] ! Mon terrible marteau
        Mjöllnir va te couper la parole :
    Je t'abats la tête du col,
        et c'en est fait de ta vie !

---

1. *rög vætr* ! Sur le sens précis de *argr, ragr*, v. ci-dessous, p. 218.
J. Weissweiler, *Beitr. zur Bedeutungsentwicklung germanischer Wörter für
sittliche Konzepten*, I. Germ. *arga-*, aisl. *ragr*, *IF* 41 (1923), pp. 16-29.

58. *Loki dit* :

Le fils de Jörð (la Terre) est maintenant entré...
 Pourquoi menaces-tu ainsi, Þórr ?
Mais tu n'auras plus d'audace quand il te faudra combattre
          [le Loup
 qui avalera tout entier le Père de la Victoire
          [(= Óðinn) !

59. *Þórr dit* :

Tais-toi, sale créature ! Mon terrible marteau
 Mjöllnir va te couper la parole :
Je te jette en l'air et sur les chemins de l'Est,
 et, après, nul ne te voit plus !

60. *Loki dit* :

De tes voyages à l'Est, tu ne dois jamais
 parler devant des guerriers,
depuis que, dans le pouce d'un gant, tu t'es blotti, ô héros,
 et que tu ne paraissais plus être Þórr !

61. *Þórr dit* :

Tais-toi, sale créature ! Mon terrible marteau
 Mjöllnir va te couper la parole :
De la main droite, moi le meurtrier de Hrungnir, je
         [t'assomme,
 Si bien que chacun de tes os se rompe !

62. *Loki dit* :

Je pense que je vivrai de longs jours
 Bien que tu me menaces du marteau !
Dures te paraissaient les courroies de Skrymir,
 tu n'as pu t'approcher des provisions de route
 et tu as été rongé par la faim, tout vif !

63. *Þórr dit* :

Tais-toi, sale créature ! Mon terrible marteau
 Mjöllnir va te couper la parole :
Le meurtrier de Hrungnir t'enverra chez Hel
 par-dessous la palissade des morts !

64. *Loki dit* :

J'ai dit devant les Ases, j'ai dit devant les fils des Ases
 ce que m'inspirait mon humeur.
Mais, devant toi seul, je céderai,
 car je sais que tu te bats !

65. Tu as fait une beuverie de bière, Ægir, — mais jamais
         [plus
 tu ne feras de festin !

Tout ton bien qui est ici, à l'intérieur,
   que la flamme [1] joue par-dessus
   et te brûle par-derrière (en te poursuivant) !

Après cela Loki se cacha dans la cascade de Franangr sous la forme d'un saumon. C'est là que les Ases le prirent. Il fut lié avec les boyaux de son fils Vali, tandis que son fils Narfi était changé en loup. Skadi prit un serpent venimeux et l'attacha au-dessus du visage de Loki. Le venin en dégouttait. Sigyn, la femme de Loki, s'assit là et tint une cuvette sous le poison. Quand la cuvette était remplie, elle vidait le poison, mais, pendant ce temps, le poison dégouttait sur Loki. Alors il tressaillait si violemment que la terre entière en tremblait : c'est ce qu'on appelle maintenant les tremblements de terre.

c) *Völuspá*, st. 35 : v. ci-dessous, pp. 135-139.

d) Un monument figuré, la croix anglo-saxonne de Gosforth (IXᵉ siècle), semble conserver l'image du supplice de Loki : le malheureux est représenté lié à des pierres par les pieds et par les mains; un serpent distille au-dessus de lui son venin tandis qu'une femme tend une coupe sous la tête du serpent. Mais cette interprétation a été contestée, sans doute à tort [2] (reproduction à la page suivante).

12. Loki et la fin de ce monde

On a vu [3] que Snorri termine son récit du supplice de Loki par ces mots : « Il reste là jusqu'au *ragnarøkr*. » Ce qui se passera à ce moment-là, la *Völuspá* le décrit en strophes haletantes, et aussi deux chapitres de la *Gylfaginning*.

a) *Völuspá*, st. 50-52.

Les signes de la fin du monde se sont précipités : éclipse du soleil, tempête, corruption des mœurs, chant des trois coqs cosmiques, hurlement du loup... Alors, de toutes parts, se lèvent les puissances démoniaques :

---

1. *logi;* cf. ci-dessus, n° 6, et ci-dessous, p. 231, n. 3.
2. V. la discussion dans J. de Vries, *The Problem of Loki*, pp. 180-181.
3. Ci-dessus, n° 11 *a*.

50. Hrymr vient de l'Est, élevant devant lui son bou-
[clier (?).
Le Jörmungandr (« Grand Monstre ») [1] se tord dans une
[fureur de géant,
le serpent fouette les vagues et l'aigle crie,
il déchire les cadavres, d'une pâleur lunaire (?) :
[Naglfar [2] est lâché...

51. Un vaisseau vogue du Nord. Les troupes de Hel vont venir
sur la mer, — et Loki est au gouvernail :
La bande monstrueuse vient avec le (loup) goulu, —
avec eux le frère de Byleiptr (= Loki) est du voyage.

52. Surtr vient du Sud avec le (feu,) fléau des branches.
De son épée, étincelle le soleil des dieux guerriers.
Les rochers s'écroulent et les géantes se précipitent,
les hommes foulent le chemin de Hel, et le ciel se fend.

Suivent les duels dans lesquels les monstres tuent chacun
un des grands dieux : Freyr, Óðinn, Þórr.

b) *Gylfaginning*, chap. xxxvii-xxxviii, pp. 71-73.

...Alors le loup Fenrir est lâché et la mer se précipite sur la
terre, parce que le serpent du Miðgarðr se tord dans une fureur de
géant et tâche d'aborder sur la terre. Il arrive aussi que le Naglfar
est lâché, — le vaisseau qui s'appelle ainsi et qui est fait des
ongles des hommes morts (c'est de là que vient l'avertissement de
ne pas laisser un homme mort sans lui couper les ongles, car un
tel homme apporte des matériaux pour la construction du vaisseau
Naglfar, que dieux et hommes veulent retarder). Mais ce jour-là,
Naglfar prendra la mer. Hrymr est le nom du géant qui pilotera
Naglfar. Le loup Fenrir marche, la gueule béante, une mâchoire
touchant le ciel, l'autre touchant la terre, et il l'ouvrirait
davantage encore s'il y avait de la place. Ses yeux et son nez
lancent des flammes. Le serpent du Miðgarðr souffle du venin
tant qu'il en asperge tout l'air et la mer, et il est tout effrayant, et
il est à côté du Loup.
Sous ce vacarme, le ciel se fend et les fils de Múspell sortent à
cheval. Surtr chevauche en tête, avec du feu brûlant devant et
derrière lui. Son épée est bien coupante et brille plus que le soleil.
Quand ils passent sur le pont Bifröst, il se brise, comme il a été
dit plus haut. Les fils de Múspell avancent vers la plaine qui

1. Autre nom du serpent du Miðgarðr (Terre), qui entoure la terre.
2. Sur ce bateau, v. ci-dessous, variante *b* et K. Krohn, *FUF* 12 (1912),
pp. 154-155 (*Das Schiff Naglfar*) et 317-320 (*Zum Schiffe Naglfar*).

s'appelle Vígriðr. C'est là aussi que viennent le loup Fenrir et le serpent du Miðgarðr. Là aussi est venu Loki, et Hrymr, et avec lui tous les Thurses du Givre. Et tout le cortège de Hel suit Loki, tandis que les fils de Múspell ont leur armée, qui est fort brillante. La plaine Vígriðr s'étend sur cent lieues dans toutes les directions...

(Après le récit de la mobilisation des dieux et de la mort tragique des grands Ases — Freyr, Týr, Þórr, Óðinn — et de l'exploit vengeur de Víðarr, fils d'Óðinn, on lit encore :)

...Loki combat contre Heimdallr [1] et ils se tuent l'un l'autre. Alors Surtr jette du feu sur la terre et brûle le monde entier...

(Suit la citation des neuf strophes de la *Völuspá* correspondant au récit qui vient d'être fait.)

13. Traits divers

1) Présentation de Loki dans la *Gylfaginning,* chap. XIX, p. 34.

Il y a encore, compté avec les Ases, celui que certains appellent « Calomniateur des Ases » et « Premier auteur des tromperies » et « Honte de tous les dieux et hommes ». Il se nomme Loki ou Loptr, fils du géant Farbauti, sa mère est Laufey ou Nál; ses frères sont Býleistr et Helblindi. Loki est beau et bien fait, mauvais de naturel, très changeant dans sa conduite. Il avait, de cette sagesse qu'on nomme astuce, plus que tous les autres hommes [2], et des tromperies pour toutes choses. Il mettait toujours les Ases dans de grandes difficultés et souvent les tirait d'affaire avec des tours rusés. Sa femme s'appelle Sigyn, leur fils Nari ou Narfi.

Loki eut encore d'autres enfants. Il y avait, au Pays des Géants, une géante nommée Angrboda. Loki eut d'elle trois enfants. L'un était le loup Fenrir, le second le Jörmungandr, c'est-à-dire le Serpent du Miðgarðr, le troisième Hel...

2) Dans un poème tardif, les *Fjölsvinsmál* [3], Loki est dit avoir participé à la fabrication de plusieurs choses remar-

---

1. Cf. ci-dessus, n° 9 *a*, un autre duel Heimdallr-Loki.
2. Cf. ci-dessus, p. 22, n. 1, et ci-dessous, p. 133, n. 1.
3. Sans doute du XIIᵉ siècle.

quables : à la st. 26, il est question de l'arme qui peut tuer
l'oiseau Viðofnir [1] :

> Elle s'appelle *Lævateinn* (« Rameau du malheur »), Loptr
> [(= Loki) l'a fabriquée par des runes
> devant le portail d'en bas;
> dans le coffre de *Lægjarn* (« Avide de malheur ») elle
> [se trouve, chez Sinmara,
> et neuf solides serrures la gardent.

A la st. 34, il est dit que Loki, terreur du peuple [2], a aidé
neuf nains (Uni, Iri, etc.) à construire le palais de Menglöð.

3) Outre la naissance de Sleipnir, plusieurs textes
insistent sur les métamorphoses de Loki en femelle ou en
femme et en femme féconde.

a) *Lokasenna,* st. 23, Óðinn dit à Loki :

> Huit hivers tu as été sous la Terre,
> trayant les vaches, et femme,
> et là, tu as enfanté des enfants
> et il m'a paru que c'était là le fait d'un efféminé [3] !

b) *Lokasenna,* st. 33, Njörðr dit à Loki :

> Il est étonnant qu'un Ase efféminé soit entré ici,
> — et qui a enfanté des enfants !

c) *Petite Völuspá,* dans les *Hyndluljóð,* st. 43, après la
strophe relatant la naissance du loup et de Sleipnir [4] et avant
la strophe évoquant les signes de la fin du monde, on lit
quatre vers, dont le premier est malheureusement peu
compréhensible :

> Loki..?.. trouva un cœur de femme à moitié grillé par
> [un feu de tilleul brûlé;

---

1. Ce nom, et ceux qui suivent, sont inconnus par ailleurs; Sinmara est la
femme du géant Surtr qu'on a vu incendier le monde lors du *ragnarøkr* (ci-dessus,
n° 12, *a, b*).

2. ? *liðskjalfr.*

3. *ok hugða ek þat args aðal;* sur l'accusation d'*ergi (argr, ragr)* plusieurs fois
portée contre Loki, v. ci-dessus, p. 46, n. 1 et ci-dessous, p. 218.

4. V. ci-dessus, n° 2 *c.*

Loptr (= Loki) devint « enceint [1] » par l'opération
[d'une femme mauvaise :
de là, sur la terre, toute espèce de monstres [2]
[sont venus.

d) Catalogue des *kenningar* de Loki dans les *Skáldska-parmál*, chap. XXIV, p. 100.

Le fils de Farbauti, de Laufey, de Nál; le frère de Byleistr, de Helblindi; le père de Vanargandr (= le loup Fenrir), de Jörmungandr (= le Serpent du Miðgarðr), de Hel, de Nari, d'Ali; le parent, l'oncle paternel, le compagnon de route et de siège d'Óðinn et des Ases, le visiteur et l'ornement du coffre de Geirrøðr; le voleur des géants, du bouc, du collier des Brísingar, des pommes d'Iðunn; le parent de Sleipnir; le mari de Sigyn; l'ennemi des dieux; le dévastateur de la chevelure de Sif; l'artisan de malheur; l'Ase malin; le diffamateur et le trompeur des dieux; le *rádbani* (celui qui tue par conseil) [3] de Baldr; l'Ase lié; l'ennemi obstiné de Heimdallr (ou du bélier ?) [4] et de Skaði.

14. Survivances modernes

La plupart des indications qui suivent sont tirées de deux articles importants d'Axel Olrik, publiés sous le même titre (*Loki i nyere Folkeoverlevering* « Survivances de Loki dans le folklore moderne »), l'un complétant l'autre, dans les *Danske Studier*, 1908, pp. 193-207 [5] et 1909, pp. 69-84 [6].

I. — Iles Færöer

Dans le folklore des îles Færöer — où le souvenir des dieux et des mythes s'est maintenu, sans doute à partir de sources littéraires — on a noté plusieurs récits où intervient Loki (Lokki).

1. *kviðugr*, adjectif formé sur *kviðr* (= gotique *qiþus*) « bas-ventre ».
2. *flagd* : monstre gigantesque.
3. Par opposition à *handbani*, celui qui tue par sa main; v. ci-dessous, p. 108.
4. V. B. Pering, *Heimdall* (1941), pp. 280-281; ce serait une allusion au scénario bouffon qui termine l'histoire de Þjazi (ci-dessus, n° 1 *a*).
5. Noté dans ce qui suit : Olrik 1.
6. Noté dans ce qui suit : Olrik 2.

1) *Lokka-táttur* [1]; cette ballade doit dater de la fin du Moyen Age, mais a été recueillie au XIXe siècle. Elle présente le même groupement de divinités que, ci-dessus, sous les n°s 1 et 5. En voici un résumé :

Un paysan joue contre un géant et perd; le géant réclame son fils, à moins qu'il ne réussisse à le cacher. Il invoque d'abord Óðinn, qui cache le garçon dans un grain d'orge, — où le géant le découvre. Il invoque ensuite Hœnir, qui cache le garçon dans une plume de cygne, — où il est à nouveau découvert. Il invoque enfin Lokki. Celui-ci dit au paysan de construire un hangar à bateau avec une large ouverture et de fixer, dans cette ouverture, un pieu de fer. Cependant Lokki emmène le garçon en mer, pêche une grosse barbue, place le garçon dans un des œufs du poisson, le relâche et revient à la côte. Il y trouve le géant qui se dispose, lui aussi, à aller pêcher. Il se fait agréer comme rameur, puis — ne pouvant faire bouger la barque — comme pilote. Ils arrivent au lieu de pêche, le géant amène la barbue au bout de sa ligne et commence à compter les œufs. Un petit œuf se détache, — celui du garçon. Lokki l'appelle et le fait asseoir derrière lui, de manière à le cacher, lui recommandant de sauter bien légèrement à terre. Le géant ramène la barque à la côte et le garçon saute en effet si légèrement que ses pas ne marquent pas sur le sable. Au contraire, le géant avance si lourdement qu'il enfonce jusqu'au genou. Le garçon court dans le hangar à bateau, le géant le poursuit, et se casse le front sur le pieu de fer. Lokki se précipite, lui arrache une jambe, mais celle-ci se recolle toute seule. Alors il lui coupe l'autre et met un morceau de bois entre les deux tronçons. Puis il conduit le garçon à ses parents en disant : « J'ai tenu ma parole, le géant a perdu la vie. »

2) *Le géant et Lokki* [2]; résumé :

Un géant prend comme serviteur un homme qui s'appelle Lokki. Celui-ci mystifie son maître de plusieurs façons : il lui fait porter un bœuf sur lequel il se perche lui-même; il lui fait traîner le bois, porter l'eau à la maison. Quand ils mangent la soupe, Lokki attire toute la graisse de son côté du récipient, laissant à l'autre les os avec un tout petit peu de viande [3]. Enfin, la nuit, il se glisse hors de son lit, grimpe sur la poutre maîtresse,

---

1. Olrik 1, p. 194. Le caractère païen de cette ballade est tel que, au moment où elle a été recueillie, il était interdit, sous peine de punition, de la réciter.

2. *Risin og Lokki*, Olrik 1, p. 197; tiré d'un recueil de 1901; on reconnaîtra un motif du conte de Polyphème.

3. Cf. ci-dessus, Loki et Logi, n° 8.

coquerique, et, quand le géant se lève, il lui plante dans l'œil un pieu de fer rougi. Le géant meurt et Lokki rentre chez lui avec toutes les richesses du géant.

3) *Les métamorphoses animales de Lokki* [1] :

Lokki s'était transformé successivement en toutes sortes d'animaux, afin de déterminer quel animal a la vie la plus dure. Il raconta aux dieux qu'il avait eu beaucoup de peine, étant phoque, à tenir contre les vagues de la mer [2]; que c'était pourtant encore pire d'être un « oiseau à œuf [3] », mais que le plus mauvais moment, il l'avait connu comme jument, lorsqu'il portait dans ses flancs Grani [4].

4) Expression proverbiale, faisant allusion à une histoire inconnue (sur l'étourderie de Lokki ?) [5] :

« Cela ne sert à rien de se presser », dit Lokki : il devait aller chercher l'eau pour la baptiser, — mais, quand il revint, elle était déjà en train de se marier.

(Quelques-uns ajoutent :)

Alors il versa l'eau sur la porte.

II. — *Islande*

1) Conte [6] : Un roi promet la main de sa fille à celui qui l'obligera à dire : « C'est un mensonge ! » Loki, fils d'un paysan, se présente et développe un tel tissu d'absurdités que le roi s'oublie et crie : « C'est un mensonge ! » Loki épouse la princesse.

1. Olrik 1, p. 197; la chose se racontait encore au début de ce siècle, d'après le témoignage d'un pasteur.
2. Cf. ci-dessus, n° 9 *a*.
3. Allusion à une histoire inconnue.
4. Le cheval de Sigurðr, — qui a pris ici la place de Sleipnir : v. ci-dessus, n° 2 *a*, fin.
5. Olrik 1, p. 199. — Dans les pages suivantes, Olrik cite des expressions où *lokkin (lokkjin)* semble n'être que l'équivalent du norvégien *laakjan* « le Vilain, le diable », mot qui n'a rien à voir avec *Lok(k)i*. De même, en Islande, il faut écarter de nombreux mots homophones de Loki signifiant « feu », « araignée », « serrure »...
6. Olrik 1, p. 205; en allemand dans Rittershaus, *Neuisländische Volksmärchen*, n° 109; Loki ne paraît que dans une des variantes.

2) De vrais, gros mensonges s'appellent « mensonge, conseil de Loki », *lokalýgi, Loka ráð* [1].

3) Quand on négocie un marché, on doit tenir sous le bras gauche un *kaupuloki,* un « Loki d'achat », c'est-à-dire un morceau de papier où est grossièrement dessiné un homme; cela porte chance dans l'opération [2].

4) Proverbe : « Toutes les choses pleurent pour faire sortir Baldr de chez Hel, sauf le charbon [3]. »

5) Proverbe : « Loki et Þórr marchent longtemps, les orages n'en finissent pas [4]. »

6) Quand on a des difficultés avec un fil, on dit qu'il y a un *loki* dedans [5].

7) Thorlacius, qui a été recteur de Copenhague à la fin du XVIIIᵉ siècle, dit dans ses *Antiquitates Boreales* (1801), VII, p. 44 [6] : *uliginosum et sulphureum foetorem, quem fulgetra, ignes fatui et aliae faces igneae in aer relinquunt,* Loka daun *(Lokii odorem) vocari in Islandia puer audivi.*

8) *Lokabrenna* signifie la canicule, la grande chaleur [7].

9) Les Islandais appellent *lokasjóðr* « bourse de Loki » la plante qui est appelée ailleurs « monnaie de Judas » (danois *Judaspenge)* [8].

1. Olrik 1, p. 203; tiré d'un livre de 1828.
2. Olrik 1, p. 205.
3. *Allir hlutir gráta Baldr ór helju, nema kol,* Olrik 1, p. 205; tiré d'un livre de 1828. Cf. ci-dessus, nº 10 *a*, fin.
4. *Leingi geingr Loki ok Pór, léttir ei hríðum* : Olrik 1, p. 205; tiré d'un livre de 1830.
5. Olrik 2, p. 77 (*opt er loki á nálpraedinu).*
6. Olrik 1, p. 204; cf. le même Thorlacius, dans son *Lexicum* mythologique (1828) : *sulphureus sive vulcanicus.* On signale dans le même sens *lokalykt,* Olrik 2, p. 82.
7. Olrik 1., p. 204 (où il est question par erreur de Sirius) et 2, p. 82 (rectifiant cette erreur).
8. Olrik 1, p. 203; 2, p. 82.

III. — *Angleterre*

Le clergyman Robt M. Kennley raconte que, dans son enfance, en Lincolnshire, il y eut une épidémie; comme il apportait de la quinine à une vieille femme dont le petit-fils était très malade, elle le conduisit près de lui et il vit, cloués au pied du lit, trois fers à cheval, avec un marteau en travers par-dessus; elle prit le marteau et frappa chacun des fers en disant :

Père, Fils et Saint-Esprit,
clouez le diable à ce poteau !
Avec ce marteau je frappe trois fois :
une pour Dieu, une pour Wod, une pour Lok [1] !

IV. — *Shetlands*

Lokis lains (« corde de Loki ») désigne une sorte de varech (*fucus filum*) qui se casse facilement; *Lokis u* (« laine de Loki ») désigne une mauvaise laine, qui ne se laisse pas filer [2].

V. — *Danemark*

1) Au Danemark, le nom de Lokke est lié à diverses manifestations curieuses de la lumière solaire [3].

Thorlacius écrit dans ses *Antiquitates Boreales*, VII, p. 43 : *In Dania, a rusticis audivi phaenomenon, quo solis*

1. *Folklore*, 1898, p. 186; Olrik 1, p. 200; J. de Vries, *The Problem of Loki*, pp. 46-49, qui cite une variante de la formule, publiée ultérieurement :

Feyther, Son and Holy Ghoast
naale the divil to this poast;
throice I smoites with Holy Crok
with this mall Oi throice dew knock
one for God an' one for Wod an' one for Lok !

On pense généralement que « God », au dernier vers, a pris la place de Hœnir : cf. ci-dessus, nᵒˢ 1 *a, b;* 5 *a, b;* 14 I (1).

2. Olrik 1, p. 203; 2, p. 82.

3. Olrik 2, pp. 70-78.

*radii per nubium interstitia, tuborum instar, in terram vel
mare descendunt, vocari* Locke dricker vand (« Lokke boit
de l'eau »).

De nos jours encore, devant certains mouvements scintillants de l'atmosphère, on dit en Jutland (et en Scanie)
« Lokke sème son chanvre », « le *Lokkemand* pousse ses
chèvres [1] ». Quand un rayon de lumière tombe sur une
surface d'eau qui le réfléchit sur un mur, on dit en Seeland :
« C'est le mercenaire Loke [2]. » Vers 1880, devant un
folkloriste, une vieille femme, veuve de matelot, dit à un
petit enfant dans une circonstance de ce genre : « Reste
assis à la table et tais-toi : regarde *Loke lejemand* là-haut,
sur le mur ! »

2) D'après un recueil de proverbes du XVIIe siècle (Peder
Syv), quand on a des difficultés avec un fil, on dit :
« Lokke prend de quoi réparer son pantalon. » On a relevé,
depuis, des expressions analogues dans plusieurs provinces
danoises. Quand un fil casse, on dit, dans le Jutland, « il y
a un *lyke* dans le fil [3] ».

3) Le même recueil de proverbes de Peder Syv signale
les expressions « porter des lettres de Lokke », « écouter
des histoires de Lokke » au sens de « débiter » et « écouter
des mensonges » [4].

VI. — *Norvège et Suède* [5]

1) Dans le sud de la Norvège (Telemarken), quand le
foyer pétille fort, on dit : « Lokje bat ses enfants [6] ! »

2) En Telemarken également, on jette dans le feu la peau
du lait en disant que c'est pour Lokje [7].

---

1. *Lokke sår sin havre. — Lokkemand driver sin geder.*
2. *Det er Loke lejemand.*
3. Olrik 2, p. 77.
4. Olrik 2, p. 78.
5. Pour la Finlande, v. ci-dessous, p. 101, n. 2 et pp. 111-112.
6. Olrik 2, p. 78 (*Lokje dengjer bon'e sine*).
7. Olrik 2, p. 78.

3) En beaucoup d'endroits de Suède [1], et aussi chez les Suédois de Finlande [2], l'enfant qui perd une dent la jette dans le feu en disant : « Locke, donne-moi une dent d'os pour une dent d'or [3] ! »

4) En Telemarken, dit un auteur du XVIIIe siècle, on tord trois fouets (sic), le soir du jeudi saint, « pour réparer le traîneau de Loke, qui est venu avec une cargaison de puces si lourde que son traîneau s'est cassé en deux »; si on néglige cette précaution, il y aura pendant l'année une quantité de puces incroyable [4].

5) Le même auteur dit : « Lokje est peu connu : c'est le nom d'un revenant. » Dans son recueil de proverbes de Sillejord, il précise : « Laukje, un revenant qui enlève les petits enfants. » Il y a un siècle, A. Faye notait que, en Telemarken, Lokje est un mauvais esprit que parfois l'on confond avec le diable. Un jour, il a, paraît-il, empoigné un enfant au-dessus des os du bassin et l'a reposé en disant : « Tu resteras comme cela jusqu'à ce que tu aies un an. » De fait, l'enfant a eu un trou à chaque hanche et n'a pas pu marcher avant l'année révolue [5].

6) En Suède, l'araignée est appelée *locke*, *lock* et la toile d'araignée *lockanät*, *lockasnara*, — noms qui ont *peut-être* un rapport avec Loki [6].

---

1. Olrik 2, p. 78, qui rappelle que l'usage est bien plus largement répandu que le nom de Loki.
2. Setälä, *FUF* 12 (1912), p. 251.
3. *Loke, ge mig en bentand för en guldtand !*
4. Olrik 2, p. 80, d'après Wille, *Optegnelser om Telemarken*. Le geste rituel est : « ... skulde vrides tre pisker » (je traduis littéralement).
5. Olrik 2, p. 81.
6. H. Celander, *Lokes mytiska ursprung*, dans les *Förhandlingar* de la Société de Linguistique d'Upsal 1906-1909 (Upsal, 1911), pp. 18-26. Contre : J. de Vries, *The Problem of Loki*, pp. 236-238. Cf., en Islande, ci-dessus, p. 55, n. 5.

CHAPITRE II

CONTRE-CRITIQUES

I. — RÉHABILITATION DE SNORRI

La partie la plus considérable du dossier qu'on vient de lire et la mieux articulée, les pièces sans lesquelles toutes les autres ne seraient que des membra disjecta, *ce sont les nombreux chapitres ou suites de chapitres tirés de l'œuvre de Snorri, de ces traités didactiques qu'on désigne globalement sous le nom d'*Edda *en prose : la* Gylfaginning *ou « Fascination de Gylfi » et les* Bragarœður [1] *ou « Propos de Bragi », où sont racontés tout au long beaucoup de mythes; les* Skáldskaparmál, *sorte de recueil de connaissances littéraires utiles aux scaldes, qui complète la* Gylfaginning *et consigne, parfois en les expliquant, un grand nombre de périphrases scaldiques* [2]. *Longtemps ces documents ont joui d'une autorité incontestée : on admettait que Snorri n'avait eu qu'à recueillir autour de lui une matière encore vivante, qu'il était donc le* témoin, *informé et fidèle, d'un savoir auquel les poèmes eddiques et scaldiques faisaient de leur côté des emprunts plus fragmentaires; l'accord général de Snorri et de ces poèmes, le bonheur avec lequel soit des poèmes entiers, soit des*

---

1. L'édition F. Jónsson incorpore les *Bragarœður* aux *Skáldskaparmál*.
2. Le troisième traité (*Háttatal*), manuel de métrique autour d'un exercice de poésie scaldique, n'a pas le même intérêt documentaire.

strophes s'insèrent dans les traités en prose et y trouvent un commentaire exhaustif, loin d'éveiller les soupçons, semblaient la meilleure garantie de la sincérité et du soin de l'érudit islandais.

Puis est venu l'âge de la critique, c'est-à-dire, très vite, celui de l'hypercritique, cette maladie de jeunesse (et, malheureusement, souvent chronique) qui menace toute philologie et qui s'accompagne presque toujours d'une euphorie agressive. L'expression doctrinale la plus complète de cet effort et de cet état d'esprit — et, pour le problème de Loki, celle qui a eu les plus graves conséquences — a été donnée par l'illustre historien des religions germaniques. Eugen Mogk, dans un véritable manifeste de 33 pages, confié aux Folklore Fellows Communications *de Helsinki (n⁰ 51) en 1923, sous le titre : « Novellistische Darstellung mythologischer Stoffe Snorris und seiner Schule [1] ». Là, avant de passer à quelques exemples qu'il croyait démonstratifs et que nous retrouverons tout à l'heure, E. Mogk a fortement charpenté une « reconstitution » de l'activité littéraire qu'il attribue à Snorri. Voici, presque littéralement traduites, ces pages importantes (pp. 7-11).*

1. Eugen Mogk contre Snorri

Snorri, remarque E. Mogk, travaille au XIIIᵉ siècle, c'est-à-dire plus de deux cents ans après la conversion officielle de l'Islande au christianisme. Pendant ces deux cents ans, l'île a eu un commerce constant — matériel, religieux, intellectuel — avec l'Angleterre et l'Irlande, la France et l'Allemagne. Par ses évêques et ses voyageurs d'abord : les tout premiers évêques, Ísleifr et son fils Gizurr, avaient été formés en Allemagne; l'évêque Þorlákr avait longtemps et profitablement séjourné à Paris et à

---

1. Il faudrait aujourd'hui examiner les vues, différentes mais non moins destructrices, de M.W. Bætke, « Die Götterlehre der Snorra Edda », *Verhandl. d. sächs. Akad., Phil.-hist. Klasse,* 97, 3 (1950).

Londres; Sæmundr même, le père de l'historiographie islandaise, avait passé nombre d'années de sa jeunesse à l'étranger, notamment à Paris, et son arrière-petit-fils, l'évêque Pál, était revenu d'Angleterre plus érudit qu'aucun homme de son siècle. Puis par les écoles : sur le modèle de l'Europe occidentale, Ísleifr déjà avait fondé celle de Skálholt, Jón Œgmundarson celle de Hólar, Teitr celle de Haukadal, Sæmundr celle d'Oddi; en 1133, les Bénédictins ouvrirent des couvents et naturellement des écoles; des clercs étrangers y enseignèrent, tel ce Hróðúlfr, venu d'Angleterre, qui resta dix-neuf ans en Islande. On y lisait les mêmes ouvrages latins qu'en Europe et souvent on les traduisait : les homélies de saint Grégoire et d'autres Pères, Origène, Eusèbe, Gélase, Bède, des légendes sur la Vierge, sur les apôtres, sur les saints; on connaissait Pline, Horace, Ovide, Salluste, Jordanès, Paul Diacre, les traités grammaticaux de Priscien et de Donatien, et nous possédons encore des fragments d'un *Elucidarius* et d'un *Physiologus* du XIIᵉ siècle. A côté de cette littérature occidentale, il y avait les sagas et tous les poèmes scaldiques conservés pendant plusieurs siècles par la récitation et pour lesquels Sæmundr et Ari avaient réveillé l'intérêt. C'est à l'école d'Oddi qu'on faisait les efforts les plus notables pour associer les deux traditions, la nationale et l'étrangère; or, c'est là que Snorri a passé sa jeunesse, auprès de Jón, le petit-fils de Sæmundr, l'un des hommes les plus instruits et les plus intelligents de l'époque; il y est même resté auprès du fils de Jón, Sæmundr; c'est donc là que cet esprit ouvert, ambitieux, a dû recevoir les premières touches de sa vocation littéraire. Plus tard, il mit en pratique les leçons d'Oddi dans son domaine de Reykjaholt : il y fonda un véritable atelier, s'attachant des poètes comme Guðmundr Galtason et Sturla Baraðrson, il prit avec lui ses neveux Óláfr Þórðarson et Sturla Sighvatsson, et il se mit à composer — *samansetja,* c'est-à-dire probablement à « diriger » l'œuvre de composition collective —, à « faire écrire » (*ek lét rita,* comme il dit dans la préface de la *Heimskringla*) les grandes œuvres qui portent son nom et sa marque.

Comment travaillait cette équipe si fermement conduite ?

Les principales sources, pour l'*Edda* comme pour la *Heimskringla*, étaient à la fois les compositions écrites déjà existantes et la tradition orale, notamment les poèmes. Mais l'imagination et le don de combinaison de Snorri ont joué le plus grand rôle. Il est peu probable qu'il ait disposé de beaucoup plus de matériaux qu'il n'en subsiste aujourd'hui : en effet, la partie purement didactique de l'*Edda*, par ses références, témoigne d'une bibliothèque qui, en gros, est encore à notre disposition [1]; d'autre part n'est-il pas invraisemblable que, deux cents ans après l'introduction du christianisme en Islande, les récits mythologiques sur lesquels reposaient les périphrases des scaldes et qui — ne l'oublions pas — étaient des récits non pas islandais mais norvégiens aient été encore vivants dans la tradition orale du peuple islandais ? Snorri a donc été conduit à *interpréter* des périphrases, des métaphores poétiques que ni lui ni ses contemporains ne comprenaient plus. Il l'a fait par divers procédés : il a combiné des sources indépendantes, il a imaginé des intrigues pour relier des données sporadiques, il a complété la matière ancienne par de pures inventions. Et c'est ainsi que s'est trouvé créé — par deux chefs-d'œuvre, l'*Edda*, le début de la *Heimskringla* — un nouveau genre littéraire, « le conte mythologique » (*die mythologische Novelle*). Loin donc d'être un témoin, Snorri est un créateur. Et son immense travail n'est pas utilisable, n'est pas une « source » valable pour l'étude du paganisme.

Une telle reconstitution est cohérente, plausible. Mais est-elle vraie ? Si pourtant Snorri, deux cents ans non pas après une disparition brusque du paganisme mais après une adhésion pacifique de l'île au christianisme, avait connu, entendu, sur les mythes, des choses que nous ne pouvons plus entendre ? Sæmundr, Ari, l'école d'Oddi s'y étaient intéressés antérieurement et les scaldes appelés à

---

1. Cf. au contraire ce que Jan de Vries dit très justement « *of the forgotten fact, that what we possess of Old-Norse literature — although it is in itself considerable enough — is only a small part of what has been once in existence* », *The Problem of Loki*, p. 36.

« l'atelier » de Reykjaholt ne devaient pas être sans tradition ancienne [1]... On peut discuter à perte de vue, peser et repeser les probabilités contraires. C'est l'expérimentation, et elle seule, qui décidera, pourvu qu'on réussisse à introduire la méthode expérimentale dans l'affaire, et l'expérimentation appliquée à des cas précis. Aussi bien Eugen Mogk, dans son manifeste même, a-t-il aussitôt complété l'exposé de principe par deux exemples tirés de la *Gylfaginning;* puis, au cours des années suivantes, il a multiplié les illustrations de la méthode critique inaugurée en 1923; ainsi ont vu le jour, coup sur coup, les essais suivants : « Die Überlieferungen von Thors Kampf mit dem Riesen Geirröd » dans la *Festskrift Hugo Pipping (Svenska Litteratursällskapet i Finland* CLXXV), 1924, pp. 379-388; « Lokis Anteil am Baldrs Tode » (*FFC,* 57), 1925; « Zur Gigantomachie der Völuspá » (*FFC,* 58), 1925. Et la thèse a été encore reprise, cette fois en Allemagne, appuyée d'une dissection de la cosmogonie de Snorri, dans un opuscule de dix-huit pages : *Zur Bewertung der Snorra-Edda als religionsgeschichtliche und mythologische Quelle des nordgermanischen Heidentums (Berichte* de l'Académie saxonne, ph.-hist. Klasse, 84. Bd., 2. Heft, 1932; l'auteur avait soixante-dix-huit ans).

---

1. Cf. les bonnes réflexions de J. de Vries, *The Problem of Loki,* p. 288 (après des concessions encore excessives à Mogk) : « *Still it would be unwise to reject Snorri's testimony altogether. This is impossible in those cases where he gives the only information about a myth. Moreover he may have had access to far better and richer sources of old lore than is possible for us, who live so many centuries afterwards. His interpretations, sometimes betraying the narrow-minded conceptions of mediæval learning, may in other cases be founded on a better understanding of the heathen traditions, which may be ascribed to the fact that he was an Icelander himself and that he lived only a couple of centuries after the breakdom of paganism. We must bear in mind also that too great a scepticism necessarily deprives us of a considerable part of the material and consequently makes it wellnigh impossible to draw a vivid picture of the heathen belief. It may be preferable to involve a certain amount of spurious traditions in our investigations to preclude the wasting of the slightest piece of useful evidence. Hence I am inclined to place the largest part of the later material on the same level of trust-worthiness as the most venerable traditions of pagan times. At any rate this may be justifiable when we want to know the character of the divinity about whom the myths are told, because even later literary inventions will follow generally the same paths trodden by the heathen poets.* »

C'est en effet sur des cas particuliers, et notamment sur ceux-là mêmes que Mogk a désignés comme le plus favorables à sa manœuvre, qu'il faudra discuter. Mais il ne sera pas mauvais d'énoncer d'abord à mon tour quelques considérations générales, non plus historiques, mais simplement psychologiques, propres à éclairer l'acharnement avec lequel E. Mogk vieillissant a brisé le principal instrument des études qui avaient occupé toute sa vie; propres aussi à orienter le lecteur dans les contre-attaques auxquelles il sera ensuite procédé.

Je disais tout à l'heure que l'hypercritique est comme la maladie naturelle de toute philologie livrée à elle-même. En effet, du moment où j'ai rencontré (et comment ne la rencontrerais-je pas, s'agissant d'une œuvre humaine ?) la preuve que l'exposé systématique fait par un auteur ancien, d'un mythe, d'une légende, d'une scène d'histoire, est en désaccord avec une autre tradition, ou avec un « fait », ou bien laisse paraître une contradiction interne ou du moins une maladresse, ou trahit de quelque manière un effort, ou encore — suprême joie ! — ne contient pas ce qu'il « devrait », me semble-t-il, contenir, autrement dit du moment où je me sens autorisé à imaginer le vieil auteur à sa table, travaillant sur des fiches, s'appliquant à les relier et à les accorder sans en rien négliger et à combler les lacunes, bref du moment où, moi, philologue et critique, je vois dans cet auteur un *collègue* dont la tâche était de monter, par des moyens inverses des miens, un édifice philologique que ma tâche à moi est de démonter, il est inévitable que je me pique au jeu, que je m'engage dans une sorte de duel et que, m'appliquant à percer les intentions, les artifices, les ruses du partenaire, je lui en prête généreusement qu'il n'a jamais eus. Comme il n'est pas devant moi pour se défendre, je suis régulièrement vainqueur et chacune de mes victoires diminue le crédit que je crois pouvoir concéder à un témoin *a priori* suspect. Bientôt il ne reste rien : de même qu'aucun prévenu, fût-il le plus innocent du monde, ne garde sa sérénité, son assurance, son air d'innocence, au sortir d'un interrogatoire « scientifiquement » mené, de même aucun texte ne garde son sens, sa cohésion, sa valeur documentaire au sortir d'un examen critique conduit selon les méthodes modernes.

Il est difficile de montrer au philologue qu'il passe ses droits. On fait devant lui figure de naïf, voire d'ignorant ou de mystique : on se laisse berner par ces récidivistes du truquage que sont Hésiode, Virgile, Ovide, Snorri; on ne sait pas le métier, on a la nostalgie de la foi... Somme toute, je ne connais que trois moyens d'intervenir. Les deux premiers peuvent presque toujours être employés, mais ils suffisent rarement à faire tomber la fièvre de l'hypercritique. Le troisième est radical, mais il n'est pas toujours applicable.

Le premier moyen est de rendre le critique sensible à des faits autres que ceux qu'il retient, à des faits qui sont en général non moins apparents, et même plus massifs, mais dont sa pente d'esprit le distrait. Il s'agit simplement, sans sortir de la méthode *analytique* qui est la sienne, d'obtenir qu'il fasse une revue plus attentive et plus complète des données du problème, qu'il tienne compte, en particulier, des *harmonies* et des *ensembles*. A-t-il, d'une contradiction interne, conclu que le texte a été constitué de pièces et de morceaux, par le mélange de deux ou trois « variantes » ? On lui demandera de regarder de plus près, et plus philosophiquement, les données qui lui paraissent contradictoires et de bien vérifier, d'abord, qu'elles le sont. A-t-il réussi à expliquer entièrement un récit comme un puzzle, formé par la réunion artificielle, plus ou moins habile, d'éléments hétérogènes, dont il a trouvé les sources indépendantes ? On lui montrera que, au-dessus des éléments, irréductibles aux éléments, il y a encore le fait qu'ils forment *un* tout, dessinent *un* schéma qui a peut-être sens et valeur, qui n'est peut-être pas le résultat d'une addition fortuite des éléments, mais au contraire le principe de leur organisation et de leur choix même. Est-il, dans un récit, parvenu à tout expliquer sauf un trait, qu'il déclare alors volontiers sans importance ? On pourra parfois lui montrer que ce trait est essentiel, que tout le récit est au contraire orienté vers lui. De ces diverses argumentations, on trouvera plus loin assez d'exemples pour qu'il soit inutile d'en donner ici.

Le second moyen est de rendre le critique sensible à la fragilité et à l'arbitraire de ses propres constructions. A-t-il montré qu'un vieil auteur s'est posé tel problème, s'est trouvé devant tels documents et tel embarras, a fait telle réflexion qui a abouti à telle invention ou telle maladresse ? On lui rappellera l'infinie souplesse de l'esprit humain, et qu'on ne parvient jamais, sauf peut-être en mathématiques, à l'enfermer dans un authentique dilemme, sans *tertia* ni *quarta via*. On lui rappellera aussi la pauvreté de son information, de notre information de modernes, et qu'il est toujours imprudent de dire, par exemple, que « Snorri ne disposait pas (ou ne disposait "guère") d'autres sources que celles qui nous sont accessibles ». On lui rappellera enfin la différence des siècles et que, plus il se représente Snorri à l'image d'un de ces auteurs d'histoire romancée qui foisonnent à notre époque, même dans les universités, plus il a de chances d'altérer sa vraie physionomie.

Malheureusement, contre ces deux moyens de révision, il est facile au critique de s'armer. Il peut épiloguer sans fin sur ce qui, dans un ensemble, est essentiel et secondaire; sur le sens et sur l'unité même de l'ensemble; sur la réalité et sur l'ampleur d'une contradiction. Il peut retourner contre son contradicteur le grief d'hypercritique et affirmer qu'il est autant et plus que lui, sensible à ce qui distingue le XIIIe siècle du XXe ainsi qu'à la fertilité de l'esprit humain. L'amour-propre s'en mêlant, comme il est usuel quand on en vient à discuter sur les principes et sur les méthodes, on verra même les thèses se raidir et se durcir les ripostes.

Chaque fois qu'il est possible, le plus sage est de recourir au troisième moyen que nous avons annoncé. Celui-là dépasse la simple exploration analytique des documents et par conséquent ne laisse plus autant de marge aux appréciations subjectives : c'est le moyen *comparatif*, c'est-à-dire la forme que revêt naturellement, dans les sciences humaines, la méthode expérimentale.

L'étude comparative des religions et des mythes et notamment (puisqu'il s'agit de Snorri) des mythes indo-

européens est assez avancée pour que, quand on a à
déterminer si telle des *Elégies Romaines* ou tel hymne
védique ou tel chapitre de la *Gylfaginning* consigne une
légende ancienne ou au contraire n'est qu'imagination
tardive, on ne soit pas *toujours* réduit à l'analyse interne du
texte considéré, mais qu'on puisse *parfois* au contraire se
prononcer objectivement : exactement, cela arrive chaque
fois que le texte considéré raconte une légende dont la
comparaison avec des légendes conservées sur d'autres
points du domaine indo-européen permet d'affirmer qu'elle
était déjà indo-européenne pour l'essentiel. Ce procédé est,
par chance, souvent applicable aux sources de la mythologie germanique, notamment à l'*Edda* en prose, et en
particulier à la plupart des récits qu'Eugen Mogk ou
d'autres critiques ont choisis pour y dénoncer, pour y
démontrer les procédés « créateurs » de Snorri. Je commen-
cerai par un exemple auquel ne s'est pas attaché Mogk,
mais qui est typique.

2. Týr manchot

Soit le chapitre de la *Gylfaginning* [1] qui raconte comment
le dieu Týr perdit sa main droite. Le terrible loup Fenrir est
encore tout jeune et déjà très fort; à moins qu'on ne
parvienne à le lier, il dévorera les dieux quand il sera grand.
Après que les dieux eurent vainement recours à deux
grosses chaînes qui ont cédé au premier effort du loup,
Óðinn, savant en magie, fait fabriquer par les Elfes Noirs
un lien qui a l'air d'un misérable petit fil, mais que rien ne
peut rompre. Ils proposent au loup de se laisser attacher par
manière de jeu, pour voir s'il réussira à se dégager.Il se
méfie, les dieux piquent son amour-propre, il accepte enfin,
mais à la condition que, pendant le jeu, un dieu mette la
main droite dans sa gueule, « comme gage que tout se
passera loyalement ». Les dieux s'entre-regardent : aucun
ne veut sacrifier sa main. Seul Týr se dévoue. De fait, le

---

1. Chap. XXI, pp. 35-37; cf. chap. XIII, p. 32.

loup ne peut se dégager et restera ficelé jusqu'à la fin du monde, mais il mord la main de Týr, qui est dorénavant le dieu manchot.

Deux stances de la *Lokasenna* (38-39) disent aussi que la main de Týr a été mangée par le loup Fenrir qui, de son côté, attend dans les liens la fin des Ases. De plus, de vieux poèmes norvégiens-islandais appellent Týr « celui des Ases qui n'a qu'une main » (*einhendr ása*). Et c'est tout.

Qu'y a-t-il d'ancien dans cela ? Et d'abord le point central, le fait que le grand dieu Týr n'ait qu'une main, d'où vient-il ? Que veut-il dire ? Ne rappelons pas les exégèses naturalistes défuntes, les combats périmés de la Lumière et des Ténèbres; mais écoutons Kaarle Krohn [1] : ce mythe repose sur une interprétation tardive et bizarre donnée en Scandinavie aux figurations chrétiennes où l'on voit « le » bras de Dieu sortant dans des nuages. Alexander Haggerty Krappe, lui, pense [2] que le fait de la mutilation et la scène qui l'explique reposent sur une interprétation, à peine moins tardive, des représentations gallo-romaines où l'on voit un carnassier, un loup avalant un membre humain. Mais d'autres [3], rappelant l'Irlandais Nuadu à la Main d'Argent, ou le Sūrya indien qui a une main d'or, répliquent qu'il se peut bien qu'on se trouve devant un très vieux dieu manchot. Comment décider ? — De plus, quant à l'affabulation qui met en œuvre cette donnée première, quel peut être le rapport entre la brève mention de la *Lokasenna* et le récit très circonstancié de Snorri ? Somme toute, de la *Lokasenna* et de la périphrase poétique *einhendr ása,* ressortent seulement le fait de la mutilation du dieu et le fait de l'immobilisation du loup, mais rien n'y précise la relation de ces deux disgrâces, rien n'y garantit celle que Snorri expose dans une affabulation compliquée. La manière la plus simple et la plus probable de concevoir cette relation n'est-elle pas, négligeant Snorri, d'y voir une

1. *Festskrift Feilberg* (1911), p. 543.
2. *Etudes de mythologie et de folklore germaniques*, 1928, pp. 19 sq.
3. V. références et critiques dans J. de Vries, *Altgermanische Religionsgeschichte* II² (1957), pp. 23-24.

relation de cause à effet, l'immobilisation du loup n'ayant été primitivement, et n'étant encore dans la *Lokasenna*, que la conséquence, la sanction de la mutilation du dieu, le loup ayant été lié par précaution tardive, après un premier méfait gratuit, inattendu, comme le sont en général les premières preuves d'un tempérament malfaisant ? Si tel est le cas, la riche affabulation de Snorri, que ne recoupe aucun texte et que n'appuie aucune citation poétique — la ruse des dieux, leur jeu frauduleux rendu possible par la science d'Óðinn et couvert par le sacrifice de Týr, la perte de la main de Týr comprise comme la « liquidation » régulière et prévue d'un gage —, tout cela n'est que l'ingénieuse invention d'un érudit qui aura cherché à établir une liaison amusante, originale entre les deux faits bruts qui étaient seuls enregistrés dans sa source.

Et cette hypothèse, *a priori* vraisemblable, n'est-elle pas confirmée par maint détail du texte de Snorri ? Ce texte n'ignore rien : il connaît les noms des deux grosses chaînes du début (*Læðingr, Drómi*), — qui ont donné lieu, nous dit-il, à des expressions proverbiales qui nous sont, comme par hasard, inconnues elles aussi par ailleurs; il sait que c'est Skírnir, le serviteur de Freyr, qui a passé aux Elfes Noirs la commande du lien magique; que ce lien s'appelle Gleipnir; qu'il a fallu six ingrédients pour le fabriquer : le bruit du pas d'un chat, la barbe des femmes, les racines des montagnes, les tendons des ours, le souffle des poissons et la salive des oiseaux; il sait que c'est dans l'île Lyngvi, du lac Amsvartnir, que les dieux ont convoqué le loup; il sait les noms des rochers auxquels, finalement, le loup est fixé et que les dieux enfoncent profondément en terre (Gjöll, Þviti), etc. Ces précisions, évidemment artificielles, ne dénoncent-elles pas que Snorri s'est abandonné à sa virtuosité ? Et s'il l'a fait en imaginant tant de noms et de menus traits, n'a-t-il pas dû le faire aussi pour le thème du récit, qu'aucun autre texte, encore une fois, ne confirme ?

Tout cela est possible, plausible. Voilà Snorri pris sur le fait. Voilà décelé le travail auquel il se livre habituellement à partir d'une mince donnée, elle-même peut-être récente, qu'il ne comprenait plus. Certes, on peut répondre que si

Snorri a inventé son récit pour établir un lien entre la mutilation de Týr et l'immobilisation du loup, il est allé chercher midi à quatorze heures; on peut faire valoir que les trop nombreuses précisions de détail qu'il donne, même si elles sont suspectes, ne suffisent pas à dévaloriser le thème du récit; qu'il n'est d'ailleurs pas si sûr qu'elles soient suspectes puisque, comme l'a remarqué J. de Vries, même de très vieux mythes, authentiques et garantis par des usages rituels, regorgent parfois de puériles notations onomastiques du même genre. Cela aussi est vrai. Mais, en mettant les choses au mieux, on voit qu'on se trouve engagé dans une discussion interminable, où les arguments se réduisent, en fin de compte, à des impressions.

Or nous sommes maintenant en état de rendre un jugement objectif [1]. Nous savons qui est Týr : il représente, à côté du grand *sorcier* Óđinn, le second aspect de la Souveraineté bipartite dont les Germains, comme les autres peuples de la famille, avaient hérité la conception de leur plus lointain passé indo-européen; il est le souverain *juriste* [2]. Nous savons aussi, notamment par le couple légendaire des deux héros qui ont sauvé la république romaine naissante lors de sa première guerre — Cocles et Scævola, Horatius le Cyclope et Mucius le Gaucher — que cette conception bipartie de l'action souveraine s'exprimait par un double symbole : le personnage qui triomphe par le prestige ou l'action magique n'a qu'un œil, est *borgne;* le personnage qui triomphe par un artifice juridique (serment, gage de vérité) perd, dans une entreprise fameuse, sa main droite, devient *manchot.* Or l'Óđinn scandinave est bien borgne et Týr est bien manchot. Et si Týr est devenu manchot, dans le récit de Snorri, c'est bien parce qu'il a engagé son bras droit dans une procédure juridique, de *gage*

---

1. Je résume, très brièvement, dans ce qui suit, l'argumentation développée dans *Mitra-Varuṇa*, chap. IX, *Le Borgne et le Manchot* et améliorée dans *ME* III, pp. 268-281. Elle a été défendue contre une critique de M.R.I. Page dans *Esq.* 73 (*L'Oubli de l'homme...*, 1985, pp. 261-265). Les germanistes qui voudront bien discuter le présent livre devront se reporter d'abord à ces pages.

2. Sur la valeur que je donne à ces étiquettes brèves, v. *DSIE²*, 1950, pp. 77-79.

frauduleux, destinée à *faire croire* à l'ennemi un mensonge que la société divine avait un intérêt vital à lui faire croire.

Dès lors comment admettre que ce ressort (la trompeuse mise en gage de la main droite), *qui est l'essentiel*, puisque, aujourd'hui, grâce à l'étude comparative des religions symbolisme de la mutilation du dieu (le dieu *Juriste* devant être paradoxalement manchot de sa *dextre* comme le dieu *Voyant* devait être *borgne*), ait été oublié des Germains, puis retrouvé, réimaginé au XIIIᵉ siècle par un caprice de Snorri, — alors surtout que Snorri ne percevait certainement pas avec la même clarté que nous pouvons le faire aujourd'hui, grâce à l'étude comparative des religions indo-européennes, la solidarité antithétique d'Óđinn et de Týr ni la complémentarité de leurs deux mutilations, de l'œil de l'un (antérieure à l'événement) et de la main droite de l'autre (dans l'événement), et que, par conséquent, il ne comprenait peut-être plus bien le rapport entre la dextre perdue et le caractère juriste du dieu Týr ? En d'autres termes, la comparaison romaine nous assure que la notion de *gage*, que le *sacrifice héroïque* qu'un individu fait de sa *main* dans une *tromperie juridique* dont un redoutable ennemi de sa société est la dupe, étaient fondamentaux, dès les temps indo-européens, dans le mythe du souverain manchot; or c'est justement cela, c'est ce thème « improbable » que donne Snorri; donc, à moins de s'engager dans d'invraisemblables complications et d'admettre un extraordinaire jeu du hasard, on reconnaîtra que c'est bien la vieille mythologie germanique, héritée des Indo-Européens, que Snorri — et lui seul — a ici transmise.

Qu'on entende bien. Je ne prétends pas, n'en sachant rien, que tel détail, tel nom propre du récit soit ancien, que Snorri ou des prédécesseurs de Snorri n'aient rien ajouté ni changé à la tradition. Je ne prétends même pas, n'en sachant rien, que le loup, certainement antérieur à Snorri, soit primitif : il a pu y avoir, pour le mythe germanique, soit une évolution, soit une ou plusieurs réfections, comme ç'a été sûrement le cas à Rome, où Porsenna et Mucius lui-même ne sont évidemment que des incarnations tardives, des historicisations du « héros sauveur » et de l' « ennemi », des *rajeunissements* de personnages *préro-mains*. Mais ce que j'ai le droit d'affirmer, c'est que l'histoire du loup, lorsqu'elle s'est formée chez les Germains, et à quelque époque qu'elle se soit formée [1], s'est coulée dans un cadre bien antérieur aux Germains et fidèlement conservé. Or, ce cadre est autrement important que les détails, forcément changeants, qui l'ont rempli au cours des siècles. Snorri n'a au moins pas inventé la *ruse juridique*, c'est-à-dire le thème central, le sujet même de son récit.

J'ai insisté sur cet exemple, bien que Mogk ne l'ait pas mis à l'honneur, parce qu'il est très clair et suffirait à établir que, lorsque Snorri est seul à nous avoir conservé un « mythe », il se peut bien que ce mythe soit authentique. Voici maintenant un des morceaux de l'*Edda* en prose où Mogk a cru trouver un argument de choix [2].

3. Naissance et meurtre de Kvasir

Dans l'*Edda* de Snorri [3], il est raconté que, après une guerre dure et incertaine, les deux peuples divins des Ases et des Vanes conclurent la paix. Pour sceller leur entente, ils crachèrent ensemble, des deux côtés, dans un même vase (*til eins kers*). Les Ases ne voulurent pas laisser perdre ce gage de paix et en firent un homme qui s'appelle Kvasir [4]. Kvasir est si sage (*vitr*) qu'il n'y a question au monde à laquelle il n'ait réponse. Il se mit à parcourir le monde pour enseigner aux hommes la sagesse (*at kenna mönnum frœdi*).

1. Elle a eu, par emprunts, une certaine extension (Abbruzes, Val d'Aoste; Ukraine; Lettonie, Finlande, Laponie...). Axel Olrik, *Ragnarök* (v. ci-dessous, p. 122, n. 1), pp. 248-251 (« Le Diable enchaîné grâce à une rose »).

2. E. Mogk, *Novellistische Darstellung...*, p. 3-4 : « *An einigen Beispielen, besonders and den Mythen vom Vanenkrieg und vom Ursprung des Dichtermethes will ich versuchen, die Auffassung zu widerlegen und zeigen, wie in Reykjaholt unter Snorris Leitung eine neue Dichtungsart entstanden ist, die man als mythologische Novelle bezeichnen kann.* » Les exemples annoncés sont traités pp. 19-33.

3. *Skáldskaparmál*, chap. IV, p. 82 (= *Bragarœdur*, ch. 3).

4. Ou *Kvásir;* cf. ci-dessus, n° 11 *a*, p. 58.

Un jour, les deux nains Fjalarr et Galarr l'invitèrent à un entretien et le tuèrent. Ils distribuèrent son sang dans deux vases et dans un chaudron (*létu renna blóð hans í tvá ker ok einn ketil*); le chaudron s'appelle Óðrœrir et les deux vases Són et Bodn. Ils mêlèrent au sang du miel et il se forma un hydromel tel que quiconque en boit devient poète et homme de savoir. Les nains dirent aux Ases que Kvasir avait étouffé dans son intelligence (*at Kvasir hefði kafnat í mannviti*) parce qu'il n'y avait personne d'assez savant pour épuiser son savoir par des questions (*fyrir því at engi var þá svá fróðr, at spyrja kynni hann fróðleiks.*). Suit le récit de la conquête du précieux hydromel par Óðinn qui en sera, en effet, le grand bénéficiaire.

Sur ce texte, E. Mogk a fait des remarques fort précieuses. Il a montré d'abord que Kvasir n'est qu'une personnification d'une boisson enivrante dont le nom rejoint le « kvas » des peuples slaves. En effet, *Kvasir* est, avec un substantif *kvas,* dans le même rapport que *Eldir*, nom d'un des serviteurs d'Ægir, avec *eldr* « feu », *örnir*, nom d'un géant, avec *örn* « aigle », *Byggvir,* nom du serviteur du dieu de la fécondité Freyr, avec *bygg* « orge », etc. Or, si les textes vieux-scandinaves n'ont pas conservé ce substantif *kvas,* il est bien attesté dans plusieurs dialectes modernes : dans le danois du Jutland, *kvas* désigne les fruits écrasés et, en norvégien, le moût des fruits écrasés.

Mogk a montré ensuite que la naissance de Kvasir à partir d'un crachat communiel des Ases et des Vanes repose sur une vieille technique élémentaire, sur un des procédés par lesquels beaucoup de peuples, d'une part, obtiennent la fermentation et, d'autre part, concluent amitié. Entre autres exemples il cite celui-ci : un jour, en Sibérie, comme Humboldt et Klaproth pénètrent chez un chef tatar, on prépare le kvas en leur honneur; pour cela, on demande à toute personne qui entre dans la tente de cracher dans une cruche de lait placée près de la porte; il doit s'ensuivre une fermentation rapide et, de fait, la fermentation obtenue, la boisson est offerte aux hôtes.

Mais, ayant ainsi justifié le crachat communiel qui marque la réconciliation solennelle des Ases et des Vanes, et le nom de Kvasir qui est donné au résultat de ce crachat, il ajoute [1] : « Créer un homme à partir d'un crachat, c'est une chose dont il n'y a pas d'autre exemple dans l'ethnographie ni dans la mythologie comparées, quelle que soit l'importance du rôle qu'a joué et que joue encore le crachat dans les usages populaires. Ce que nous lisons dans l'*Edda* est à mettre au compte de Snorri ou de quelqu'un de son école. Mais comment a-t-on pu en arriver à cette incarnation ? Nos sources nous donnent une indication... » Et, sûr qu'il n'y a plus qu'à défaire le travail artificieux de Snorri, il se lance dans un admirable jeu philologique. « La source principale des récits eddiques » serait une *kenning*, une périphrase scaldique, qu'on rencontre chez un auteur du xe siècle, que Snorri lui-même a citée dans les *Skáldskaparmál*, et qui désigne la poésie en deux mots : *kvasis dreyri*. Snorri traduit *dreyri* par *blód* « sang », ce qui est en effet le sens ordinaire du mot. Mais, remarque Mogk, le mot est employé dans d'autres *kenningar* avec le sens plus large de « liquide ». Loin donc que la *kenning kvasis dreyri* prouve que, au xe siècle, les scaldes aient connu l'histoire de Kvasir tué et de l'origine sanglante de l'hydromel de poésie, il est bien probable que l'expression a signifié « le liquide kvas » (*kvasir* étant encore un nom commun et le génitif *kvasis* s'expliquant comme dans *Óðrœris haf* « la mer Óðrœrir », *Fenris úlfr* « le loup Fenrir », etc.) et que c'est d'un faux sens double commis par Snorri et sur *dreyri* et sur *kvasir* que vient toute l'histoire. Je cite les propres termes de Mogk [2] : « Du moment où l'école de Reykjaholt avait compris *dreyri* au sens de sang, on en vint à personnifier Kvasir et ainsi se forma l'histoire de sa mort, — et de sa naissance par laquelle l'origine de l'hydromel des poètes fut reliée à la paix qui termina la guerre des Vanes. Si l'on dénoue ce lien, nous nous trouvons devant un tout autre mythe relatif à l'origine de l'hydromel des poètes, un mythe qui cadre fort bien avec les conceptions des Germains septentrionaux. » Ce « tout autre mythe », Mogk va le reconstituer très librement.

1. P. 27.
2. P. 28.

La mixture de sang et de miel n'est pas attestée dans le folklore : elle est donc, elle aussi, une invention. Comme les Scandinaves avaient pris l'habitude d'attribuer aux nains la fabrication de tout l'équipement divin (l'épée d'Óđinn, le marteau de Þórr, le bateau de Freyr, etc.), ils auront attribué aux nains la fabrication de l'hydromel et l'idée de mêler du miel, pour les faire fermenter, aux « fruits écrasés » que désignait primitivement le nom commun *kvasir*. Et c'est de là qu'est partie l'imagination de Snorri... Quant aux noms propres du chaudron et des deux vases entre lesquels les nains partagent le sang de Kvasir, Mogk montre comment ils sont nés, eux aussi de faux sens commis par Snorri sur trois kenningar.

Tout cela est ingénieux à souhait. Mais, à cette ingéniosité, le progrès des études comparatives permet d'opposer des faits que ne connaissait pas Mogk. Qu'est-ce que la guerre des Ases et des Vanes, c'est-à-dire des dieux du « cercle » d'Óđinn, de Týr, de Þórr, etc., d'une part, des dieux du cercle de Njörđr, de Freyr, de Freyja d'autre part [1] ? Ce n'est pas, comme le croyait Mogk sur les frêles arguments de quelques auteurs, le souvenir *historique* d'une guerre religieuse entre deux peuples adorateurs l'un des Ases, l'autre des Vanes [2]; non, c'est la forme germanique

---

1. Je résume ici brièvement *Jupiter Mars Quirinus I*, chap. v, et le cinquième essai du recueil *Tarpeia* : qu'on se reporte aux démonstrations qui sont développées dans ces deux livres. V. la fin de la note suivante.

2. Dans son livre sur *Heimdall* (1941), on s'étonne de voir M.B. Pering suivre encore ce roman pseudo-historique, et en tirer pour sa thèse de lourdes conséquences, *Heimdall* (1941), p. 177 : « *Die Streitaxtleute, die Indogermanen (?), machten sich zu Herren über die Megalithvölker... Wahrscheinlich sind es die Götter der Indogermanen, die den Kern der Göttergruppe bilden, die man æsir "Asen" nennt. Zu ihnen gehörten Gestalten wie Tyr, Ull, Odin und Thor... Die Götter der Megalithvölker lebten als eine besondere Göttergruppe, die* vanir *"Wanen" fort. Aber auch diese wurden jetzt zu himmlischen Gottheiten, etc.* » De même E.A. Philippson, *Die Genealogie der Götter in germanischer Religion* (1953), p. 19 : « *Der Unterschied zwischen Wanenreligion und Asenreligion ist fundamental : die Wanenreligion war die ältere, autochtone, entwickelt aus der Ackerbaukultur, die Asenreligion war die jüngere, der Ausdruck einer mann-haften, kriegerischen aber auch geistigeren Zeit. Die Kluft zwischen diesen Göttervorstellungen war dem Heidentum bewusst, wenn sie auch den römischen Berichtestattern entgang : die nordgermanische Saga vom Wanenkrieg bezeugt.* » Je suis plusieurs fois revenu sur la comparaison d'ensemble, structurale, de la

prise par le mythe indo-européen — bien attesté à Rome comme dans l'Inde — qui expliquait la formation de la société des dieux ou des hommes : après une dure guerre ou une violente querelle sans résultat, par un accord, mais un accord définitif, qui ne sera plus jamais mis en question, les représentants de la troisième fonction, de la fonction de fécondité et de richesse (les grands dieux Vanes chez les Scandinaves; Titus Tatius et ses Sabins dans la légende du synœcisme romain; les Nāsatya dans l'Inde) ont été associés, sur le pied d'égalité, aux représentants des deux autres fonctions, fonction de souveraineté magique et de force guerrière (les Ases chez les scandinaves; Romulus et ses compagnons dans la légende du synœcisme romain; Indra et les deva dans l'Inde épique).

Or, le mythe indien se termine par le trait suivant [1] : comme Indra et les autres dieux refusent obstinément d'admettre les deux Nāsatya dans la communauté divine, un ascète ami de ceux-ci fabrique, par la force de son ascèse, un être gigantesque qui menace d'engloutir le monde : c'est le monstre *Mada,* c'est-à-dire « Ivresse ». Aussitôt Indra cède, la paix se fait, les Nāsatya sont définitivement incorporés aux dieux. Reste à « liquider » le dangereux personnage qui a obtenu ce résultat : l'ascète le morcelle, le divise en quatre parties, — et c'est ainsi qu'aujourd'hui l'ivresse se trouve distribuée entre la boisson, les femmes, le jeu et la chasse.

Certes, les différences éclatent entre le mythe germanique et le mythe indien, mais aussi l'analogie des situations fondamentales et des résultats. Voici les différences : chez

guerre des Ases et des Vanes et de la guerre des proto-Romains et des Sabins de Tatius. Les principales étapes ont été *NR* (1944), pp. 188-193; *Tarpeia* (1947), pp. 249-287; *L'Héritage indo-européen à Rome* (1949), pp. 125-142 (avec un complément dans *Du mythe au roman*[2], 1983, pp. 95-105); *ME* (1980), pp. 285-303.

1. V. *Jupiter Mars Quirinus* I, p. 176; III (= *Naissance d'archanges*), pp. 159-170. On verra là qu'une tradition judéo-musulmane prolongeant certainement un mythe iranien parallèle au mythe indien garantit que l'intervention de l' « Ivresse » se trouvait déjà dans la forme « indo-iranienne commune » du récit. La question sera reprise au début du quatrième volume d'*Esquisses de mythologie* (Esq. 76-101) à paraître en 1986. Aux germanistes qui voudront bien discuter, je fais la même prière que p. 72, n. 2.

les Germains, le personnage « Kvas » est fabriqué *après* la paix conclue et il est fabriqué suivant une *technique* précise, réelle, de fermentation par le crachat, tandis que le personnage « Ivresse » est fabriqué *pour* contraindre les dieux à la paix, et il est fabriqué *mystiquement* (nous sommes dans l'Inde), par la force de l'ascèse, sans référence à une technique de fermentation. Puis, quand « Kvas » est tué et son sang divisé en trois, *ce n'est pas par les dieux* qui l'ont fabriqué mais par deux nains, tandis que c'est son fabricateur même, dans l'Inde, *pour le compte des dieux*, qui divise « Ivresse » en quatre. De plus, le fractionnement de « Kvas » est simplement *quantitatif*, se fait en parties homogènes (trois récipients de sang de même valeur), tandis que celui d' « Ivresse » est *qualitatif*, se fait en parties différenciées (quatre sortes d'ivresse). Dans la légende germanique, c'est seulement après coup, dans l'explication mensongère que les nains donnent aux dieux qu'est mentionné l'excès de force intolérable (d'une force d'ailleurs purement intellectuelle), hors de proportion avec le monde humain, qui *aurait* amené la suffocation de « Kvas », tandis que, dans la légende indienne, l'excès de force (physique, brutale) d'Ivresse est *authentiquement* intolérable, incompatible avec la vie du monde, et entraîne authentiquement son morcellement. Enfin la légende germanique présente « Kvas » comme *bénéfique* dès le début, bien disposé pour les hommes — une sorte de martyr — et son sang, convenablement traité, produit cette chose précieuse entre toutes qu'est l'hydromel de poésie et de sagesse, tandis que, dans l'Inde, « Ivresse » est *maléfique* dès le début et que ses quatre fractions sont encore le fléau de l'humanité.

Tout cela est vrai, mais tout cela prouverait seulement, s'il en était besoin, que l'Inde n'est pas l'Islande et que les deux histoires se racontaient dans deux civilisations qui avaient évolué dans des sens et dans des décors extrêmement différents, et pour lesquelles notamment les idéologies de l'ivresse étaient devenues presque inverses [1]. Il n'en

---

1. Dans l'Inde, toute boisson enivrante autre que le *soma* (spécifiquement indo-iranien, sans antécédent indo-européen) est « mauvaise ».

existe pas moins un schéma commun : c'est au moment où se constitue définitivement, et difficilement, la société divine par l'adjonction des représentants de la fécondité et de la prospérité à ceux de la souveraineté et de la force, c'est donc au moment où les représentants de ces deux groupes antagonistes font leur paix, qu'est suscité artificiellement un personnage incarnant la force de la boisson enivrante ou de l'ivresse et nommé d'après elle. Comme cette force s'avère trop grande au regard des conditions de notre monde — pour le bien ou pour le mal — le personnage ainsi fabriqué est ensuite tué et fractionné en trois ou quatre parties dont bénéficient ou pâtissent les hommes, dans ce qui, aujourd'hui, les enivre.

Ce schéma est original. On ne le rencontre, à travers le monde, que dans ces deux cas. De plus, il se comprend bien, dans son principe, si l'on a égard aux conditions et conceptions sociales qui devaient être celles des Indo-Européens : en particulier, l'ivresse intéresse à des titres divers les trois fonctions : elle est, d'une part, l'un des ressorts fondamentaux de la vie du *prêtre*-sorcier et du *guerrier*-fauve de cette civilisation, et, d'autre part, elle est procurée par des plantes qu'il fallait *cultiver* et *cuisiner*, on comprend donc que la « naissance » de l'ivresse avec tout ce qui s'ensuit soit située au moment de l'histoire mythique où la société se constitue par la réconciliation et l'association des prêtres et des guerriers d'une part, des agriculteurs et des dépositaires de toutes les puissances fécondantes et nourricières de l'autre. Il y a donc, entre cet événement social mythique et l'apparition de l'ivresse, une convenance profonde, et il n'est pas inutile de remarquer ici que cette convenance, ni les poètes du Mahābhārata ni Snorri ne pouvaient plus en avoir conscience, ce qui fait que leurs récits ont un air étrange : pour les poètes du Mahābhārata, les Nāsatya ne sont plus ce qu'ils étaient au temps de la compilation védique, les représentants de la troisième fonction; et Snorri non plus, quoiqu'il mette bien en valeur dans ses divers traités les caractères différentiels d'Óđinn, de Þórr et de Freyr, ne comprend sûrement plus la réconciliation des Ases et des Vanes comme le mythe fondant la collaboration harmonieuse des diverses fonctions sociales.

Les germanistes et les épigones d'Eugen Mogk devront s'accommoder de ce fait massif. Certes, le récit de Snorri contient des éléments déposés à des âges divers de l'évolution de la pensée religieuse scandinave; il contient peut-être même (encore que les « intuitions » philologiques de Mogk au sujet des noms propres Óđrœrir, Bodn, Són ne s'imposent pas) des interprétations ou adjonctions propres à Snorri. Mais l'essentiel, le schéma avec sa signification, sa direction et ses moments successifs, est bien antérieur à Snorri, est authentique. Et l'on sent combien il est tendancieux et inopérant de dire, avec Mogk, que « la fabrication d'un homme à partir d'un crachat étant une chose inouïe dans l'ethnographie et dans la mythologie comparées », il ne peut s'agir d'un vrai mythe et qu'il faut donc que ce soit une fantaisie de Snorri. Non; ce que présentait, ce qu'imposait la mythologie traditionnelle, c'était, à ce moment de l'histoire du monde, la fabrication, puis le meurtre et le fractionnement d'un personnage surhumain, de type humain, incarnant l'ivresse, exprimant l'ivresse dans son nom (cf. *Mada*); l'imagination germanique (peut-être plus fidèle, d'ailleurs, au prototype indo-européen, dont l'Inde s'est sûrement écartée) a seulement *précisé* cette donnée en nommant le personnage « Kvas » et en le fabriquant à partir d'une technique réelle de fermentation par le crachat [1]. D'autre part on saisit la forte liaison de ces épisodes, liaison que Mogk niait, n'y voyant qu'un caprice de Snorri : la réconciliation et l'association des Ases et des Vanes d'une part, d'autre part le meurtre et le fractionnement de Kvasir avec l'explication donnée par les nains aux Ases, tout cela se suit, est uni par une logique profonde. Et l'édifice superficiellement rationnel, déductif, que Mogk attribue à « l'école de Reykjaholt », c'est, en définitive, dans son cerveau, dans son cabinet de philologue ignorant de la préhistoire indo-européenne, en l'an de grâce

---

1. Cf. mon étude : « Un mythe relatif à la fermentation de la bière » (à propos du XXᵉ runo du Kalevala) dans l'*Annuaire de l'Ecole des Hautes Etudes, Section des Sciences Religieuses*, 1936-37, pp. 5-15.

1923, qu'il l'a ingénieusement monté, comme il a été dit
plus haut, pour se donner l'illusoire plaisir de le démonter.
Ne disons pas que c'est Snorri qui a « inventé » un mythe
absurde parce qu'il ne comprenait plus d'anciennes
périphrases scaldiques; disons que c'est Eugen Mogk qui
« invente » de fausses difficultés parce qu'il a perdu le sens
des vieux mythes.

4. Snorri contre Eugen Mogk

J'aurai plus loin, à propos de la participation de Loki au
meurtre de Baldr, une autre occasion d'accepter le débat sur
un terrain choisi par Mogk [1] et de réhabiliter ainsi un autre
chapitre de l'*Edda* en prose, — comme j'ai d'ailleurs [2]
restauré, contre sa discussion hâtive et légère, la valeur des
strophes de la *Völuspá* relatives à la guerre même des Ases
et des Vanes. Mais les deux exemples qui viennent d'être
examinés suffisent à ruiner, dans son principe et dans
l'application qui en est faite à Snorri, la nouvelle forme de
critique mise à la mode par E. Mogk. Snorri n'est pas le
suspect permanent qu'on prétend; même isolé, son
témoignage est grave, et l'on perçoit aujourd'hui quelque
outrecuidance dans la protestation agacée que, résumant sa
démolition des années précédentes, l'érudit allemand
publiait en 1932 [3].

1. Ci-dessous, pp. 101-113; contre E. Mogk, « Lokis Anteil am Baldrs Tode »
(*FFC*, 57).
2. *Tarpeia*, pp. 253 sq.; contre E. Mogk, « Zur Gigantomachie der Völuspá »
(*FFC*, 58).
3. *Zur Bewertung der Snorra Edda...*, p. 3 : « *Einst galt der mythologische
Teil der* Snorra Edda *als eine lautere Quelle der altnordischen, ja sogar der
altgermanischen Mythologie. Simrock lässt seine* Deutsche Mythologie *mit der
eddischen Kosmogonie beginnen, und Noreen äussert einmal : "Die Mythologie,
die wir in unserer Jugend gelehrt bekamen, ist im Wesentlichen Snorris
mythologischer Katechismus." Wohl ist schon wiederholt diese grosse Bedeutung
des Snorrischen Werkes angegriffen worden, aber vielfach herrscht noch die alte
Auffassung. Hat man doch noch in jüngster Zeit die* Snorra Edda *als
religionsgeschichtliche Quelle fast auf gleicher Stufe gestellt wie die Tacitussche*
Germania. *Alles, was sich bei Snorri findet, soll altheidnischer Volksglaube,
heidnisch-germanische Mythologie gewesen sein. Wo sich eine ältere Quelle nicht
nachweisen lässt, sollen verloren gegangene Quellen aus heidnischer Zeit*

Sans tomber dans l'excès inverse, sans prétendre tout utiliser de l'*Edda* en prose (on ne contestera pas les fantaisies du prologue de la *Gylfaginning*, ni les influences chrétiennes qui ont marqué une partie de la cosmogonie qui suit), on ne peut qu'enregistrer le *fait* capital que la nouvelle mythologie comparée a mis en évidence [1] : pour les aventures des dieux, pour celles notamment qui semblaient à E. Mogk ou à ses disciples les plus sujettes à caution, Snorri a au contraire fidèlement enregistré une vieille tradition.

Conclusion pratique : dans les récits de l'*Edda* en prose concernant Loki, il ne suffira plus, comme le faisaient volontiers les plus récents critiques, d'écarter comme suspects les traits pour lesquels Snorri est notre unique source, — et, du coup, voici reconquise, en droit, la plus grosse partie de notre dossier.

---

zugrunde gelegen haben... » Dans *Heimdall* (Lund, 1941), B. Pering a faussé le problème au départ parce qu'il a suivi le conseil d'E. Mogk. Ne dit-il pas (p. 90) : « *Es ist gänzlich unmöglich, in einer wissenschaftlichen Darstellung mit der Snorra Edda als Primärquelle zu arbeiten. Wie soll man nun unterscheiden können zwischen alter Überlieferung einerseits, unrichtigen Deutungen und freien Konstruktionen auf der Basis der älteren Dichtung ("Novellen") andererseits ? Die Snorra Edda als Primärquelle unseres Wissens über die Religion der Wikingerzeit verwerfen, ist gleichbedeutend mit dem Ende eines Subjektivismus, der die Forschung auf diesem Gebiet lange genug belastet hat.* » Le livre de B. Pering, où l'on admire un grand savoir et une belle clarté, prouve au contraire à quel « subjectivisme » on s'expose en faisant table rase de ce qui se *savait* encore, au XIIᵉ et au XIIIᵉ siècles, à Oddi et à Reykjaholt.

1. Ce fait en rejoint quelques autres, très précieux, déjà découverts par une autre application de la méthode comparative, par l'examen des survivances du paganisme scandinave dans les religions des Lapons et des Finnois. Dans son récit de l'expédition de Þórr contre le géant Geirrøðr (ci-dessus, nᵒ 3 *a*), Snorri dit que, pour sortir du fleuve Vimur, Þórr s'accrocha à un sorbier ; « de là, ajoute-t-il, vient l'expression que *le sorbier est le salut de Þórr* » (*því er þat orðtak haft, at reynir er björg Þórs*). Snorri est seul à signaler une liaison entre Þórr et le sorbier. Mais Setälä et Holmberg ont rappelé que *Rauni*, dans la mythologie finnoise, est la femme d'Ukko, dieu du tonnerre, et que les baies du sorbier sont consacrées à cette Rauni ; que, dans la mythologie lapone, *Raudna* est également la femme de *Horagalles* (c'est-à-dire le Þórr scandinave), auquel est, d'autre part, consacré le sorbier sauvage. Or il est clair que le finnois *Rauni* (et, avec une légère variante explicable, le lapon *Raudna*) est un emprunt admirablement conservé de la forme préhistorique (* *rauni-*) du nom vieux-scandinave du sorbier, *reynir*. Snorri dit donc vrai.

II. — LES ABUS
DE LA « SCIENCE DES CONTES »

Une seconde forme de critique abusive qui, combinée ou
non avec la précédente, a souvent paralysé ou dévoyé
l'étude de Loki, s'inspire non plus de la philologie, mais du
folklore, exactement de l'étude des contes populaires. En
1899, Friedrich von der Leyen a commencé sa brillante
carrière en publiant à Berlin un petit livre de moins de cent
pages, intitulé *Das Märchen in den Göttersagen der Edda*,
qui a fait quelque bruit et suscité des vocations. Sous
l'action de ses recherches ultérieures, l'auteur a vite rectifié
lui-même ses vues de jeune homme enthousiaste, mais,
comme il arrive souvent, l'opuscule dont il paraît s'être
détaché a continué sa vie propre : dans les pays scandinaves
en particulier, en Finlande, en Suède, où les études de
folklore et de *Märchenkunde* connaissent depuis un demi-
siècle un admirable renouveau, il est fort imité et, il faut
bien le dire, malgré les immenses services que rend
l'érudition des spécialistes de la littérature populaire, ce
n'est pas toujours pour le plus grand bien de l'étude
complète, équilibrée, de l'ancienne religion. En gros, la
méthode consiste à noter diligemment les concordances qui
existent entre des *détails* des mythes scandinaves
(notamment, mais non uniquement, dans la forme
discursive où Snorri les a transmis) et des *détails* des divers
contes populaires qui vivent et circulent en Europe et dans
le vieux monde. Ces concordances sont en effet extrêmement nombreuses : dans les mythes scandinaves, il n'y a
pour ainsi dire pas de ligne qui ne se prête à de tels
rapprochements. On conclut alors que les mythes sont ainsi
entièrement expliqués, qu'ils ne sont que des sortes de
dunes littéraires, des amoncellements pittoresques, capri-
cieux, instables, formés d'une foule de motifs arrachés, par

une érosion qu'on explique de façons diverses [1], aux quelque quinze cents ou deux mille contes parmi lesquels les vieilles personnes de notre Europe se découpent des répertoires.

Il est amusant de transposer cette méthode en termes linguistiques : elle ramènerait toute l'étude à un commentaire phonétique. Devant l'accusatif pluriel latin *deos*, on dirait : « - *e* - se retrouve dans *ex, et*, etc.; - *eo* - se retrouve dans *leo, reor*, etc.; -*eos*- se retrouve dans *meos, reos*, etc.; -*deo*- se retrouve dans *adeo, deorsum*, etc.; et voilà *deos* expliqué. » Cette recherche peut avoir un petit intérêt : étendue de proche en proche, elle révélerait les séquences de sons, rares ou fréquentes, admises par le latin. Pourtant, sur *deos,* il y a des remarques plus importantes à faire.

Naturellement une telle pente d'esprit porte à un aimable scepticisme : il n'y a plus de réel, donc d'intéressant, de notable, que la poussière des menus motifs ou des groupes de motifs, cette poussière qui s'est en effet glissée partout, dans tous les folklores et dans toutes les mythologies du monde. Quand les *Légendes sur les Nartes* ont paru, en 1930, avec des notes finales mettant en valeur quelques-uns des thèmes originaux qui font l'intérêt et l'unité de ces légendes et qui, rapprochés de textes classiques sur la religion des Scythes, laissent transparaître de belles survivances mythiques ou rituelles, un critique a souri avec indulgence : au lieu de rêver ainsi à un lointain passé, que n'avais-je fait ce travail autrement sérieux, qui eût consisté à relever les « motifs de contes » qui, bien sûr, abondent aussi dans les légendes sur les Nartes ! Voilà qui eût été solide et utile !... Ainsi parlait au jeune héros de l'*Oncle Scipion* son autre oncle et tuteur, le sage commerçant retiré des affaires, qui, dans une grammaire espagnole qu'il ne prenait pas la peine de lire, soulignait en vert les adjectifs, en rouge les substantifs, en bleu les verbes : ce travail

---

1. V. la discussion dans J. de Vries, *The Problem of Loki*, pp. 86-90; notamment les réflexions de la p. 88, qui constituent à elles seules la réfutation des excès des explications folkloriques. Je me borne ici à discuter F. von der Leyen, négligeant les épigones (Elisabeth Ross, etc.).

d'identification et de distinction était un travail sérieux, exhaustif, qu'il donnait volontiers en exemple. Je persiste pourtant à penser — et peut-être les développements ultérieurs de l'étude l'ont-ils prouvé — qu'il était au moins aussi urgent de signaler ce qui, dans les légendes sur les Nartes, n'est précisément pas justiciable du folklore moyen, du « Motif-Index » ou du Bolte-Polívka.

Quand elle est conséquente (et elle l'est généralement, et elle l'était chez le jeune auteur en 1899), une telle méthode conduit à négliger totalement, à nier ce qui fait l'unité d'un récit, à ne s'attacher qu'aux détails, attribuant au hasard complaisant le rôle d'assembleur et de coordinateur. En cela, elle est intenable, l'*ensemble* étant presque toujours plus important que ses parties, premier par rapport à ses parties, et remarquablement constant sous le rajeunissement perpétuel de ses parties. Le dossier de Loki fournit de bons exemples de cet abus : les chapitres v-x ainsi que les chapitres XIII et XVIII de von der Leyen sont intitulés respectivement « Baldr », « Lokis Fesselung », « Skaði und Þjazi », « Der Riesenbaumeister », « Þórr bei Utgarðaloki », « Geirrøðr », « Þrymskviða », « Die Kostbaren Besitztümer der Götter », c'est-à-dire qu'ils intéressent ou recouvrent ce qui a été classé plus haut sous les cotes 10, 11, 1, 2, 8, 3, 4, 6 [1].

Considérons la dernière étude, « Les trésors des dieux ». L'auteur note des analogies plus ou moins précises pour beaucoup de détails : la chevelure d'or promise à Sif rejoint certains dons merveilleux faits aux princesses de contes; le bateau qui a toujours bon vent et qu'on peut plier dans sa poche, l'infaillible épée, l'anneau talisman de richesse, le sanglier aux soies éclairantes, et généralement les « objets

---

1. Des discussions qui suivent, on rapprochera celle que E. Tonnelat a faite de l'explication du *Nibelungenlied* par la « Märchenkunde », par les thèmes du *Bärensohn* et du *starker Hans* (Panzer) : *La Chanson des Nibelungen*, 1926, pp. 309 sq. : « Mais il est vain de chercher dans des récits aussi instables que les contes populaires l'armature résistante, l'intrigue complète d'une œuvre poétique... Ce que la légende héroïque semble avoir emprunté au conte, ce sont beaucoup moins des affabulations complètes que des motifs de cette sorte, ou parfois des enchaînements réguliers de motifs, etc. »

agissant d'eux-mêmes » sont fréquents dans les contes. La triple tentative que fait Loki — mué en mouche — pour empêcher le nain de souffler sur la forge, et la légère malformation qui s'ensuit dans le marteau de Þórr, trouvent les parallèles suivants, à vrai dire un peu lâches [1] : (Grimm, *Kinder- und Hausmärchen,* 60) le petit lièvre dort; un bourdon se pose sur son nez, il l'écarte de sa patte; le bourdon revient, il le chasse encore; la troisième fois, le bourdon le pique dans le nez et il s'éveille; — (Grimm, *ibid.,* 102) pendant la guerre des quadrupèdes et des oiseaux, le renard, comme gage que la victoire appartiendra aux quadrupèdes, veut tenir sa queue en l'air; les oiseaux envoient le frelon qui le pique de plus en plus fort sous la queue, une fois, deux fois, trois fois; à la troisième fois, il ne peut plus supporter la douleur, il abaisse la queue, et les quadrupèdes fuient. — Ces rapprochements sont intéressants [2], mais qui ne voit qu'ils laissent échapper l'essentiel ?

On a montré ailleurs, en effet, que les trésors sont destinés non pas à des dieux quelconques, mais à la vieille triade des dieux fonctionnels Óðinn, Þórr, Freyr [3], et que l'une des deux listes [4] est elle-même en rapport avec les trois fonctions : l'anneau magique, régulateur du temps, le marteau de combat, enfin le sanglier aux soies d'or conviennent respectivement au Souverain magicien, au Frappeur, au Riche fécondant, c'est-à-dire qu'ils font système. Ils rejoignent par là les trois joyaux que les forgerons mythiques du ṚgVeda forgent aussi pour les trois niveaux fonctionnels de dieux. Certes, dans l'Inde et en Islande, les listes de joyaux sont bien différentes, sans doute ont-elles été maintes fois rajeunies, et il se peut bien,

1. Encore plus lâche est la comparaison proposée entre Loki-mouche et la guêpe d'un chant magique finnois sur l'origine du fer (la guêpe décharge son venin dans l'eau où sera trempée l'arme de fer et l'arme sera ainsi empoisonnée, donc *améliorée*); J. de Vries a eu raison de la rejeter, *The Problem of Loki,* p. 94.

2. Cf. Bolte et Polívka, *Anmerkungen zu den Kinder- und Hausmärchen der Brüder Grimm,* I (1913), pp. 528-536; II (1915), pp. 435-438.

3. *NA,* pp. 50 sq.; *Tarpeia,* pp. 210-214.

4. La plus ancienne : J. de Vries, *The Problem of Loki,* pp. 92-93.

comme le veut von der Leyen, que la liste des trésors divins des Scandinaves ait été en partie reconstituée par emprunt à des objets courants dans les contes (l'anneau, le sanglier, — sinon le marteau, qui est essentiel au « type » de Þórr); mais ces opérations de rajeunissement ont laissé subsister ce que le critique méconnaît et ce que ne sauraient fournir les contes, elles ont même été *dirigées* par ce solide fil conducteur, qui n'est autre que le système classificatoire des trois fonctions.

De même, à supposer que les rapprochements avec les deux contes de Grimm fussent plus démonstratifs qu'ils ne sont, en quoi cette coïncidence expliquerait-elle le *caractère* qui est attribué d'un bout à l'autre du récit à Loki ? Pourquoi, d'abord, est-ce Loki et nul autre qui prend ici la place du bourdon, du frelon ? Et son rôle ne se réduit pas à cet épisode : il y a la malfaisance initiale (les cheveux de Sif coupés), il y a le concours d'habileté, la légèreté avec laquelle Loki accepte le pacte et l'enjeu, enfin l'habileté avec laquelle il réduit son risque, pour finir, à un minimum pénible, mais à un minimum; bref, la légende présente toute une psychologie de Loki, complexe et non pas incohérente, que l'étude du folkloriste n'éclaire nullement.

Le lecteur fera sans peine, pour les autres mythes émiettés par les folkloristes, une contre-critique du même genre [1]. Je signalerai seulement la forme particulière que prend la discussion pour le récit de la naissance de Sleipnir [2]; je serai bref, Jan de Vries ayant dit l'essentiel [3].

Dans une brillante étude, le folkloriste suédois C. W. von

---

1. Il est rare qu'on puisse ramener un *long* ensemble narratif de l'*Edda* en prose à un type de conte attesté et, quand c'est le cas, ce conte n'est attesté qu'une ou deux fois, en sorte qu'on doit se demander si les récits populaires ne dérivent pas du mythe scandinave. C'est peut-être le cas de l'histoire de Þjazi et des trois Ases : F.R. Schröder, *Skadi und die Götter Skandinaviens* (1941), p. 8 : « *Das Abenteueuer der drei Asen : Odin, Hönir und Loki, mit dem Riesen Thjazi hat sein genaues Gegenstück in einem Märchen der südungarischen Zigeuner.* » Les répertoires tziganes sont faits de pièces et de morceaux.

2. Ci-dessus n° 2 *a*; von der Leyen, n° 8.

3. *The Problem of Loki*, pp. 65-82.

Sydow [1], précisant une indication de von der Leyen [2], a
montré que les ennuis que les Ases éprouvent avec le
maître-ouvrier, le *smiðr,* qui construit leur château, sont
ceux-là mêmes qui se rencontrent dans un type de conte
bien connu notamment dans l'Europe scandinave, et aussi
centrale et occidentale, et hors d'Europe. Il s'agit de la
construction d'une église, ou d'un moulin, ou d'un château,
ou d'une route, ou d'un ouvrage d'art (pont, digue...); pour
cette construction, un homme (le prêtre, le saint, le meunier,
etc.) a conclu un pacte avec le diable (ou un géant, un troll,
etc.) : si l'ouvrage est achevé en une (ou trois...) nuit, avant
le lever du soleil (ou le chant du coq), le diable recevra en
paiement l'âme de son employeur (ou une autre âme, ou le
soleil et la lune); l'habileté de l'employeur tend à mettre, au
dernier moment, le diable en défaut; alors, souvent, le
diable détruit son œuvre, ou finit pétrifié à côté de l'édifice
inachevé, — dont on montre volontiers, dans les rochers,
« les ruines ». Je n'entre pas dans les détails d'une
discussion que J. de Vries, je le répète, a déjà menée à son
terme : ce qui demeure incontestable, du travail de von
Sydow, c'est le fait que ce « mythe », dans sa plus grande
partie, reproduit non plus seulement, comme c'était le cas
dans le mythe de Þjazi, des motifs de contes pris de droite
et de gauche et artificiellement associés, mais exactement
un type de conte fidèlement suivi. Il y a pourtant un résidu,
et d'importance : *le cheval Svaðilfari, Loki-jument, et la
naissance du poulain Sleipnir.* Cela, von der Leyen l'avait
loyalement noté, n'est pas dans le conte, dans aucune
variante. Pour trouver un cheval, d'ailleurs anodin, von
Sydow [3] a recouru à une unique version, irlandaise, où les
rôles du saint et du diable sont inversés : saint Mogue (ou
Aidan) construit une église en une nuit, avec l'aide d'un
cheval qui lui transporte ses matériaux, et c'est le diable qui
empêche l'achèvement du travail. Par la suite, Kaarle

---

1. *Studier i Finnsägen och besläktade byggmästarsägner,* dans *Fataburen*
1907, pp. 65-78, 199-218; 1908, pp. 19-27.

2. Pp. 38-39.

3. *Fataburen* 1908, p. 23.

Krohn a trouvé mieux [1]; après avoir rappelé l'affinité ordinaire du diable et du cheval, qui n'explique rien, et mobilisé une tradition finlandaise qui n'a évidemment rien à faire ici [2], il a signalé une version *islandaise* du conte du « Baumeister » où apparaît un cheval singulier : un Islandais, qui doit participer à la construction d'une église et qui n'a pas d'animal de trait, prend un cheval gris qui fait à lui seul plus de besogne que tous les autres; mais, une fois déchargé de son fardeau, l'animal donne un coup de pied dans le mur de l'église et y ouvre un trou qui ne peut plus être bouché, — c'était un « cheval d'eau ». Même là, nous sommes loin de la seconde partie du « mythe » scandinave [3] : Loki se métamorphosant en jument, détournant de son service le cheval du géant et mettant bas, lui-même, quelques mois plus tard, le cheval à huit pieds, le coursier d'Óðinn, Sleipnir. Faut-il attribuer tout cela, que l'*Edda* en prose est seul à nous transmettre, à l'imagination de Snorri et de son école ? C'est peu vraisemblable : d'abord, aux yeux de Snorri, quand il rédigeait l'*Edda*, c'était là l'essentiel, car toute l'histoire du « Baumeister » n'est contée par lui que pour sa conclusion, que pour répondre à la question *initiale* : « Qui est possesseur du cheval Sleipnir et qu'y a-t-il à dire de lui ? » De plus, le ridicule, l'infamie, si l'on veut, qui est ici attribuée à Loki rejoint un trait bien attesté par ailleurs : ce n'est pas le seul cas où ce dieu a fonctionné comme femelle [4]; le fait que le « cheval à huit pieds » soit son enfant rejoint un autre trait, non moins bien attesté : père ou mère, il a mis en

---

1. *Übersicht über einige Resultate der Märchenforschung*, FFC 96, 1931, pp. 120-121.

2. « *Lokis Auftreten als Pferd hat eine Parallele im finn. Liede vom tauglichen Sohne Lemminkäinen ("Christus" Baldr), der einen blinden — seinen späterer Töter — verächtlich behandelt hat, weil dieser in seiner Jugend Pferde geschändet hat.* » Où est le « parallèle » ? En dehors du mot « cheval », il n'y a rien de commun.

3. D'ailleurs, puisqu'il s'agit d'une version *islandaise*, et unique en son genre, il se peut bien que, dans la mesure où elle rappelle le mythe (cheval diabolique, qui d'abord favorise l'œuvre et finalement est responsable de l'échec), elle lui ait emprunté ce détail, loin de le lui avoir fourni. Cf. ci-dessus, p. 88, n. 1.

4. N° 13, 3).

circulation les grands monstres de la mythologie germanique, le méchant loup Fenrir, le terrible serpent [1]; enfin, si Loki se transforme ici en jument, c'est que, seul des dieux scandinaves, il a une faculté illimitée de métamorphoses animales, — celle-là même qui a donné naissance à une curieuse tradition des îles Færöer qui a été citée plus haut [2]. Certes on peut supposer — on peut tout supposer — que c'est justement en se fondant sur ces trois traits authentiques de Loki (son aspect de femelle intermittente, son aspect de *parens monstrorum,* ses incarnations animales) et en les combinant que le faussaire (Snorri) a inventé la dernière partie de son récit; mais, vraiment, pourquoi supposer cela ? D'abord, deux de ces traits, dans le récit, prennent une forme originale, qui ne recouvre aucun autre épisode de la « vie » du dieu : nulle part ailleurs il n'est cheval ou jument, ni ne met au monde un monstre *utile aux dieux.* Et surtout il a été prouvé plus haut que Snorri n'est pas le suspect, le présumé coupable que les critiques les plus savants parviennent mal à écarter de son horizon de juge d'instruction; rendons-lui, simplement, sa vraie qualité : pour la naissance de Sleipnir comme pour Týr manchot, comme pour Kvasir assassiné, Snorri est très probablement un *témoin.*

---

1. N° 13, 1).
2. N° 14, I, 3).

III. — DISCUSSIONS DIVERSES

Les deux séries de remarques qui précèdent — la défense du témoignage de Snorri contre le scepticisme des philologues et la restauration des mythes germaniques contre l'impérialisme des folkloristes — me dispensent de m'étendre longuement sur l'impressionnant amoncellement de discussions, de chicanes, auxquelles le dossier de Loki a donné lieu : presque toujours, soit à l'origine soit au cours de l'argumentation, on décèle sans peine l'une ou l'autre de ces illusions. Je me bornerai à relever quelques autres types d'erreurs critiques de moindre importance.

1. Traditions foisonnantes

En dépit de ce qui vient d'être rétabli, il reste *a priori* probable que *toutes* les traditions relatives à Loki ne sont pas également anciennes, également — si l'on veut — « authentiques » : comment en serait-il autrement ? Cette mythologie était vivante, intéressait, amusait. Le caractère complexe et souple de Loki excitait à l'invention, à la prolifération, aux « à la manière de ». D'un épisode à l'autre, des traits célèbres ou cocasses devaient circuler. Les critiques ont signalé plusieurs de ces détails migrateurs : p. ex. « l'objet qui colle » ne se rencontre, dans la mythologie scandinave, qu'appliqué à Loki, mais cela par deux fois, dans des circonstances analogues (la perche de Þjazi, nᵒ 1 *a, b*; le mur de Geirrøðr, nᵒ 3 *a*); la manière dont Loki doit se racheter de la captivité où le tient Geirrøðr (nᵒ 3 *a*), rappelle, par ses conséquences, celle dont il se fait libérer par Þjazi (nᵒ 1, *a, b*); dans trois récits (nᵒˢ 1, 3, 4), Loki, pour se déplacer dans les airs, emprunte le « plumage » que possède Freyja; le filet que Loki utilise au début de l'histoire de l'or d'Andvari (nᵒ 5) rappelle le filet dans lequel lui-même finit par être pris (nᵒ 11 *a*)... Il se peut en effet que, dans plusieurs de ces cas et dans quelques autres, l'un des récits confrontés ait emprunté à l'autre le détail qu'on signale. Mais, du point de vue qui nous occupe, du point de vue du caractère de Loki et de la signification de son personnage, ces emprunts, ces migrations sont sans inconvénient, soulignent même plutôt la popularité d'un aspect ou d'un mode d'action du dieu. Et il faut étendre cette réflexion à « l'air de famille » qui, en dehors de toute rencontre précise de détails, s'observe entre beaucoup de récits relatifs à Loki (inadvertances qu'il lui faut réparer, menaces des dieux...) : on n'a pas fini, sous nos yeux, d'inventer des histoires marseillaises, ou des histoires juives, ou des histoires de curé, — qui toutes, plus ou moins, se copient soit dans les détails, soit simplement dans le type des personnages ou dans la marche du développement et dans le ressort central de l'intrigue; elles sont à la fois inauthentiques, puisque forgées, et authentiques, puisqu'elles ne font que consacrer, souligner une tradition; « Marius » et « Olive », par exemple, des nombreuses aventures que l'on continue d'imaginer sur eux, sortent enrichis mais non modifiés, autant et plus « eux-mêmes » qu'auparavant. Semblablement, même s'il s'agit d'inventions relativement récentes, les récits modernes, islandais, færœiens, scandinaves sur Loki (nᵒˢ 14, I, II, V, VI) sont utilisables, instructifs, parce qu'ils mettent en valeur, rajeunis au goût des diverses époques, un ou plusieurs traits sûrement fondamentaux du personnage : soit sa fertilité d'imagination et sa supériorité sur les stupides géants (nᵒˢ 14 I, 1), 2)), soit son étourderie (nᵒ 14 I, 4)), soit sa pente au mensonge (nᵒˢ 14 II, 1), 2), 3); V 4)), soit sa malfaisance congénitale (nᵒ 14 VI 4), 5)).

Il est possible que cette remarque reçoive une application particulière dans le cas suivant, sur lequel je reviendrai plus loin [1]. Deux récits anciens (nᵒˢ 1 *a, b* et 5 *a, b*), ainsi que le *Lokkatáttur* (nᵒ 14 I, 1)), à quoi il faut sans doute joindre le charme anglais (nᵒ 14 III), présentent Loki engagé, comme l'élément actif, dans une énigmatique triade de dieux :

1. Ci-dessous, pp. 221-227.

Óđinn, Hœnir, Loki. Peut-être le cadre de l'histoire de Þjazi (n° 1 *a, b*) est-il à l'origine du foisonnement : l'ancienneté, l'authenticité de ce mythe sont mieux garanties que celles du récit relatif à l'or d'Andvari (n° 5 *a, b*), prologue qui a été ajouté à une légende venue du continent, et à plus forte raison que celles du *Lokkatáttur*, thème de conte largement connu jusqu'au-delà du Caucase, en Mingrélie, et raconté par ces Færœiens dont les nombreux souvenirs mythologiques ne sont sans doute pas des survivances directes du paganisme mais reposent sur une culture littéraire médiévale. Telle est du moins l'opinion de J. de Vries et elle n'est pas sans vraisemblance. Mais je souligne deux choses : d'abord elle laisse entière une autre question, que j'aborderai à la fin de ce livre, celle de la signification qu'il faut attribuer, dans le texte prototype, dans l'histoire de Þjazi, à l'association du grand dieu Óđinn avec Hœnir et avec Loki; puis ces copies ou demi-copies (c'est surtout vrai du prologue des *Reginsmál*) prouvent que le caractère de Loki, tel qu'il ressortait de sa conduite dans le mythe de Þjazi, correspondait particulièrement à l'attente, à la conception du public.

2. Variantes inconciliables

On est étonné de voir parfois tirer argument, pour ou contre telle variante d'une tradition relative à Loki, du fait que cette variante en « contredit » telle autre, jugée mieux garantie. Comme si ce n'était pas là, au contraire, un indice que ce dossier est sain, pris dans le vif de la tradition ! Comme si ces désaccords n'étaient pas la condition même de tout folklore, de toute mythologie authentiques ! On est encore plus étonné de voir Snorri, le malheureux Snorri, pâtir spécialement de ce nouveau chef de critique : chaque fois que la variante qu'il fournit ne s'accorde pas avec une autre variante connue, eddique ou scaldique, le voilà derechef suspecté de faux ou d'erreur. Jan de Vries a heureusement rétabli les droits du bon sens [1]. Par exemple, il est évidemment sans conséquence, à la fin de l'histoire de Þjazi (n° 1), que, dans Snorri, ce soit Óðinn qui lance au ciel les yeux de Þjazi tué tandis que, dans les *Harbarðslióð* (st. 19), Þórr s'attribue le mérite du même geste; sans conséquence aussi que, lors du meurtre même de *Þjazi*, Snorri ne mobilise, collectivement, que « les dieux » tandis que, dans la même strophe 19 des *Harbarðslióð*, Þórr dit : « J'ai frappé Þjazi, le terrible géant », — et que, dans la *Lokasenna* (st. 50; cf. ci-dessus, n° 1 *c*), Loki revendique la première part du meurtre. Il est de même sans importance que la *Þórsdrápa* et Snorri ne s'accordent pas sur *le* (Loki) ou *les* (Loki et Þjálfi) compagnons de Þórr dans son expédition chez Geirrøðr (n° 3 *a*, *b*); J. de Vries a donné [2] de bonnes raisons de penser que c'est Loki et non Þjálfi qui est ancien dans l'épisode (et donc que, sur ce point, Snorri représente une tradition plus pure que le scalde du Xᵉ siècle); le fait reste, en tout cas, qu'il s'est formé, en marge de cette tradition « légitime », une variante où le serviteur attitré de Þórr, Þjálfi, a été partiellement substitué à Loki [3]. Dans les récits relatifs à la mort de Baldr et au châtiment de Loki, nous rencontrerons ainsi, entre les variantes, des désaccords irréductibles dont on a eu tort de se servir pour déprécier tantôt l'une, tantôt l'autre.

Il y a un cas cependant où la question se présente dans des conditions particulières et qui demande un examen spécial, un cas où J. de Vries lui-même, à la suite de Robert Höckert, a, semble-t-il, abusé de quelques légers désaccords réels ou supposés, entre deux variantes pour nier, justement, qu'il s'agisse de variantes, que les deux textes traitent la même histoire. Et la chose est grave, car Snorri, le pauvre Snorri, l'intelligence et l'honnêteté de Snorri sont

---

1. *The Problem of Loki*, pp. 37-41.
2. *The Problem of Loki*, pp. 62-63.
3. W. Mohr, « Thor im Fluss », *PBB* 64 (1940), pp. 209-229, estime que l'anecdote de la traversée du fleuve, racontée sous deux formes, l'une noble, l'autre assez crue, était primitivement étrangère à l'expédition contre Geirrøðr et qu'aucun compagnon de Þórr n'y figurait. On ne peut qu'être sceptique devant ces hardis émiettements du récit mythique par les procédés de la critique littéraire.

engagés dans le débat. Je veux parler des deux variantes de l'histoire du « Baumeister [1] », le récit de Snorri d'un côté et, de l'autre, les deux strophes (25 et 26) de la *Völuspá* que Snorri a l'imprudence de citer à la suite de sa propre rédaction comme pour l'appuyer d'une pièce justificative. Que le lecteur veuille bien relire d'abord l'un et l'autre texte [2]; il suivra ensuite sans peine l'argumentation de J. de Vries dans ses moments successifs [3] :

1° Le texte de Snorri, remarque J. de Vries, contient une grave contradiction interne, qui met en éveil : comment les dieux ont-ils besoin de se réunir et de délibérer afin de déterminer le responsable de leur malheur, comment ont-ils à « découvrir » la part que Loki a prise à la conclusion du désastreux marché, puisque cette action initiale de Loki a été publique ? Snorri est trop bon écrivain pour s'être permis une inadvertance; l'accident ne peut venir que de ce qu'il a voulu à tout prix utiliser la st. 25 de la *Völuspá*, où l'on voit les dieux s'assembler et délibérer sur une question de responsabilité; il est clair, d'ailleurs, que l'ordre du jour de cette délibération, dans Snorri [4], n'est qu'une paraphrase des termes mêmes de la *Völuspá* [5]. Jusqu'ici, la remarque de J. de Vries est intéressante, mais sans conséquence : Snorri a certainement travaillé sur la stance 25 de la *Völuspá* et cela explique suffisamment la maladresse que constitue, dans son récit, la seconde délibération des dieux, à supposer que la maladresse soit ailleurs que dans l'expression; car on conçoit bien, après tout, que les dieux après avoir écouté et approuvé à la légère leur conseiller au début de l'action, se réunissent une seconde fois pour le mettre en accusation quand ils ont découvert tardivement les conséquences de son conseil; c'est même de la psychologie parlementaire assez exacte. La maladresse de l'écrivain peut

---

1. N° 2 *a, b*. V. maintenant J. de Vries, *Altgerm. Rel.-geschichte* II², pp. 256-257, qui maintient l'essentiel de sa position.

2. Ci-dessus, pp. 19-21.

3. *The Problem of Loki*, pp. 71-74.

4. « Qui avait conseillé de marier Freyja au pays des géants et de gâter l'air et le ciel au point d'enlever le soleil et la lune ? »

5. « Qui avait mélangé tout l'air de malheur et, à la race du géant, donné la jeune femme d'Óðr ? »

donc se réduire au libellé de l'ordre du jour de cette Haute-Cour divine : dans sa version, s'il ne s'asservissait pas à faire un sort à tous les mots de la *Völuspá*, les dieux, réunis pour la seconde fois, n'auraient pas à déterminer qui était le criminel mais à décider s'il y avait eu crime. Quant à l'expression parallèle de la strophe 25 de la *Völuspá*, qui a influencé Snorri, elle se justifie de plusieurs manières : à tous les mythes qu'il rencontre dans sa course à travers le temps, le poète ne touche que par des allusions qui n'ont pas à être de la dernière exactitude et qui, rapides et isolées comme des éclairs, ne risquent pas d'être dans un désaccord flagrant avec un contexte qui n'est que sous-entendu; de plus, pour des raisons d'art, le poète adopte des sortes de refrains et les vers qui ouvrent la strophe 25 [1] sont justement un refrain, car ils se sont déjà trouvés (st. 23) dans le récit de la guerre des Ases et des Vanes, et même avant, aux st. 6 et 9; enfin il se peut que, dans une version dont s'inspirait le poète de la *Völuspá*, la responsabilité initiale de Loki n'ait pas été publique, qu'il ait, par exemple, comme délégué des dieux, conclu le marché sans les prévenir de certaines graves clauses qu'il acceptait, sûr que le maître-ouvrier échouerait.

2° Mais, dans ce qui suit, il ne m'est pas possible de me laisser convaincre par J. de Vries. Snorri, dit-il, a commis deux fautes en paraphrasant la strophe 25 de la *Völuspá :*

a) « *lævi blandit* means *charged with noisome venom, not at all spoil the air by taking away the sun and the moon.* » L'auteur se réfère aux traducteurs du *Corpus Poeticum Boreale* pour donner cette pointe audacieuse à l'expression *lævi blandit;* l'autorité de Vigfusson et de York Powell ne peut faire que ces mots signifient autre chose que, très généralement, « mêlé de malheur ou de malignité » (*lævi*, datif de *læ* [2]), — ce qui convient très

---

1. « Alors les dinivités souveraines allèrent sur les chaires de décision, les très saints dieux, et voici ce qu'ils examinèrent... »

2. Même racine que dans l'allemand *Leid* « souffrance » (et dans le français *laid*); on rapproche les mots grecs *loi-mos, loi-gos,* etc. Le vieux dictionnaire islandais de B. Haldorson (éd. par Rask, Copenhague, 1814), s. v. *læ* donne les deux sens : 1) *fraus, vafrities;* 2) *periculum; læblandinn* vaut « unheilvoll, verderblich ».

bien au marché par lequel Loki (spécialiste des *lǽ-vísi* et
qualifié ailleurs de *lǽ-gjarn*, « désireux du mal,
malfaisant ») a sacrifié les astres qui sont dans l'air, dans le
ciel.

b) « *The* Völuspá *makes allusion to something which has
taken place at the moment the gods were holding their
council; in the* Gylfaginning, *the disaster is only feared as
being in the near future.* » Non. Quand les dieux
découvrent, brusquement, les conséquences terribles du
pacte, il est déjà trop tard, le pacte est non seulement signé
mais aux neuf dixièmes exécuté, les événements poussés
devant leur conclusion fatale; le poète a donc parfaitement
le droit (on l'aurait, même en prose) de dire, au passé et
non au futur immédiat, que « l'air *a été* tout mêlé de
malheur », que « la femme d'Óđr *a été* donnée à la race du
géant [1] ». Inversement, est-il si aisé de supposer un mythe
qui n'aurait pas laissé d'autres traces, qui serait excep-
tionnel dans son esprit, et où l'on verrait la déesse non pas
seulement en danger de tomber aux mains d'un géant, non
pas seulement promise à un géant ou réclamée par un géant
(cf. Hrungnir, Þrymr), mais *effectivement* livrée à un
géant ?

3° Je n'insiste pas sur un dernier argument de J. de Vries
qui n'est pas meilleur : la manière dont le récit de Snorri
paraphrase la strophe 26 de la *Völuspá* (« brisés furent les
serments... ») et fait intervenir Þórr, est satisfaisante et sans
contradiction, et le sens de cette strophe 26 — ou plutôt,
comme toujours, des allusions dont est faite cette strophe —
peut très bien être celui que développe Snorri : « *Snorri has
felt the difficulty*, écrit J. de Vries, *and he has tried to mend
it, by saying that the giant became furious and menaced the
gods. But then the gods were right in summoning Thor,
because not they, but the giant himself had broken the pact
between them. Snorri is a brilliant story-teller and he has
contrived to make thinks as good as possible...* » Ce n'est
pas sûr, le contraire peut au moins se plaider : que le géant

---

1. Cette réponse à l'objection se trouve formulée d'avance dans F. Jónsson,
Völuspá (1911), p. 46 : *gefa* peut signifier, dit-il, « promettre de livrer ».

se trahisse comme géant par son comportement (*í jötunmóð*), que les dieux découvrent alors qu'il y a eu, au départ, erreur sur la nature de leur partenaire, cela n'empêche pas le pacte d'exister, d'avoir été juré; les dieux sont certes fondés à briser un tel pacte et de tels serments, mais le fait est qu'ils les brisent : le poète — et Snorri — ne disent pas autre chose.

Bref, c'est dans l'histoire du Baumeister que s'expliquent le plus naturellement les quelques traits — ou, je répète le mot, les quelques allusions — qui font la matière de ces deux strophes. En outre, ainsi comprises, ces strophes viennent dans le poème, ainsi qu'on le remarquait généralement avant les offensives de Mogk, à une place chronologique plausible : la guerre des Ases et des Vanes a ravagé la demeure des Ases, il est donc naturel que le Baumeister fasse son offre de service à ce moment.

3. Contradictions internes

La discussion qui précède rappelle opportunément que les plus habiles conteurs comme les plus grands poètes laissent parfois subsister, dans le corps d'une seule et même composition, des maladresses, des incohérences : quand le Palinure de Virgile tombe à la mer, il entraîne le gouvernail dans sa chute, — ce qui n'empêche pas, neuf vers plus loin, Enée, réveillé par le bruit, de prendre à la barre la place de son pilote, *rexit ratem...* [1]. A la fin de la *Þórsdrápa* [2], contre toute attente, Þórr massacre Geirrøðr avec son marteau, — avec le marteau qu'il ne doit pas avoir pour la raison exposée par Snorri au début de son récit [3] et qu'il ne semble pas en effet qu'il ait jusqu'à ce moment, à en juger par les strophes précédentes du poème lui-même. A cause de cette anomalie, J. de Vries dénie [4] toute authenticité à

---

1. *Enéide* V, vv. 859 et 868; on a supposé, bien entendu, que le vaisseau avait un gouvernail de rechange.
2. N° 3 *b*.
3. N° 3 *a*.
4. *The Problem of Loki*, pp. 64-65.

l'affabulation de Snorri et ramène le thème de l'expédition
de Þórr chez Geirrøðr à celui de l'expédition de Þórr chez
Þrymr [1] : Geirrøðr, comme Þrymr, aurait d'abord volé le
marteau et Þórr ne viendrait chez lui que pour le reprendre.
« *In the original myth*, dit-il en conclusion, *Thor went
together with Loki to a giant, where he gets back his
hammer after having smashed the trolls to atoms. Perhaps
this myth itself is only a "mythological tale", built upon the
well-known idea, that the thundergod sometimes has to visit
the giants to regain his weapon.* » C'est tirer de bien graves
conséquences de ce qui peut s'expliquer aisément par une
inadvertance mineure du poète : l'image de Þórr combattant
aura entraîné mécaniquement celle de son arme usuelle,
unique, de son marteau. Si, au contraire, le sujet de
l'histoire est, comme celui de la *Þrymskviða*, la reprise,
nécessaire et légitime, du marteau d'abord volé, on ne
s'explique pas que, au début du poème (st. 1), pour décider
Þórr à se mettre en route, Loki lui ait parlé non pas du
marteau volé mais, « mensongèrement » (comme le
souligne la parenthèse), de tout autre chose (« les verts
chemins... »); plus généralement on ne comprend pas
qu'aucune mention, aucune allusion ne signale l'intention
qu'aurait Þórr de reconquérir son arme ni le moyen, le geste
par lequel il l'aurait reconquise : que l'on se reporte aux
articulations homologues de la *Þrymskviða*, si saillantes
dans leur simplicité [2], et l'on mesurera l'improbabilité du
rapprochement.

De même, les gaucheries et contradictions dont serait
remplie l'histoire des trésors des dieux [3] permettent-elles
d'écrire : « *This tale belongs to the most difficult problems
of Scandinavian mythology* [4]. »

---

1. N° 4.
2. N° 4 : st. 1, 2, 3, 6, 7, 10, 13, 17, 30, 31, 32; le vol du marteau, l'intention
de Þórr sont constamment rappelés.
3. N° 6.
4. J. de Vries, *The Problem of Loki*, pp. 90-96, après F. Ohrt, « Hammerens
lyde — Jærnets last » dans la *Festskrift Finnur Jónsson* (1928), pp. 294-298.

4. A propos de quelques fantaisies

Quand on voit la sévérité avec laquelle les critiques observent, prennent en faute et condamnent Snorri et même les poètes ses prédécesseurs, on se sent porté à quelque dureté devant les reconstructions ou dissociations acrobatiques qu'ils osent ensuite proposer. Il n'est aucun des récits dont nous nous occupons qui n'ait été ainsi transfiguré, défiguré. Tout en se permettant lui-même quelques fantaisies [1], J. de Vries a eu le mérite et la patience d'en ruiner un grand nombre d'autres, signées parfois de noms illustres : qu'on se reporte à son livre [2].

1. Dans *The Problem of Loki*. Pourquoi vouloir, à tout prix, ramener à l'unité (p. 38 et n. 2, p. 39) ou du moins à deux (p. 41) les trois dieux qui figurent dans l'histoire de Þjazi (nº 1) ? Que dire de l'exégèse faite (pp. 91-92) de l'histoire des trésors des dieux (nº 6) ? « Les cheveux de Sif » seraient une désignation poétique de la végétation (d'après Weinhold, 1849 !); celui qui « coupe » les cheveux de Sif ainsi compris ne peut être qu'une « divinité chthonienne »; comme Loki n'est « chthonien » dans aucun autre mythe, c'est que « ... *Loki originally has nothing to do with the myth of Sif's hair, but has been introduced afterwards to achieve the combination with the contest of the dwarfs.* »

2. Voir comment J. de Vries *(op. cit.)* discute : les combinaisons diverses fondées sur Lódurr (Wisén, Noréen, Blankenstein-Olrik-Mogk, v. d. Leyen, etc. et surtout Grüner-Nielsen et A. Olrik), pp. 50-55; la seconde source hypothétique attribuée par E. Mogk à Snorri pour sa rédaction de l'histoire de Geirrøðr, p. 57; le schéma de C.W. von Sydow pour l'histoire du « Baumeister », pp. 66-76; l'interprétation de *Völuspá* 21-24 par van Hamel, p. 79, n. 3; les artificielles répartitions géographiques de Loki et de Þjálfi comme « valet du dieu du tonnerre » faites par Axel Olrik dans un article célèbre des *DS* (1905), pp. 115-120; l'artificiel classement, par le même Axel Olrik (*Festskrift Feilberg*) des modes d'action de Loki, pp. 142-144 (mais auquel J. de Vries substitue un classement aussi critiquable, pp. 145-150); les rapprochements acrobatiques entre l'histoire de Loki pris au filet et un runo magique finnois sur l'origine du feu, pp. 152-161; *quelques* excès de E.N. Satälä dans son rapprochement de Loki et de sa famille avec « Louhi und ihre Verwandten », pp. 190-193; l'étrange signalement que Finnur Jónsson a donné de Loki, pp. 201-202; les arguments par lesquels Olrik fait de Loki un *ildvætte*, pp. 204-210; les improvisations de L. von Schrœder (*Mysterium und Mimus im Rigveda*, p. 219) sur Loki-Agni, p. 208, n. 1; la critique de *quelques* excès de la thèse « Loki-gobelin » de Celander, p. 223) (mais J. de Vries sous-estime le « folkloristic material », pp. 239-258). Cf. l'intrépide hypothèse Hoag-Cawley, *PBB* 63 (1939), pp. 457-464.

5. Loki et le meurtre de Baldr [1]

Je vais considérer maintenant à part, non pas encore pour
les résoudre mais pour montrer qu'elles ne sont pas
résolues, les plus graves difficultés du problème de Loki, —
graves par les conséquences qu'entraîne le choix d'un parti
tant pour l'interprétation de Loki lui-même que pour une
conception générale des religions scandinaves; graves aussi
par l'âpreté des discussions auxquelles elles ont donné
lieu [2] : le rôle de Loki et dans le meurtre de Baldr et dans la
fin de notre monde. Je ne prétends pas prouver pour
l'instant, je le répète, que ce rôle est ancien, primitif, qu'il
ne résulte pas d'une évolution récente : une telle preuve ne
sera apportée que plus tard, au chapitre IV, par une
argumentation *comparative*. Je veux montrer ici que les
raisons *philologiques, analytiques* qu'on a fait valoir contre
l'ancienneté de cet aspect de Loki sont illusoires et que les
raisons « culturelles » (d'histoire de la civilisation et
d'histoire religieuse) dont on a appuyé les premières ne sont
que des pétitions de principes. Occupons-nous d'abord du
meurtre de Baldr.

E. Mogk a pensé pouvoir écarter Loki de la forme
« primitive » de cette histoire pour cinq raisons analytiques,
c'est-à-dire fournies par l'analyse des témoignages [3] :

a) Toutes les sources autres que l'*Edda* de Snorri font de
Höðr (Hotherus) et de lui seul, sans participation de Loki,

1. V. le dernier état de la pensée de J. de Vries dans *Altgermanische
Rel.-geschichte* II² (1957), p. 217-219.
2. Pour les discussions du XIXᵉ siècle, bon exposé dans Fr. Kauffmann, *Balder,
Mythus und Sage* (1902). Depuis, nombreux, très nombreux travaux, parmi
lesquels — outre ceux de Mogk, de J. de Vries déjà mentionnés et le « Balder the
Beautiful » de Frazer — je citerai seulement G. Neckel, *Die Ueberlieferungen vom
Gotte Balder dargestellt und vergleichend untersucht* (1920) et F.R. Schröder,
Germanentum und Hellenismus, Untersuchungen zur german. Religionsgeschichte
(1924), chap. III et IV.
3. *Novellistische Darstellung...* (*FFC*, 51), pp. 12-15; *Lokis Anteil...* (*FFC*,
57). — Après de saines critiques de la thèse générale de Mogk (*Heimdalls Horn
und Odins Auge*, pp. 161-163), on est surpris de voir M. Ohlmarks adhérer, de
façon brève et tranchante, p. 165, à l'un des arguments (*a,* 1) par lesquels Mogk
élimine Loki de la forme « primitive » de la mort de Baldr.

le meurtrier pleinement responsable de Baldr; il s'agit : de la *Völuspá;* des *Baldrs draumar;* de la *Petite Völuspá (Hyndluljóð);* de Saxo Grammaticus.

b) Les strophes 27-28 de la *Lokasenna* ne concernent pas le *meurtre* de Baldr et n'établissent donc pas que Loki y ait participé.

c) Aucune kenning (périphrase poétique), dans toute la poésie eddique aussi bien que scaldique, ne fait allusion à une participation de Loki au meurtre de Baldr.

d) Snorri est seul à faire de Höðr le dieu aveugle; liant le châtiment de Loki au meurtre de Baldr, Snorri tait le châtiment de Höðr dont au contraire plusieurs des textes cités sous *a)* parlent explicitement.

e) La prose finale de la *Lokasenna* explique le châtiment de Loki tout autrement que par le meurtre de Baldr.

Ces raisons sont les unes sans fondement, les autres sans portée.

a) α. *Völuspá, 32-35*

Suivant hâtivement la marche des grands événements mythiques du monde, la Voyante dit ceci :

32. Je vis, pour Baldr, pour l'Ase sanglant, pour le fils d'Óðinn, la vie cachée : haut poussé au-dessus du sol se tenait, menu et très beau, un rameau de gui.

33(-34). Il sortait de l'arbre, paraissant menu, dangereux javelot de douleur. Höðr lança le trait [1]. Et Frigg pleura dans les Fensalir le malheur de la Valhöll. Savez-vous davantage, et quoi ?

---

1. Un manuscrit ajoute ici quatre vers (dont trois proviennent de la st. 11 des *Baldrs draumar,* v. ci-dessous, p. 107), ce qui donne deux strophes au lieu d'une (il s'agit du vengeur de Baldr, son frère Váli) : 33. « Il sortait de l'arbre, paraissant menu, dangereux javelot de douleur. (Le frère de Baldr était à peine né; le fils d'Óðinn, âgé d'une nuit, entreprit de combattre. — 34. Il ne se lava pas les mains, il ne se prépara pas les cheveux avant qu'il eût porté sur le bûcher funéraire le meurtrier de Baldr.) Et Frigg pleura, etc. » Il s'agit incontestablement d'une interpolation sans valeur.

35. [1] Liée, je vis gésir, sous la forêt crevassée, une forme de malfaisant, semblable à Loki [2]; là aussi est assise Sigyn, nullement bien-réjouie par son mari. Savez-vous davantage, et quoi ?

Jusqu'à Mogk on voyait dans ces strophes des allusions successives et cohérentes à un récit de la mort de Baldr et de ses suites conforme en gros à celui de Snorri [3] : la st. 32 et les trois premiers demi-vers de la st. 33 présentent le gui; le quatrième demi-vers de la st. 33 montre Höðr lançant le gui; les deux derniers vers de la même strophe parlent du deuil de Frigg; quant à la strophe suivante, qui évoque le châtiment de Loki et le dévouement de sa femme [4], elle est placée aussitôt après le meurtre de Baldr; donc, d'après l'usage du poète de la *Völuspá* qui est de présenter volontiers en succession immédiate des épisodes logiquement, causalement liés, elle implique que le châtiment de Loki est une conséquence du meurtre de Baldr.

A cela E. Mogk oppose que si, à la st. 33 (et éventuellement 34), Höðr est reconnu comme pleinement responsable et coupable (et c'est évidemment le cas), il n'y a pas place dans la trame du récit pour la responsabilité ni, par conséquent, pour le châtiment de Loki. De plus, dit-il, il est artificiel de conclure de la succession des strophes à la solidarité logique, causale, de leurs contenus; au contraire, la formule « Savez-vous davantage, et quoi [5] ? », à la fin de la st. 33, prouve qu'il y a là une rupture; dans cette revue à grand spectacle qu'est la Vision de la Voyante, cette formule qui, à partir de la st. 27, ne revient pas moins de neuf fois, toujours à la fin d'une strophe (st. 27, 29, 33-34, 35, 39, 41, 48, 62, 63), est comme un coup de gong qui annonce les changements de tableau; en fait, jusqu'à la st. 33(-34) (incluse), il a été question de l'histoire passée du monde; après la st. 34 commence la présentation des êtres

---

1. Ci-dessus, n° 11 *c*.
2. Vers difficile; mais il s'agit incontestablement de Loki.
3. N° 10 *a*.
4. N° 11 *a, b*.
5. « *Vituð enn eða hvat ?* »

démoniaques enchaînés — dont Loki n'est que le premier — qui se déchaîneront un jour et détruiront ce monde. Conclusion : c'est une erreur d'interprétation sur la *Völuspá*, c'est une relation artificiellement établie entre les st. 32-34 et 35-36 qui a induit Snorri à faire du supplice de Loki une suite du meurtre de Baldr, donc à donner à Loki une responsabilité dans le meurtre de Baldr, et à forger, selon ses procédés ordinaires, le récit que nous lisons dans l'*Edda* en prose. Rien de toute cette critique ne résiste à l'examen.

1° L'argument juridique ne vaut pas : il suppose une morale de l'intention qui n'était pas celle des anciens Germains [1]; même meurtrier involontaire, Höðr reste matériellement *Baldrs bani*, meurtrier de Baldr, et, si la famille du mort l'exige, il doit expier, sans que naturellement son expiation dispense Loki, s'il a donné le conseil criminel, d'expier lui aussi [2].

2° L'argument stylistique ne vaut pas davantage. Dans au moins cinq cas sur les huit autres où elle apparaît, la formule-refrain « *Vituð enn eða hvat ?* », loin de marquer une coupure nette entre deux tableaux (office qu'elle ne remplit même pas dans les trois cas restants), se glisse à l'intérieur d'un tableau dont elle ne brise nullement l'étroite unité [3] :

a) la st. 48, que termine le refrain, n'est pas séparable des strophes suivantes : elle montre les Ases délibérant et les nains gémissant tandis que « tout le monde des géants se met en branle » pour les offensives convergentes dont le détail est donné aussitôt après;

b) de la st. 59 à la fin du poème, il n'y a plus qu'un tableau : la terre émerge à nouveau de la mer (59), les Ases

---

1. On ne peut admettre la réflexion de J. de Vries, *The Problem of Loki*, p. 168 : « *In fact here is no place at all for Loki, he is not mentioned either in the perpetration of the crime or in the revenge for this odious murder. To the mind of a heathen Scandinavian the act counterbalanced by the revenge was in itself complete.* »

2. Cf. ci-dessous, p. 109, n. 1.

3. Il en est autrement dans la « Petite *Völuspá* » où le refrain, d'ailleurs fort élargi, marque bien des coupures (*Hyndluljóð*, st. 33 = 36 = 41); mais la « Petite *Völuspá* » est un poème plus tardif.

retrouvent et leur ancien séjour (60) et leurs tablettes d'or
d'autrefois (61), Baldr et Höðr, ressuscités et réconciliés,
prennent possession de la résidence sacrée (62), Hœnir
inaugure sa fonction de dieu-prêtre et les descendants des
dieux primordiaux étendent leur occupation du monde (63),
un beau palais à toit d'or s'élève pour eux (64), un puissant
seigneur vient faire régner la concorde (65); or les st. 62 et
63 se terminent pourtant toutes deux par le refrain;
inversement, le refrain n'apparaît pas là où il soulignerait
une authentique coupure, c'est-à-dire juste avant la st. 59,
pour séparer les deux descriptions accolées de la fin d'un
monde et de la naissance d'un autre;

   c) de la st. 27 à la st. 30, on n'a également qu'un
tableau : la sorcière voit l'endroit où Óðinn a mis un de ses
yeux en gage (27); Óðinn apparaît devant elle et elle lui dit
qu'elle sait où est l'œil (28), que l'œil est dans la fontaine
de Mímir (29); alors Óðinn lui donne le don de vision, —
qui va lui permettre de développer toutes les scènes qui
suivent; or le refrain apparaît pourtant à la fin des st. 27 et
29, — alors qu'il n'apparaît pas, par exemple, à la fin de la
st. 26 (avant ce tableau) ou de la st. 30 (après ce tableau),
où il soulignerait des coupures nettes.

   3° Enfin, si la st. 35, avec le supplice de Loki, annonce
bien la catastrophe du monde, forme bien une sorte de point
de partage des temps dans l'histoire du monde, cela ne
l'empêche pas d'être, avec celles qui précèdent immédiatement, en relation d'effet à cause : ce qui coupe l'histoire
du monde, ce qui en prépare la fin en révélant la vraie
personnalité de Loki, c'est justement le crime par excellence, le meurtre de Baldr. Il est difficile de penser que le
poète de la *Völuspá*, qui joint à un art consommé de
l'allusion elliptique un sens aigu de l'enchaînement des
actes et des destins, de ce que les Indiens appellent le
karman, ait ouvert une faille, rompu toute solidarité entre le
passé et l'avenir juste au point qui est à la fois la clef de
voûte, le centre matériel de son œuvre et l'acte décisif de
l'histoire du monde. Combien tout est plus clair, plus
grandiose, plus philosophique si, comme on l'avait toujours
fait avant Eugen Mogk, on reconnaît cette liaison !

β. *Baldrs draumar*, st. 7-11.

Ces strophes où une Voyante qu'Óðinn est allé consulter dans le monde des morts lui révèle le meurtre prochain de Baldr, ne désignent également comme meurtrier que Höðr (st. 9) et annoncent le châtiment que lui infligera Váli (st. 11) en des termes qui ont été, on vient de le voir, introduits presque littéralement, dans un manuscrit, à la st. 33 de la *Völuspá*. Il est exact qu'il n'est pas ici question de Loki. Mais :

1° Le poète ni sa Voyante n'étaient tenus de tout dire; la Voyante dit seulement à Óðinn ce qui, dans le drame imminent, sera *matériellement visible*, à savoir le geste meurtrier, même si moralement ce n'est pas là le plus grave; elle lui dit aussi ce qui *le touche de plus près*, lui, Óðinn, à savoir la mort d'un de ses fils, mais aussi l'exploit vengeur de l'autre; dans cette double perspective, Loki, le destin de Loki sont à l'arrière-plan.

2° D'ailleurs l'acte de Höðr est simplement signalé en termes très généraux et non expliqué [1], si bien qu'une intervention sournoise, une suggestion de Loki ne sont pas exclues, restent possibles.

3° Enfin, il se peut bien qu'on ait ici la trace d'une variante du meurtre de Baldr où Höðr concevait et exécutait l'acte, où Loki n'avait pas de part; mais, en tout état de cause, ce ne serait qu'une variante et rien ne permettrait de la déclarer plus légitime, plus pure, plus ancienne que l'autre; bien au contraire, suivant une juste remarque de F. Kauffmann [2], c'est le sujet même des *Baldrs draumar* qui est en porte à faux et l'on ne doit s'en servir que prudemment : comment Oðinn et les dieux, si clairement et nommément prévenus que c'est Höðr qui tuera Baldr, n'ont-ils pas pris les précautions toutes simples qui s'imposaient ?

---

1. « Höðr amène ici [= au monde des morts] le noble arbre de gloire [= héros]; il sera le meurtrier de Baldr (*hann mun Baldri at bana verða*) et privera de vie le fils d'Óðinn. »
2. *Balder*, p. 28.

γ. *Hyndluljóð*, st. 30 (= *Petite Völuspá*, st. 1).

Ce poème, rédigé au XII⁰ siècle, catalogue ou dénombrement de personnages et d'événements mythiques notables, dit simplement, résumant le texte précédent et appelant les mêmes remarques que lui : « Au nombre de onze étaient les Ases, quand Baldr se pencha sur la colline de mort; Váli se fit fort d'être digne de le venger, quand il tua le meurtrier de main (*handbani*) de son frère. »

δ. Saxo Grammaticus [1].

Il est exact que Saxo Grammaticus ne fait pas intervenir Loki dans ses deux récits de l'aventure. Mais cette constatation n'a pas du tout l'effet que lui attribue E. Mogk, bien au contraire; Mogk néglige deux faits capitaux :

1° Saxo ignore Loki d'un bout à l'autre de la partie de son œuvre où il utilise des mythes; lui qui connaît un « Utgarthilocus », transcription d'*Utgarðaloki* [2], il ne présente nulle part un *Locus*, — en particulier pas dans l'histoire de Geirrodus (c'est-à-dire *Geirrøðr*) où on l'attendrait [3].

2° Dans l'histoire de Balderus, à défaut du nom de Loki, on retrouve son rôle, c'est-à-dire le partage des responsabilités dans le meurtre de Balderus (considéré d'ailleurs comme exploit heureux et juste), l'association d'un exécutant et d'un conseiller, de Hotherus qui triomphe de Balderus grâce à l'épée magique (qui, dans cette version, tient la place du rameau de gui : cf. « l'épée Mistilteinn » de la *Hrómundarsaga*) et de Gevarus qui enseigne à Hotherus le seul moyen par lequel « *fatum infligi possit* » à Balderus malgré l'ordinaire invulnérabilité de son « *sacrum corpus* » [4]. On voit ainsi que le témoignage de Saxo se retourne contre la thèse de Mogk : comme il y a, dans l'*Edda* en prose, le conseil de Loki et l'acte de Höðr, il y a

---

1. Nº 10, *c*, *d*. V. maintenant *Balderus et Hotherus*, appendice de mon livre *DMAR*², 1983, pp. 159-172.

2. Nº 8.

3. Nº 3, début.

4. Nº 10 *d*.

conjointement, chez Saxo, *a)* le conseil de Gevarus qui donne le moyen de tuer Balderus, *b)* l'acte formel d'Hotherus tuant Balderus. Ajoutons que le châtiment de Hotherus (par Bous, frère de Balderus) y figure aussi, sans que le conteur ait songé à diminuer la responsabilité de Hotherus à cause du conseil qu'il a reçu de Gevarus [1]. La *Hrómundarsaga*, on l'a vu, présente le même groupement de personnages et un ajustement de thèmes comparable.

b) *Lokasenna,* st. 27-28.

L'élimination que fait E. Mogk de ces stances est si évidemment sophistique que J. de Vries, malgré la respectueuse faiblesse dont il témoigne à l'égard du vieux maître, ne peut ici que l'abandonner. D'après Mogk, la seconde moitié de la st. 28 ferait allusion non pas au meurtre de Baldr, auquel Loki n'aurait donc pas eu de part, mais à l'intervention ultérieure de Loki sous les traits de la géante Þökk [2] qui, refusant de pleurer, avec toute la nature, Baldr mort, l'a empêché de ressusciter [3] et donc est bien la cause que Frigg ne le voit (ou verra) plus venir à cheval aux assemblées. Voici la forme que J. de Vries donne à l'argumentation [4] : « Si Loki avait seulement voulu dire qu'il était responsable de la mort de Baldr, il se serait sans doute exprimé en reprenant les termes mêmes que venait d'employer Frigg; il aurait dit : *Je suis responsable qu'il ne soit pas présent ici, dans la salle d'Ægir*. Or, il dit : *C'est par ma faute que tu ne le vois pas venir à cheval à la salle d'assemblée* [5]. Il met ainsi un accent particulier sur le fait que Baldr n'est pas dans la même situation que les autres dieux et qu'on s'attendait à le voir venir d'un autre séjour qu'eux... » Et voici ce que J. de Vries ajoute : « Bien que je sois personnellement porté à considérer comme la plus naturelle cette explication d'une strophe fort discutée, j'ai

---

1. Cette remarque renforce ce qui a été dit p. 105 (et n. 2).
2. Nº 10 *b*.
3. V. nº 10 *a*, fin.
4. *The Problem of Loki*, pp. 170-171.
5. « *It is my fault that you do not see him riding towards the hall.* »

pleinement conscience qu'il ne s'agit que d'une interprétation possible, qui ne s'impose pas. Par conséquent, j'adopte
l'interprétation contraire et j'admets que cette stance fait
allusion au fait que Loki a été *ráðbani* (« meurtrier par
conseil ») de Baldr [1]. »

J. de Vries est bien indulgent. Cette argumentation
tire un parti exorbitant du verbe *ríða :* le fait que Baldr, s'il
venait, viendrait « à cheval » au banquet des dieux ne
prouve tout de même pas qu'il viendrait de l'autre monde !
Ce dieu jeune, beau, doué de toutes les séductions, avait
bien le droit, de son vivant, de faire de l'équitation et,
comme les autres dieux, s'ils le voulaient, de venir à cheval
aux réjouissances collectives. De plus, alors qu'on exploite
à l'excès le verbe *ríða,* on escamote l'adverbe *síðan;* Loki
dit en effet : « C'est moi qui suis cause que tu ne vois *plus*
Baldr venir à cheval à la salle d'assemblée... » Ce « ne
plus » suffit à détruire l'exégèse proposée : il transforme
l'absence de Baldr de fait accidentel, singulier, en fait
définitif, régulier, et comme pour chaque réunion présente
et future, Baldr *redivivus* n'aurait évidemment pas à revenir
chaque fois de l'autre monde, il devient tout à fait
impossible de voir dans *ríða* une allusion à un tel retour.

A quoi tend cette chicane ? Quelle en est la portée ?
Innocenter Loki de la mort de Baldr, cela n'a de sens que si
on l'innocente complètement, si on ne le laisse pas sous le
poids d'un prolongement du crime aussi lourd que l'aurait
été le crime lui-même. Or, empêcher Baldr de ressusciter et
le faire tuer sont des actes d'égale gravité. Si l'on admet
que Loki a eu assez de malignité pour rendre vaine, à lui
seul, l'entreprise de résurrection tentée par l'univers, quelle
difficulté voit-on à admettre qu'il ait d'abord eu assez de
malignité pour tuer Baldr par personne interposée ? Ces
deux actes d'ailleurs ne sont-ils pas logiquement solidaires ? L'obstination de Loki à empêcher Baldr de revivre

---

1. Il est exact en revanche qu'il ne faut pas, comme Neckel et Schröder, tirer
argument contre Mogk du verbe *ráða* qui ne signifie pas ici « conseiller »; *ek því
réð, at...* est à traduire très généralement : « *Je suis cause* que... » (v. J. de Vries,
The Problem of Loki, p. 171, n. 1).

n'est-elle pas plus naturelle s'il a d'abord machiné l'accident par lequel Baldr a perdu la vie ?

En réalité, *Lokasenna* 28 fait une allusion *globale* aux actes par lesquels Loki a rendu possible, puis définitive, la mort de Baldr. Si E. Mogk n'avait pas eu une mauvaise cause à défendre, il n'aurait pas songé à opérer cette dichotomie.

c) et d) Le silence des *kenningar* et l'isolement du témoignage de Snorri quant à Höðr « dieu aveugle » sont des faits, qu'il n'y a qu'à enregistrer. Mais l'importance de ces faits est fonction du plus ou moins de crédit qu'on accorde à Snorri. Pour E. Mogk, qui a décidé une fois pour toutes que Snorri a forgé tout ce qui n'est pas « confirmé » par ailleurs, ils sont évidemment très graves, rédhibitoires. Pour nous, qui avons rencontré plusieurs preuves que Snorri peut représenter et, dans les cas justement où E. Mogk ou d'autres croyaient le prendre en flagrant délit d'invention, représente en effet une tradition très archaïque qui ne nous est pas connue par ailleurs, ils n'ont aucune signification.

Snorri a dû recevoir son Höðr aveugle non pas de « *la* » tradition, c'est-à-dire d'une tradition unique et *ne varietur* qui n'a sans doute jamais existé, mais d'une des *variantes*, sans doute nombreuses, qui, à toute époque, ont dû exister et se renouveler autour du *thème* fondamental. Que cette cécité de Höðr soit ancienne, ou due à l'influence de quelque légende chrétienne, c'est une autre question. Je souligne seulement qu'elle ne fait pas argument contre l'authenticité du schéma que suit Snorri [1]. De plus, dans l'article où il rapproche *Louhi und ihre Verwandten* de Loki et de sa famille [2], article que l'on condamne sommairement à cause de quelques outrances de détail, E.N. Setälä a rappelé un runo magique finnois où trois fils de Louhi

---

1. Même non aveugle, Höðr aurait aussi bien pu recevoir de Loki la branche de gui et s'en servir comme arme ou projectile de jeu, en la croyant inoffensive.

2. *Aus dem Gebiet der Lehnbeziehungen, Louhi und ihre Verwandten*, dans les *FUF* 12 (1912), pp. 210-264. M. Kuusi, « Arvoitukset ja muinaisusko », *Viríttäjä* 60 (1956), pp. 185-186, étudie des devinettes finnoises où survit peut-être, déformé, le nom de Loki (v. ci-dessous, p. 231, n. 8).

(Loviatar) se partagent ainsi les rôles dans une action analogue : « *L'estropié* fait la flèche, *le boiteux* bande l'arc, et c'est *le tout-aveugle* qui tire [1]. » Et il a remarqué que ce runo suppose que les Finnois avaient eu connaissance d'une variante du mythe de Baldr où un « tout-aveugle » lançait le projectile et où un personnage (ou deux personnages ?) correspondant à Loki était soit l'auxiliaire soit l'instigateur de son acte [2].

Quant aux *kenningar,* leur silence est intéressant, mais il ne faut pas se hâter de l'interpréter. D'abord, il y a un certain nombre de mythes incontestables auxquels aucune kenning non plus, dans les poèmes qui nous ont été conservés, ne fait allusion (à commencer par Týr et le loup Fenrir). Il se peut aussi que, pour des raisons religieuses ou magiques, la participation de Loki à la mort de Baldr ait été abordée par les poètes avec discrétion : les auteurs des *Baldrs draumar* et de la *Petite Völuspá* n'excluent pas la responsabilité de Loki mais n'en parlent pas; l'auteur de la *Völuspá* suggère cette responsabilité de façon claire et nécessaire par la disposition même de son plan, mais il ne fait que la suggérer, sans la « mettre en mots »; et l'on n'a pas assez remarqué le demi-mystère dont sont couvertes, dans les strophes précédemment étudiées de la *Lokasenna* (st. 27-28), et l'allusion douloureuse de Frigg et la vanterie de Loki, et plus encore, à la st. 29, l'intervention de Freyja : « Tu as eu tort de citer toi-même tes honteuses actions, dit Freyja à Loki : Frigg sait bien tout ce qui se passe, même si elle n'en dit rien. » A une exception près [3], dans l'ensemble du poème, les autres sarcasmes de Loki et

---

1. *Art. cit.,* p. 221 :

   Ruho *nualia tekee*
   rampa *jousta jännittä*
   ampuu perisokea.

   Le mot *peri-sokea,* « tout-aveugle », rappelle à Setälä le nom d'un des deux frères de Loki, *Helblindi,* qu'il traduit aussi « tout-aveugle » (mais *Hel* est plutôt ici la déesse de l'autre monde, la mort, etc.).

2. *Art. cit.,* p. 235.

3. Et pour laquelle il y a sans doute lieu de faire une réflexion analogue : il s'agit de la « bisexualité » et de Loki et d'Ódinn lui-même; Frigg les invite à ne pas parler de ces choses (st. 25); cf. ci-dessous p. 218.

les ripostes des dieux et des déesses ne s'enveloppent pas de telles précautions.

e) Quant à la prose finale (ajoutons : et quant à la prose initiale) de la *Lokasenna,* elles ne nous retiendront pas : il s'agit évidemment d'une autre « variante » du récit relatif au supplice de Loki, variante indépendante à la fois des récits sur le meurtre de Baldr et de la *Lokasenna* proprement dite, du poème que ces proses encadrent par un agencement sans doute tardif. Tout ce que l'on peut et doit en conclure, c'est que le supplice de Loki n'était *pas toujours* expliqué par sa participation au meurtre de Baldr, *mais parfois* par d'autres méfaits : un autre meurtre ou son insolence. Dans l'histoire de Þjazi et dans celle de Sleipnir [1], il est déjà menacé de supplice par les dieux quand ils découvrent dans quel péril sa légèreté les a engagés. L'histoire des trésors des dieux [2] se termine même par un autre mais authentique supplice, — et ce supplice, comme l'a noté J. de Vries [3], est incompatible avec les autres variantes [4]. *On se trouve devant la condition ordinaire des dossiers folkloriques un peu garnis :* on voit couramment les événements les plus importants de tels dossiers polariser de façons très diverses la matière. Parmi ces structures, on réussit souvent (et sans doute peut-on réussir dans le cas de Loki) à en déterminer une qui paraît plus ancienne et logiquement plus légitime que les autres. Mais, en un autre sens, elles sont toutes légitimes, puisqu'elles soulignent — en séparant clairement ce qui est central et stable de ce qui est périphérique et mouvant — les traits fondamentaux du dieu ou du héros, du mythe ou de la légende considérés.

---

1. Nᵒˢ 1 *a* et 2 *a*.
2. Nᵒ 6.
3. *The Problem of Loki,* p. 176.
4. Les lèvres de Loki sont cousues par le nain Brokkr : ce ne peut être *avant* les événements de la *Lokasenna,* avant les sarcasmes, puisque, ce jour-là, Loki a les lèvres bien ouvertes. Mais ce ne peut être non plus *après* ces événements, car il n'y a plus de possibilité de rencontre des dieux et de Loki entre la fin de la *Lokasenna* et la capture de Loki pour son « grand » supplice. En réalité, il ne faut pas chercher dans tout cela de succession, de chronologie.

La faiblesse de toutes ces raisons prouve assez que, dans la pensée des critiques, elles ne sont pas l'essentiel, qu'elles ont été recherchées et énoncées après coup pour donner une couverture philologique à un refus dont l'inspiration vient d'ailleurs. Le vrai nœud du problème est celui-ci : d'Eugen Mogk et de J. de Vries à leurs principaux contradicteurs — Neckel, Schröder, — on admet comme une évidence qu'il faut qu'il y ait eu « évolution », « développement » du personnage de Loki. On constate un abîme entre le dieu, sympathique jusque dans ses maladresses, espiègle plutôt que malfaisant, et somme toute dévoué aux intérêts de la société divine, qui anime la plupart des récits que nous avons eu à examiner, et l'ennemi juré des dieux, le grand criminel qui désole irrémédiablement la même société divine par le meurtre de Baldr et qui, à la fin des Temps, monte à l'assaut des dieux avec les monstres. Ces deux « niveaux » ne s'ajustent pas. Ils ne peuvent donc être contemporains. Et, comme le premier s'adapte sans difficulté à ce qu'on estime avoir été l'état d'esprit des Germains païens, c'est le second qu'on déclare « postérieur » et qui doit être l'effet — disons le grand mot — d'une « influence extérieure ». Ici seulement les opinions se partagent.

Pour les uns, Loki est bien essentiel, congénital dans le mythe de Baldr, mais c'est le mythe de Baldr tout entier, c'est ce dieu jeune et bon, avec sa « passion », sa descente aux enfers et sa persécution par un Loki tout mauvais, qui est une acquisition tardive du paganisme germanique; soit qu'on établisse la fameuse équation « Baldr-Christus (— et Lemmin-käinen !) », soit que, surtout sensible au dualisme, à l'affrontement du Bien et du Mal, et à la victoire provisoire du Mal, on cherche plutôt la source du mythe aux abords de l'Iran, soit enfin qu'on mobilise Osiris, Adonis et les beaux dieux souffrants du Proche-Orient que les Gots, ou un Scandinave égaré dans une cour gotique, auraient révélés aux cours du Nord, dans tous les cas Baldr est une précieuse mais récente importation, qui n'a même pas eu le temps de se fondre dans la tonalité ordinaire des mythes nordiques et qui surprend par sa poignante mélancolie.

Pour d'autres auteurs, au contraire, le mythe de Baldr est bien autochtone, mais il n'impliquait primitivement aucun conflit du Bien et du Mal; Höðr, et lui seul, tuait Baldr, par accident plutôt que par malignité, en vertu, par exemple, d'une fatalité fréquente dans les mythes de la végétation. Ce n'est que plus tard, sous des influences orientales ou occidentales, dualistes ou chrétiennes, que le mythe a pris une valeur morale, un « dieu bon » succombant aux machinations du « dieu mauvais », ou du « diable », introduit alors seulement dans l'histoire en la personne de Loki : contaminé de loin par Seth ou Ahriman, ou de près par Satan ou Judas, le turbulent gobelin des vieux mythes a brusquement reçu une valeur nouvelle, écrasante, dont ses nerveuses épaules ont dû être surprises, qui l'a transformé et qui a, du même coup, bouleversé les mythes où cette métamorphose lui permettait de s'insérer, à commencer par le mythe de Baldr.

On s'excuse de résumer si rapidement des thèses qui ont naguère passionné la science des mythes et dont chacune a suscité au moins un gros article ou un livre. Il n'en reste pas grand-chose : on est sensible maintenant à l'artifice de ces constructions, à la faiblesse des arguments, qui reposent sur un usage peu exigeant de la méthode comparative. Certes, les analogies signalées existent, en particulier avec les dieux souffrants de l'ancien Proche-Orient; mais elles sont d'un ordre trop général pour qu'on soit en droit de parler d'*emprunts* simples ou combinés, de *migrations* de mythes ou de cultes. Sans compter que, pour les hypothèses orientales (Asie Mineure, Caucase, Thrace), la recherche des intermédiaires aboutit à des solutions acrobatiques, comme J. de Vries lui-même l'a bien montré [1], et comme j'aurai l'occasion de le répéter à propos d'une amusante fantaisie du grand Axel Olrik [2].

Mais surtout, c'est à la racine même qu'il faut frapper l'illusion : il n'y a pas de raison d'ouvrir, comme on fait, un abîme moral, qui implique à son tour un intervalle

---

1. *The Problem of Loki*, pp. 164-166, 181-185.
2. Ci-dessous, pp. 199-201.

« historique », entre le gros de la mythologie scandinave et un petit groupe de mythes. Le mythe de Baldr en particulier, tel que Snorri le raconte, reste un mythe comme les autres, même s'il éveille dans nos imaginations et s'il a pu éveiller très tôt dans les imaginations chrétiennes un concert de profondes résonances. Je veux dire qu'il ne présente, lui aussi, qu'un fait particulier, dont il se trouve seulement que les conséquences sont immenses. Il nous permet, si nous y tenons en vertu de nos habitudes d'esprit, de poser, mais il ne pose pas par lui-même le problème général, métaphysique, théologique, du Bien et du Mal. Loki fait tuer Baldr comme il a coupé les cheveux de Sif, comme il est responsable de la malfaçon du marteau Mjöllnir ou comme, pour se sauver de Þjazi ou de Geirrøðr, il a failli livrer tous les dieux au vieillissement ou Þórr désarmé aux coups d'un géant. Simplement, cette fois-ci, une animosité plus certaine et plus durable s'en mêle et, surtout, son acte est plus grave, parce que, pour des raisons diverses qui tiennent au sens du mythe, Baldr est plus important, plus cher au cœur des dieux. *Il n'y a pas ici, dans cet acte précis, transfiguration de Loki;* changement de niveau, non de nature. Le seul problème est donc de savoir si le personnage de Loki, la « notion » de Loki, supporte ou non (peut-être faudrait-il dire : exige ou non) que, comme il est usuel dans la vie, cet être malin, imprudent et amoral finisse par faire la grosse malice irréparable, le forfait qui ne peut se terminer que par sa propre déchéance.

Ne perdons pas notre temps, après tant d'autres, à retourner abstraitement de telles questions et à leur apporter, comme tant d'autres, des solutions qui ne seraient encore que des préférences personnelles. Conformément à une méthode qui a fait ses preuves, un des objets du présent livre est de montrer, par un cas tout semblable à celui de Loki, que l'intervalle qui sépare les ciseaux qui tondent Sif du conseil pernicieux qui arme Höðr ne suppose pas des siècles de « développement », ni l'influence d'une grande religion, ni même — car c'est le dernier refuge de la théorie — un « approfondissement » tardif du sens moral et métaphysique des anciens Scandinaves; qu'il définit seulement, de manière congénitale et nécessaire, le minimum et le maximum entre lesquels Loki développe, doit développer son génie. Ici, je veux simplement constater que la thèse contraire ne repose pas sur un fait, sur une nécessité, mais sur un postulat subjectif [1].

Cela n'exclut pas que, dans le détail, les légendes chrétiennes du haut Moyen Age, au même titre que les contes populaires, n'aient fourni leur appoint à l'imagination scandinave, précisant, orientant un trait ancien, ajoutant un trait, une valeur nouvelle. Il est probable, par exemple, que quelques-uns des qualificatifs que Snorri donne à Baldr [2] soient des reflets de la conception médiévale du Christ. Il faut pourtant quelque discernement.

A première vue, un des cas les plus probables est celui que Sophus Bugge a signalé d'abord : un récit juif [3] conte que, lorsque les Sages d'Israël eurent décidé de mettre Jésus en croix, le bois refusa de le porter et se brisa. Ses disciples s'attendrirent : « Voyez comme Notre-Seigneur Jésus était juste ! Aucun bois ne veut le porter ! » Mais ils ne savaient pas que, prévoyant sa condamnation, il avait d'abord fait une conjuration sur tous les bois... Quand Judas vit qu'aucun bois ne voulait le porter, il dit aux Sages : « Voyez l'artificieux esprit de ce fils de p... ! Il a fait sur tous les bois une conjuration qui les empêche de le porter. Mais il y a dans mon jardin une grosse tige de chou, je vais aller vous la chercher : peut-être le portera-t-elle ! » Et c'est

1. Pour mémoire, je rappelle aussi l'amusant paradoxe de Hermann Schneider, *Die Götter der Germanen* (1938), pp. 225-232 : le « vrai » Loki serait le dieu infernal; le Loki farceur serait une invention, artificielle et concertée, des scaldes, « *ein Geschöpf der Dichter* ».

2. V. ci-dessus, n° 10, *Introd.*

3. *Toledôth Jeschu*, dans Johann Andreæ Eisenmenger, *Entdecktes Judentum*, Königsberg (1700), pp. 179-180; cf. Konrad Hofmann, dans *Germania*, II, p. 48. C'est un pamphlet injurieux contre Jésus, à qui toutes sortes d'infamies sont attribuées. F. von der Leyen, *Das Märchen in den Göttersagen der Edda*, p. 24, a rappelé qu'on y trouve des « motifs de contes », naturellement.

en effet ce qui a lieu [1]. Von der Leyen a relevé encore [2] l'épisode suivant dans le même pamphlet : Judas vola le cadavre de Jésus et le cacha dans son jardin. Les disciples du Seigneur répandirent le bruit qu'il était ressuscité et les Juifs, tout consternés, se mirent à jeûner et à prier. Seul Judas resta à l'écart de ces manifestations et quand, de la bouche d'un vieil homme, il apprit ce qu'on racontait au sujet de Jésus, il s'empressa de le déterrer et de le montrer partout, ce qui mit fin à la lamentation.

On voit l'analogie du premier passage avec l'épisode du gui dans l'histoire de Baldr et l'analogie, plus lointaine, du second avec l'épisode de la géante qui, seule, refuse de pleurer et empêche Baldr de ressusciter. Mais von der Leyen lui-même a sagement réduit la portée de ces rapprochements [3]. Pour le second passage, il ne s'agit nullement d'empêcher la résurrection du Christ, mais — *par développement, par mise en drame d'une indication de l'Evangile* [4] — d'empêcher ses disciples de tromper le peuple en disant qu'il est ressuscité. Pour le premier, il s'agit, dans le pamphlet juif et dans l'histoire de Baldr, de deux adaptations d'un « Märchenmotiv » connu par ailleurs, adaptations auxquelles l'analogie des situations (la mise à mort d'un « homme-dieu » ou prétendu tel) donne un air de parenté particulière [5]. Qui tenterait aujourd'hui la gageure de faire sortir de ce pamphlet juif, de ce Christ imposteur, de cet habile Judas, soit toute l'histoire de la

1. Ce mensonge se trouve aussi, dit Eisenmenger, « *in dem alten Nizzachon* », p. 137.

2. *Op. cit.*, p. 25.

3. *Op. cit.*, pp. 25-26 : « *So auffallend diese Aehnlichkeiten scheinen, ihnen stehen doch beträchtliche Unterschiede gegenüber, und sie bestehen nicht eigentlich für sich, sie ergeben sich um aus der Situation, das aber wie von selbst. Ein Zusammenhang zwischen der jüdischen Schmähschrift und dem nordischen Göttermärchen braucht aus ihnen nicht gefolgert zu werden.* »

4. Matthieu, XXVII, 62-65.

5. Qu'il ne faut pas exagérer : dans les *Toledôth Jeschu*, Jésus n'a pas « oublié » le choi; et il s'agit, dit W. Schwartz, *Indogermanischer Volksglaube* (1881), p. 267, d'un bon jeu rabbinique. Von der Leyen ramène aux mêmes proportions cette autre analogie qu'avait relevée Sophus Bugge : les pleurs de toute la nature (moins Loki) sur la mort de Baldr, et la plainte de l'univers sur la mort du Christ.

mort de Baldr, soit seulement les interventions de Loki dans l'histoire [1] ?

Puisque j'en suis à réduire la prétendue « transfiguration » morale et métaphysique dont témoignerait, chez certains Scandinaves, le récit classique de la mort de Baldr [2], je dirai en passant que, pour un autre texte, souvent commenté et discuté, pour la *Lokasenna,* il me semble qu'une exagération de même sens a été parfois commise. J'ai rappelé plus haut le thème de ce beau poème [3] : seul en face de tous les dieux et de toutes les déesses, Loki leur adresse successivement les plus cinglantes railleries, découvrant leurs faiblesses, leurs vices, leur lâchetés, leurs aventures; finalement, devant Þórr, il se retire, prudent et menaçant, dans une lueur d'incendie. Peu importe le rapport, sans doute artificiel, de ces soixante-cinq strophes avec les deux morceaux de prose du début et de la fin; peu importe même l'affabulation par laquelle le poète se justifiait à lui-même la mise à l'écart initiale de Loki et la longue impunité dont il jouit à travers la *senna* [4] : visiblement, la seule chose qui l'ait intéressé dans cette affabulation, c'est le *cadre,* qui lui permettait de détailler rapidement la chronique scandaleuse ou simplement risible des Ases, revue qui nous a conservé la mention de plusieurs légendes ignorées par ailleurs et dont quelques-unes ont été récemment authentifiées [5]. Mais quel est l'*esprit* du poème, l'*intention* du poète ? Si l'on a renoncé à y voir une œuvre de polémique antipaïenne, beaucoup de critiques restent persuadés qu'elle telle comédie ne peut dater que de la fin des temps païens, d'une époque où les dieux n'en imposaient plus : on a souvent évoqué à ce propos l'art et

---

1. Sur le gui comme arme pour tuer Baldr, voir encore la discussion entre Arild Hvidtfeldt, « Mistilteinn og Baldrs død », *Aarbøger for nord. Oldkyndighed og Historia,* 1941, pp. 169-175, et M. Boberg, « Baldr og Mistilteinn », *ibid.,* 1943, pp. 103-106.

2. Cf. B. Pering, *Heimdall* (1941), pp. 88-89.

3. V. n° 11 *b,* pp. 60-66.

4. On ne voit pas en quoi la raison donnée à la st. 19 (« blood covenant » avec Óðinn) mérite d'être appelée « the poor pretext of the poet » (J. de Vries, *The Problem of Loki,* p. 173) : elle est bien suffisante.

5. Ainsi Byggvir.

les jeux de Lucien de Samosate [1]. Est-ce si sûr ? Aristophane, le réactionnaire Aristophane, ne serait-il pas un meilleur terme de comparaison, ou même parfois le religieux Homère ? N'est-ce pas la condition commune des polythéismes — et de tout ce qui leur ressemble, depuis les cycles épiques de la Grèce ou de l'Irlande jusqu'à certaines manifestations du christianisme populaire — de présenter leurs personnages avec de beaux et grands côtés et d'autres moins grands et moins beaux, les seconds prêtant au rire ou au sourire comme les premiers à la vénération ou à l'admiration ? Le boiteux Héphaïstos est cocu, Arès se débat dans des chaînes bien méritées, Zeus a quelques torts conjugaux et quelques ennuis... Dans des religions de cette sorte, il n'y a pas de raison de taire des scènes bouffonnes qui garantissent aux yeux des croyants le caractère non pas authentique (la question ne paraît pas se poser ainsi), mais concret, saisissant, efficace, disons le mot, « humain », des scènes plus nobles ou plus cosmiques [2]. Au Caucase, chez un peuple dont je reparlerai longuement [3], chez les Ossètes, les héros fabuleux de l'épopée nationale, les Nartes incarnent toutes les qualités (qui ne sont pas toujours nos « vertus ») dont les usagers aiment à parler et à se parer; les héros n'en traversent pas moins, eux aussi, des expériences humiliantes, dont les conteurs ne se font pas faute de prolonger le bruit : cela ne les rend pas suspects d'impiété envers une tradition qui a, dans ce pays, une valeur « exemplaire », patriotique, presque religieuse. On a même enregistré, au début de ce siècle, un long récit qui, dans un autre cadre, rend exactement le même service que la *Lokasenna*, c'est-à-dire constitue un vrai catalogue des

---

1. « *A highly amusing scene in the family of the gods (not unlikely similar ones on the venerable Olympus)* », dit bien J. de Vries, *The Problem of Loki*, p. 175. Encore F. Ström, *Loki*, pp. 17-18. F.R. Schröder, « Das Symposion der Lokasenna », *ANF* 67 (1952), pp. 1-29, admettant que le poème est une œuvre tardive du XIIe siècle, va jusqu'à penser que l'auteur a connu et imité des exemples antiques d'assemblées divines comme celles de Senèque, de Julien, de Lucien.

2. En ce sens, une juste remarque dans F.R. Schröder, « Das Symposion... Loki », *ANF* 67 (1952), p. 10.

3. Ci-dessous, pp. 131-134.

caricatures et farces héroïques [1]. Il est probable que le poète de la *Lokasenna* était un bon païen, qu'il n'entendait pas mettre en question la *majestas* des dieux qui, dès le temps du paganisme le moins contesté, s'accompagnait de *minora* pittoresques [2]. Ne parlons pas trop vite, cette fois non plus, de « changement de pensée, de civilisation ». La *Lokasenna* est un jeu rhétorique qui a été possible, en droit, à toutes les époques du paganisme [3]. Que ce soit un jeu rhétorique, c'est en tout cas certain, et cela explique suffisamment, comme l'a montré J. de Vries, la parfaite insouciance avec laquelle, à la st. 28, le poète fait avouer cyniquement à Loki sa responsabilité dans le meurtre de Baldr, alors que ce crime monstrueux devrait lui *avoir* interdit de se présenter parmi les dieux [4].

---

1. *Pamj.* 2 (1927) [v. l'explication de ce sigle ci-dessous, p. 137], pp. 42-52 n° 17, *Uadzæftana fille d'Adaken*. Cette jeune fille repousse tous les prétendants : à Uryzmæg, elle reproche d'être vieux et de « ne plus tenir ses mâchoires »; à Xæmyc, que ses dents se fendent; à Soslan, qu'il est faux et ne tient pas parole; à Ajsar, qu'il est efféminé et sans renom; à Batradz, qu'il se change l'hiver en renard et mange les petits enfants; à Šauaj, que sa mère est une ogresse. Seul Acamaz trouve grâce à ses yeux. — Cf. *Pamj. 1* (1925), n° 13, « La querelle des Nartes pour l'Amongæ » : Uryzmæg, Soslan, Sosryko prétendent successivement à la possession de la Coupe magique; mais chaque fois le héros Batradz remet l'imprudent à sa place en lui rappelant une circonstance ridicule ou honteuse de sa vie : à Uryzmæg, il rappelle qu'il a été enlevé en pleine assemblée des Nartes par un vautour qui l'a posé dans la mer; à Soslan, que, un jour qu'il servait de pont à l'armée des Nartes, il a fléchi sous le poids des chevaux; à Sozryko, qu'il a cligné des yeux quand la Roue Magique lui a frappé le front.

2. V. mes *Mythes et Dieux des Germains* (1939), p. 126; cf. les sages réflexions de I. Lindquist, *Svensk Uppslagsbok*, art. *Nordisk mytologi*, résumées par B. Pering, *Heimdall* (1941), p. 33. On fera des réflexions analogues sur l'esprit des *Hárbarðsljóð* où Þórr et Óðinn échangent des souvenirs et allusions injurieux.

3. Des arguments de critique littéraire pourraient au contraire recommander une datation tardive, mais la démonstration de E. Noreen, à laquelle on se réfère volontiers (« Några anteckningar om ljøttaháttr », *UUÅ* 1915; *Denr norsk-isländska Poesien*, 1926, pp. 69-70), est plus abondante que probante. En particulier, la dépendance par rapport aux *Skírnismál*, considérés comme un des plus récents poèmes de l'*Edda*, n'est pas assurée.

4. *The Problem of Loki*, p. 176 : « *If we place ourselves on the standpoint of the poem (without the prose-frame), we only see the flyting scene of Loki : it supposes all kind of wicked deeds committed by the different gods. But it does not consider them in any chronological order; it does not show us Loki on a particular point of his carreer, when he has committed a serie of crimes and revenge is awaiting him. If we accept such a chronological order, we are again under the*

6. Le supplice de Loki et la fin de ce monde

Il me reste à examiner les critiques qu'on a faites des deux derniers grands événements de la vie de Loki : le supplice dans lequel il attend la fin de notre monde et le rôle qu'il joue dans cette fin. Le livre fameux du grand poète de la philologie danoise, Axel Olrik, *Ragnarök-förestellingernes Udspring* [1], et un long article d'un auteur qui commande toujours la plus grande considération, les *Weltuntergangvorstellungen* de R. Reitzenstein occupent tout l'horizon [2].

Pour Axel Olrik, aussi bien Loki enchaîné que l'insurrection victorieuse des forces mauvaises viennent de l'Orient, exactement du Caucase. C'est au Caucase qu'a pris forme la légende du « géant enchaîné » (Artavazd, Mher, Amirani chez les Arméniens et chez les Géorgiens; Rokapi, Abrskil chez les montagnards, etc.) et c'est, d'autre part, d'une forme de dualisme iranien, de la lutte d'Ormazd et d'Ahriman, de l'offensive finale d'Ahriman, que dérive l'idée de « l'ultime destin des dieux [3] », de la revanche provisoire, mais éclatante, de Loki et des monstres sur Óðinn et sur les Ases.

---

impression of Snorri's systematisation. Then we suppose that for a poet the different myths about the gods are linked together by their mutual relation. This is not necessary; it is even very improbable. » Tout cela est excellent, — sauf le coup d'épingle à Snorri : dans les lignes suivantes, J. de Vries montre justement que Snorri n'a pas tellement systématisé (à propos de l'épisode de Brokkr, qu'il est seul à raconter, et qui ne se laisse accorder chronologiquement à aucune version du meurtre de Baldr ni du supplice de Loki, v. ci-dessus, p. 113, n. 4).

1. Dans les *Danske Studier*, 1913; traduction allemande de W. Ranisch, *Ragnarök, die Sagen vom Weltuntergang*, 1922. Axel Olrik est mort en 1917.

2. « Weltuntergangsvorstellungen, eine Studie zur vergleichenden Religionsgeschichte », *Kyrkohistorisk Årsskrift* 24 (1920), pp. 129-212. Reitzenstein s'est proposé d'améliorer Olrik. Je ne pense pas qu'il ait apporté d'argument décisif.

3. Tel est le sens de *ragna-rök* (*Völuspá*, 44; *Baldrs draumar*, 14; *Vafþrúdnismál*, 55, etc.). Plus tard, l'expression a été changée en *ragna rækr* « les ténèbres des dieux » (*Lokasenna*, 39), que les Français ont rendu dès le XVIIIᵉ siècle par « Crépuscule des dieux » et Simrock par « Götterdämmerung ». *Rök* (neutre pluriel) veut dire, entre autres choses, « sort » et a même radical que *regin*, *rögn*, nom collectif des dieux en tant que souverains; *rækr* (masculin) est apparenté au grec *erebos*, au sanscrit *rajas* « ténèbres », à l'arménien *erek* « soir ». Cf. Maurice Cahen, *Le mot « dieu » en vieux-scandinave* (1921), p. 21.

Depuis longtemps, on a formulé les plus fermes réserves sur la thèse ainsi présentée; on a remarqué que les moyens de la transmission ne sont pas faciles à imaginer et que ceux que propose Axel Olrik sont invraisemblables; les Gots, sur lesquels on sait si peu de chose, paraissent peu aptes au service dont on les charge et nous verrons plus loin comment, lorsqu'il a essayé de donner un revêtement précis à son hypothèse, Axel Olrik est tombé dans d'étranges puérilités.

Quant à la forme et aux circonstances de son supplice, Loki ne rappelle de manière précise aucun des grands captifs du Caucase. Pour ne pas parler de la pittoresque scène de la capture de Loki-saumon [1], qui n'a aucun correspondant au Caucase, le supplicié n'est pas fixé, debout, à la muraille; il est allongé sur trois pierres plates dressées, exactement enfilé dans des trous de ces trois pierres qui se situent respectivement à la hauteur de ses épaules, de ses hanches et de ses jarrets. Il est lié, dans cette position, à l'aide des boyaux d'un de ses fils. Un serpent laisse dégoutter du venin sur son visage, mais Sigyn, sa femme, recueille le venin dans une cuvette et Loki ne reçoit les gouttes, ne tressaille, ne fait trembler la terre, que dans les moments où sa femme s'éloigne pour vider la cuvette pleine. Tout cela est net et sans rapport avec les passions d'Artavazd ni d'Amirani. Inversement, les traits typiques des légendes caucasiennes n'y figurent pas : rien n'y rappelle la fureur annuelle de beaucoup de géants enchaînés, qui ont presque réussi, en douze mois d'efforts, à se libérer et qu'un geste inconsidéré de méchanceté rive de nouveau à leur supplice. Loki n'est pas non plus le vieillard dont la barbe ne cesse de croître, fréquent notamment dans les cavernes du Caucase du Nord. Faut-il admettre que les Scandinaves ont simplement reçu du Sud-Est la notion de « l'ennemi des dieux enchaîné » (et non pas même du géant, car Loki est petit de taille), et qu'ils ont travaillé sur cette notion d'une manière entièrement originale ? Mais n'est-ce pas une pétition de principe,

1. N° 11 a.

qui se réduit à affirmer ceci : l'imagination germanique, capable de multiplier les détails cruels du supplice, était incapable de produire l'idée même du supplice ?

En fait, ce qui semble avoir imposé à Axel Olrik son intuition orientale, c'est moins le supplice de Loki que la revanche qui lui est promise. Le savant danois a senti, et d'autres avec lui, et plus nettement encore sur ce point que lorsqu'il s'agissait de la mort de Baldr, un infranchissable abîme entre le caractère anodin de Loki dans la plupart des légendes où il apparaît et la grandeur du rôle qui lui est attribué au *ragnarök;* plus généralement un abîme entre les récits nombreux mais sans perspective, pittoresques mais sans profondeur, qui constituent le gros de la mythologie scandinave et cette notion de « fin du monde » qui, symétrique de la notion de « création », insère le reste des mythes dans une chronologie fantastique, l'oriente sur de tragiques lignes de force, lui impose un sens moral et métaphysique. Il a donc semblé impossible que ce cadre grandiose et ces tableaux menus, qui n'ont pas de commune mesure, se soient faits dans le même milieu, en même temps, par les mêmes moyens. Simplement, tandis que l'école de Bugge cherchait des prototypes chrétiens — Satan et les damnés dans les enfers, l'Antéchrist et son éphémère succès —, Axel Olrik s'est adressé au Caucase, au Proche-Orient. Or le point de départ, cette impression de « contradiction » à l'intérieur du dossier scandinave, est fragile.

Comment admettre que les Scandinaves païens, avant toute influence chrétienne ou orientale, aient été inaptes à imaginer une évolution du monde, des crises, une fin de *ce* monde et la naissance d'un monde nouveau ? Quand on songe non seulement aux Celtes voisins, à l'eschatologie druidique, qui existait si bien qu'elle rappelait aux Grecs certaines doctrines de chez eux, mais aussi quand on songe aux nombreux peuples d'Afrique et des deux Amériques qui savent comment le monde a commencé, comment il finira, et, parfois, comment et combien de fois, avant de finir, il se transformera, on hésite à refuser *a priori* un bien si ordinaire aux anciens Scandinaves, dont l'imagination pourtant, et l'intelligence et le goût ne sont pas contestés. Certes, pas plus qu'on ne l'a fait à propos de Baldr et de Loki, on ne niera la possibilité d'influences, chrétiennes, d'ailleurs, plutôt qu'orientales [1]. Lorsque Snorri appelle Loki [2] *rógberi ásanna* « calomniateur des Ases », *frumkveði flærðanna* « auteur premier des tromperies », *vamm* (ou *vömm*) *allra goða ok manna* « honte de tous les dieux et hommes », il est possible que la Bible et les Pères y soient pour quelque chose. Mais, comme l'a dit J. de Vries [3], Loki ne se serait pas si aisément modelé sur Satan s'il n'avait eu des prédispositions sataniques dans sa nature. J'irai plus loin que J. de Vries, car il admet encore un développement purement germanique, « *a natural growth* » qui, transfigurant le malin génie des premiers temps, lui aurait fait faire les trois quarts du chemin qui mène à Satan : il n'y a pas de raisons sérieuses de dénier aux plus anciens Germains la possibilité d'avoir fait jouer leur personnage sur des plans aussi divers que celui de la farce et celui de l'eschatologie, un peu comme notre Moyen Age ridiculisait Satan « au détail », dans ses légendes locales ou dans ses contes moraux, s'armait contre lui dans ses prières et méditait sur la victoire immense de saint Michel [4].

Quant au dossier comparatif de Loki et du *Weltuntergang*, que reste-t-il de ce grand effort ? Aucune solution positive et nécessaire, semble-t-il, mais le problème lui-même a été posé, et c'est beaucoup. Simplement ce problème est bien plus vaste que celui qu'Olrik a formulé. Un de ses torts a peut-être été, s'entêtant sur l'idée d'un emprunt récent, de considérer surtout les géants enchaînés

---

1. Le Serpent du Miðgarðr, p. ex., peut être le monstre Léviathan.
2. V. ci-dessus, nº 13 1); cf. J. de Vries, *The Problem of Loki*, pp. 198-260.
3. *Op. cit.*, p. 199 : « *Loki could never have adopted the character of Satan, if he had not been predisposed to it.* »
4. Folke Ström, *Loki*, pp. 6-7, se scandalise de ce refus. Son livre, fondé sur une « histoire du développement » de la religion scandinave entièrement artificielle, supposant des émanations d'hypostases de toutes sortes, ne me fait pas changer d'avis. La conception de Loki a dû varier, certes, comme toute représentation humaine, mais sans se métamorphoser.

du Caucase et de ne pas s'appliquer à mesurer l'ample et organique ressemblance des *cadres* des événements dans la mythologie scandinave d'une part, dans celle des Iraniens proprement dits d'autre part. Cette insurrection finale des forces du mal, cette série de duels entre chacun des grands dieux scandinaves des trois fonctions et un être démoniaque qui lui est personnellement opposé (Óðinn contre le Loup, Þórr contre le Serpent, Freyr contre Surtr), le duel ultime de Heimdallr et de Loki, cette renaissance enfin d'un monde nouveau, d'où les forces du mal ont entièrement disparu, tout cela rappelle la grande espérance mazdéenne, la dure bataille qui, par l'élimination du mal, mettra fin au règne partagé du bien et du mal, mais qui d'abord opposera en duel un des « archidémons » à chacun des « archanges », substitués par Zoroastre aux vieux dieux indo-iraniens des trois fonctions. Et l'analogie donne encore plus à penser si l'on se rappelle que, dans les cosmogonies, avec l'Homme et le Bœuf (ou la Vache) primordiaux étroitement associés, l'Iran et la Scandinavie, et aucun des peuples géographiquement intercalés, présentent aussi une concordance.

Ces rencontres imposent-elles l'explication par l'emprunt ? Pour la cosmogonie, l'emprunt est en effet l'hypothèse retenue par le savant prudent et informé qu'était Arthur Christensen. Elle n'est pourtant pas la seule ni la meilleure. Quant à la fin du monde, ou plutôt de notre monde, l'argument principal en faveur de l'emprunt est que des récits analogues ne se rencontrent pas, du moins avec cette précision dans l'analogie, chez d'autres Indo-Européens que ceux qui ont composé l'*Edda* et les livres mazdéens. Or, c'est ici le deuxième tort des partisans de la thèse de l'emprunt. Peut-être n'ont-ils pas assez cherché, ou plutôt cherché où il fallait. Depuis les découvertes de Stig Wikander sur le fond mythique du Mahābhārata et sur la matière commune des épopées de la Perse et de l'Inde, on est assuré que l'eschatologie de l'Avesta, la grande bataille décisive et ses lendemains, n'est pas isolée dans le monde non seulement iranien, mais déjà indo-iranien, et que, si elle n'a pas intéressé *en tant que mythe* les docteurs et les poètes de la société pour laquelle ont été composés les hymnes védiques, société soucieuse avant tout du succès présent, terrestre, et par conséquent du système actuel des dieux, elle n'en a pas moins survécu, en dehors des hymnes, comme tant de traditions, pour émerger ensuite *dans un vêtement épique* qui n'est autre que la matière de l'immense Mahābhārata.

IV. — LOKI

Avant d'explorer ces nouvelles perspectives, faisons le bilan; la fiche signalétique de Loki.

Loki est « compté avec les Ases » sans en être exactement; il vit avec eux et il est dit à l'occasion « l'Ase qui s'appelle Loki », « l'Ase malin », etc. Compagnon d'Óðinn dans ses voyages, aussi bien que de Þórr dans ses expéditions, il jouit d'une réputation justifiée d'ingéniosité et en général, spontanément ou sur réquisition, il met cette ingéniosité au service des siens qui, sans lui, seraient bien embarrassés. En particulier, jamais il ne sert un géant de gaîté de cœur, ni jusqu'au bout. Mais bien des traits font de lui un Ase tout à fait à part.

Non seulement il est, physiquement, de petite taille, mais son parentage ne le relie à aucun des Ases; d'Óðinn, il n'est que le « frère de serment »; de son père, de sa mère, de ses frères, nous ne savons que les noms qui, malgré l'obscurité de la plupart, signalent une famille singulière et son père est qualifié de « géant ». Il est traité par les autres Ases comme un inférieur, qu'on utilise, qu'on fait pirouetter, qu'on menace. Il reçoit et accepte les rôles de messager, d'éclaireur, de suivant, de tranche-viande, et aussi de bouffon.

Il surgit à point nommé, à l'endroit voulu, et il a un grand art de s'échapper, de « filer ». Il a des rapports particuliers avec le monde d'en bas, avec le dessous de la terre. Il a, dans la montagne, une mystérieuse maison-observatoire. Il a aussi des rapports avec le feu. Seul des Ases, il a un don inquiétant de métamorphose, spécialement de métamorphoses animales (mouche, phoque, jument, saumon...) et met au monde des êtres étranges, généralement redoutables aux dieux (le loup Fenrir, le Grand Serpent, Hel; et aussi le cheval d'Óðinn, Sleipnir). Il a un penchant particulier pour les métamorphoses en femme ou en femelle, avec leurs conséquences physiologiques.

Il est ingénieux, inventif, mais il ne voit pas loin : tout à l'impulsion ou à l'imagination ou à la passion du moment, il est surpris par les suites de ses actes, qu'il tâche aussitôt de réparer. Il est outrecuidant et vantard.

Il a une curiosité insatiable, curiosité d'observateur, de questionneur et aussi d'explorateur; il est à l'affût des nouvelles, et indiscret. Il circule plus facilement et plus volontiers que les autres Ases : il est le principal usager du « plumage » de Freyja et il a des bottes qui lui permettent de courir dans l'air et dans l'eau. C'est lui, parfois, qui entraîne Þórr chez les Géants par des routes qu'il a d'abord reconnues seul.

Il est foncièrement amoral. Il n'a aucun sentiment de sa dignité, il n'a pas de tenue et il ne comprend pas la dignité des autres. Il se met dans des postures ou des situations ridicules. Pour se tirer d'un mauvais pas, il trahit les siens, conduisant Þórr désarmé chez Geirrøðr, livrant Iðunn et ses pommes à Þjazi, gâtant le marteau de Þórr. Aussi est-il sans cesse suspect aux Ases, qui le « font marcher » en le menaçant du supplice.

Il est mauvaise langue, injurieux, il apporte tumulte et querelle, il dénonce. Il est menteur, non seulement pour se sauver ou sauver les Ases (plusieurs de ses « plans » sont alors à base de tromperie), mais pour le plaisir. Il est pervers et ne résiste pas à l'idée de méchantes farces (*lævísi*). Il est mauvais joueur, déloyal dans les concours.

Tout cela finit dramatiquement : chez Ægir, ou contre Baldr, il se durcit, il fait le mal, le grand mal, gratuitement, impitoyablement, itérativement, jusqu'au bout, — sans s'occuper des fâcheuses répercussions que cela aura sur lui. Il n'est plus alors qu'un bandit traqué, haineux, qui déploie des trésors d'ingéniosité mais qui n'échappe pas au supplice. Dès lors, il attend la fin du monde, où il satisfera sa haine en participant en bonne place à la mobilisation générale des forces du mal.

CHAPITRE III

SYRDON

Au centre du Caucase, dans les vallées qui débouchent sur l'ancienne Vladikavkaz (Ordjonikidzé, Džadžiqau) et commandent la grande Route Militaire de Géorgie, vit un des peuples les plus intéressants des marches européennes. Les Ossètes sont en effet les derniers descendants des tribus qui, notamment sous les noms de Scythes et de Sarmates, puis d'Alains et de Roxolans, ont longtemps peuplé un immense territoire couvrant tout le sud de l'actuelle Russie, entre le bas Danube et la Caspienne, et qui ont maintes fois poussé des pointes vers les Balkans, vers la Perse ou vers le Turkestan. Ces tribus étaient un rameau bien caractérisé, linguistiquement et culturellement, de ce qu'on appelle, d'après l'habitat de la majorité des peuples qui le constituaient, le « monde iranien »; ce sont, si l'on ne craint pas de heurter les noms géographiques, les « Iraniens d'Europe ». La langue des Ossètes a subi légèrement, dans son système de sons, l'influence des parlers avoisinants, si originaux : tcherkesse, tchétchène, etc.; mais elle est restée, dans sa morphologie, fidèle au type iranien, indo-iranien, indo-européen, et son vocabulaire même, pour les neuf dixièmes, rejoint ceux de l'Iran. Les Ossètes sont très intelligents, très entreprenants, un peu jalousés, semble-t-il, par leurs voisins. Partagés aujourd'hui entre le christianisme et l'islamisme, ils ont surtout gardé une religion populaire toute païenne et des traditions d'une grande richesse. On a pu comparer, jusque dans le détail, mainte province de ces traditions et de cette religion avec ce qu'Hérodote et d'autres auteurs anciens ont rapporté des

Scythes, des Sarmates ou des Alains : les coïncidences sont remarquables [1].

En particulier les Ossètes — et, sous leur influence, à des degrés divers, leurs voisins Tatars, Tcherkesses orientaux (Qabardis) ou occidentaux (Chepsougs, Abzakhs, Bjedoughs, etc.), Tchétchènes et Ingouches — connaissent un vaste ensemble de traditions épiques relatives à une race merveilleuse depuis longtemps disparue, les Nartes. Le nom de Nartes n'est pas clair; il est probable qu'il contient, d'une manière ou d'une autre, le radical indo-iranien nar « vir » (cf. grec anēr « vir », irlandais nert « force », etc.) [2]; et ce sont bien des viri, des héros par excellence. Ils incarnent toutes les vertus qui ont cours dans ces montagnes : courage, ruse, étonnante endurance, courroux puissant, dévouement aux amis, goût du risque, du combat, du pillage. On se les représente à l'image des hommes d'aujourd'hui, mais cent fois plus forts et plus vaillants. Descendant jusque dans les plaines du Nord pour leurs aventures et leurs exploits, ils vivaient dans des villages semblables à ceux où les Ossètes vivent encore : chaque maison est une forteresse de bois, dominée par une tour. Une grande partie de leur vie se passait soit dans d'exigeantes beuveries, soit en parlotes et en jeux sur la place publique, que les Ossètes appellent le nyxæs.

Ils étaient divisés en familles. Les trois plus célèbres étaient les Alægatæ, les Æxsærtægkatæ et les Boratæ [3], qu'une tradition précieuse distribue selon le modèle de la tripartition indo-iranienne en intellectuels, guerriers et agriculteurs [4]. Si quelques récits estompent ou même brouillent cette répartition, la plupart, et notamment ceux qui ont été recueillis dans la grande expédition folklorique

---

1. Vsevolod Miller, « Certy stariny v skazanijax i byte Osetin » (Traits de tradition antique dans les légendes et les mœurs des Ossètes), dans *Žurn. minist. narodn. prosv.*, août 1882, pp. 191-207; G. Dumézil, *Légendes sur les Nartes* (1930), *Note 1 : Hérodote IV, 64 etc.*, pp. 151-166; *Romans de Scythie et d'alentour* (1978), notamment pp. 212-218, 227-236, 307-326.

2. H.W. Bailey, « Analecta Indoscythica I, 2 », dans *JRAS*, 1953, pp. 103-116, explique le mot *nart* par **nṛ-θra*.

3. Sur la transcription de l'ossète, v. ci-dessus, p. 8.

4. *Jupiter Mars Quirinus* III (= *Naissance d'Archanges*), pp. 148-153.

des années 1940-1945, opposent bien la deuxième et la troisième familles comme les forts et les riches, avec les défauts propres à ces deux spécialités. Quant aux Alægatæ, ils n'ont d'autre mission que de préparer les beuveries communes autour d'un vase merveilleux.

Il est probable — on l'a montré sur des exemples précis [1] — que plusieurs de ces personnages, le héros d'acier Batradz notamment et le héros lumineux Soslan, ont annexé et conservé jusqu'à nos jours de la matière mythique, le souvenir de ces dieux des Scythes où les Grecs reconnaissaient entre autres un Arès et un Apollon. Ils n'en sont pas moins tous, dans la conscience des Ossètes, des hommes et nullement des dieux. Il faut avoir constamment devant les yeux cette différence quand on compare une tradition sur les Nartes à un récit mythologique étranger, comme je me propose de le faire dans les pages qui suivent. Mais il faut aussi se garder d'en exagérer la portée : au début de la Heimskringla *comme dans son* Edda, *et sûrement fidèle en cela à la tradition norvégienne, Snorri présente les dieux germaniques, Ases et Vanes, comme des nations, comme des hommes, vivant dans des villages voisins et rivaux, sortant de leur (ou de leurs) maison(s) (gárðr) pour les aventures et festoyant ensuite dans la grande salle d'Ægir. Certes, à côté de ces représentations toutes terrestres, et sans souci de la contradiction, les Germains s'en formaient d'autres, plus conformes à ce que notre culture classique a coutume d'attendre d'une mythologie : les dieux vivent au ciel, dirigent le monde et participent à une cosmologie, à une cosmogonie et à une eschatologie. Mais le train journalier de leur vie, on l'a assez vu dans la plupart des récits où intervient Loki, se développe dans un cadre où le paysan de Trondhjem ou le seigneur de Ringsted ne se sentaient pas dépaysés.*

Les principaux des Nartes — et en même temps, dans presque toutes les traditions, des Æxsærtægkatæ — sont :

---

1. V.B. Pering, *Heimdall*, chap. IV, *Die himmliche Welt.* Cf. ci-dessus, p. 22, n. 1 et p. 51, n. 2.

les deux frères, les deux chefs, les deux vieillards
Uryzmæg [1] *et* Xæmyc [2], *encore bons guerriers l'un et*
l'autre, mais sur qui pèse ce que les Scythes et les Alains
considéraient déjà comme une tare et non comme un
honneur : l'âge. Ils ont une sœur, Satana [3], *qu'Uryzmæg a*
épousée et qui incarne l'idéal de la ménagère caucasienne :
diligente, prévoyante, riche, bonne, en général fidèle, elle
est la providence de son mari et de tous les siens. La
génération suivante est représentée par les deux héros qui
sont au centre de la plupart des récits, le terrible Batradz [4]
et le sympathique Soslan (ou Sosryko) [5]. *Batradz est né*
d'un abcès formé dans le dos de son père Xæmyc par un
crachat de sa mère, une Fille des Eaux; son corps est
d'acier et son âme cruelle; il passe la dernière partie de sa
vie à venger sur les Nartes l'assassinat de Xæmyc et les
Nartes ne sont délivrés que lorsqu'il meurt au cours d'une
scène grandiose, se faisant brûler sur un énorme bûcher
tandis que les Nartes tirent péniblement jusqu'à la mer
Noire (où elle est encore et d'où elle surgit pour faire la
foudre) sa formidable épée. Soslan-Sosryko est né de la
masturbation d'un pâtre, trop sensible à la beauté de
Satana; il est né de la pierre même qui avait reçu la
semence; Satana n'en a pas moins une tendresse de mère
pour celui qu'elle appelle « mon fils que je n'ai pas
enfanté »; beau, lumineux, invulnérable sauf au genou (ou
à la hanche), il couvre la terre de ses exploits, épouse la
fille du Soleil, descend aux enfers, mais succombe à une
sombre machination que nous étudierons à loisir. Il y a
encore un certain nombre de héros mineurs dont le rôle est
de former l'état-major et la troupe des grands Nartes lors
des razzias de bétail ou dans les expéditions contre les
Géants. Il y a, enfin, Syrdon [6].

1. *Uruzmæg, Uoræzmæg.*

2. Variante : *Xæmıc.*

3. Appelée parfois simplement *Æxsijnæ* « la Dame ». La bonne Satana ne doit
certainement pas son nom — d'ailleurs obscur — à Satan ! Cf. *Légendes sur les*
Nartes, Note II : « Le dit de la princesse Satinik », pp. 167-178.

4. Variantes : *Batraz, Batyradz, Bataradz.*

5. Variantes : *Sozyryko, Sozryko.*

6. Variante : *Sirdon.*

I. — LE NARTE SYRDON

Syrdon figure dans presque tous les récits. Il y est indispensable. Il est d'ailleurs « Narte » au même titre que les autres, mais il a un caractère et des modes d'action tout différents.

Il est, d'abord, un personnage inférieur : le « bâtard » des Boratæ, est-il dit souvent [1]. On lui attribue une naissance diabolique qui fait diptyque avec la naissance *pétrogénès* de Soslan. Les Nartes le traitent comme un domestique : il sert à table, il est valet dans les expéditions, et commissionnaire, et guide; il procède aux tirages au sort.

Il surgit on ne sait d'où et disparaît de même. Il a sous terre une maison mystérieuse, un labyrinthe. Il est capable de métamorphoses (hirondelle, vieille casquette, jeune fille, vieille femme, vieillard...). Il a un « coursier à trois pieds » qui va comme le vent. Curieux à l'extrême, il poursuit et découvre tous les secrets, « jour et nuit, il se frappe la tête » pour trouver le moyen de savoir. Il sait ce qui se passe au loin, il sait ce qui se passera plus tard. Il calcule de façon merveilleuse. Il est malin, il est — avec et après Satana — le malin par excellence, et c'est pourquoi les Ossètes lui appliquent volontiers des thèmes pris au répertoire de Nasreddin Hodja.

Aussi les Nartes ont-ils souvent recours à ses conseils et, de fait, il les tire maintes fois de mauvais pas, surtout dans leurs rapports avec les stupides géants. Mais, en même temps, ils se défient de lui et ils ont raison, car, dit un texte, il a le goût de mal faire, et l'un de ses qualificatifs ordinaires est *Narty xijnæ* ou *Narty fydbylyz* « le mal, le fléau des Nartes »; il est dit malfaisant, sans conscience, débauché. D'autre part, sans qu'il soit déclaré explicitement qu'il est lâche (et ses imprudences comportent bien une forme de bravoure), il est remarquable que, marchant avec ces équipes de grands pourfendeurs, jamais il ne participe activement à aucun combat.

Cette mauvaise nature se manifeste de mainte façon : railleries et insultes cruelles dans les malheurs privés et

---

1. Exactement *kævdæsard;* sur le sens de ce mot, v. ci-dessous, p. 150, n. 3.

publics; joie maligne à annoncer les malheurs prochains; conseils pernicieux (sans que jamais, pourtant, Syrdon prenne parti pour un Géant contre les Nartes), querelles provoquées ou envenimées. Sa méchanceté l'engage dans des actions aussi légères que criminelles, d'où il sort parfois à grand-peine. Pratiquement, il est presque toujours, même quand il les sert, dans un état d'hostilité larvée soit collectivement avec les autres Nartes, soit avec tel ou tel Narte, tantôt Xæmyc, tantôt Uryzmæg, à qui il joue des tours parfois fort graves. Mais l'objet principal de son animosité est le grand Narte Soslan (ou Sosryko). Une fois notamment, sous les traits d'un vieillard, puis d'une vieille femme, il empêche Soslan de faire revivre magiquement un jeune ami mortellement blessé.

Il finit par chercher et découvrir la seule lacune de l'invulnérabilité de Soslan. Il la signale aux ennemis du héros qui en profitent pour le tuer, au cours d'un scénario de jeu. Syrdon insulte Soslan mourant ou mort, tant et si bien que les Nartes le tuent et l'enterrent ignominieusement aux pieds de sa victime.

Tels sont, rapidement crayonnés et sans tenir compte des variantes qui vont être examinées en détail, le caractère et la carrière de Syrdon. Le lecteur a sûrement senti combien l'un et l'autre rappellent ce qui a été dit de Loki; il a noté comment — mis à part l'eschatologie, la fin du monde, qui ne saurait avoir sa place dans l'*épopée* narte — tous les éléments de Loki se retrouvent dans Syrdon et tous les éléments de Syrdon dans Loki; comment, en particulier, un côté « utile » et un côté « malfaisant » coexistent dans chacun des deux personnages; et comment le crime majeur et le châtiment suprême viennent achever, dans les deux dossiers, une vie de malignités mineures et d'hostilité mitigée. Nous reprendrons quelques points de ce parallèle après avoir passé en revue les épisodes de l'épopée narte où intervient Syrdon [1].

---

1. Dans ce qui suit, je ferai usage des abréviations suivantes :

SSKG = Sbornik svedenij o kavkazskix gorcax (Recueil de renseignements sur les montagnards du Caucase), Tiflis, 1868-1881, 10 vol. in-8°.

SSK = Sbornik svedenij o Kavkaze (Recueil d'information sur le Caucase), Tiflis, 1871-1873, 4 vol. in-4°.

SMK = *Sbornik materialov dlja opisanija mestnostej i plemën Kavkaza* (Recueil de matériaux pour la géographie et l'ethnographie du Caucase), Tiflis, 1881-1915, 44 vol., in-8°.

Šifner = A. Šifner (Schiefner), « Osetinskije teksty » (Textes ossètes) dans les *Zapiski imp. akad. nauk*, 14 (1868), suppl. 4, pp. 43-91, texte ossète et traduction russe.

Pfaff = Pfaff, « Putešestvije po ušČeljax severnoj Osetii, VI : soderžanije i ocenka glavnyx skazanij Osetin o Nartax » (Voyage dans les gorges de l'Ossétie septentrionale, VI : contenu et appréciation des principales légendes des Ossètes sur les Nartes), dans *SSK* 1 (1871), pp. 163-175.

J. Šanajev *1.* = Jantemir Šanajev, « Osetinskija narodnyia skazanija : nartovskija zkazanija » (Légendes populaires ossètes : légendes nartes), dans *SSKG* 5, 2 (1871), pp. 2-37.

J. Šanajev *2.* = Id., « Iz osetinskix narodnyx skazanij : nartovskija zkazanija » (Extraits des légendes populaires ossètes : légendes nartes), dans *SSKG* 7, 2 (1873), pp. 1-21.

G. Šanajev = Gacyr Šanajev, « Iz osetinskix skazanij o Nartax » (Extraits des légendes ossètes sur les Nartes), dans *SSKG* 9, 2 (1876), pp. 1-64.

Vs. Miller, *Os. Et. 1, 1* = Vsevolod F. Miller, « Osetinskija etjudy, Č. 1-aja, Osetinskije teksty » (Etudes ossètes, 1ʳᵉ partie : textes ossètes), Moscou, 1881, 1 : *Skazanija o Nartax* (Légendes sur les Nartes), texte ossète et trad. russe, pp. 1-79, notes pp. 177 et suiv.; trad. allemande sur le texte ossète par Hübschmann, *ZDMG* 41 (1887), pp. 539-567, avec une bonne introduction sur les Nartes.

Vs. Miller, *Os. Et.*, 1, 3 = Id., *ibid.*, 3 : *Predanija i skazki* (Traditions et contes), seulement en trad. russe, pp. 131-158, notes pp. 159-162.

Vs. Miller, *Os. Sk.* = Id., « *Osetinskija skazki* » (Contes ossètes), dans *Sbornik materialov po etnografii, izd. pri Daškovskom etnografičeskom muzee, vyp. I* (1885), texte ossète et trad. russe, pp. 113-140.

Kajtmazov = A. Kajtmazov, « Skazanija o Nartax » (Légendes sur les Nartes), dans *SMK* 7, 2 (1889), pp. 3-36.

Pamj. 1 = *Pamjatniki narodnogo tvorČestva Osetin 1 : nartovskije narodnyje skazanija* (Monuments de la création populaire des Ossètes, 1 : légendes populaires nartes), [Vladikavkaz, 1925], il s'agit de légendes recueillies vers 1880.

Pamj. 2 = Id., 2 : *Digorskoje narodnoje tvorČestvo v zapisi Mixala Gardanti* (Monuments..., 2 : Création populaire digorienne, notée par Michel Gardanti) (Vladikavkaz, 1927), pp. 5-176, texte ossète; pp. 177-190, notes; pp. 3-158, trad. russe.

Pamj. 3 = Id., 3 : *Iron adæmy tauræhtæ kajjytæ æmæ arhæuttæ* (Munuments..., 3 : Légendes et contes des Iron, notés par S. Ambalov) (Vladikavkaz, 1928), pp. 1-134, texte ossète et trad. russe; pp. 135-142, notes.

ONS = *Osetinskie Nartskie Skazanija* (Récits ossètes sur les Nartes) (Dzaujikau, 1948), traduction par Ju. Libedinski de *Narty kajjytæ, ibid.*, 1946.

LH = G. Dumézil, *Le Livre des héros*, trad. d'une grande partie de *Narty kajjytæ* de 1946, Paris (Gallimard), 1965).

LN renvoie à mes *Légendes sur les Nartes* (1930).

II. — LES DOCUMENTS

1. Naissance de Syrdon

Sur la naissance de Syrdon, il n'y a que peu de récits. Le premier a pour objet évident d'expliquer l'hostilité congénitale de Syrdon et de Soslan. Le dernier attribue à Syrdon, mais avec une coloration diabolique, la forme de naissance qui est en général celle de Soslan.

a) *Pamj. 2*, nᵒ 3, *Légende sur la naissance de Soslan et de Syrdon*, texte pp. 9-10, trad. pp. 7-8 = *LN*, p. 111, n. 1.

Le berger Sosæg-Ældar — qui n'avait jamais vu de femme, mais qui, dès son plus jeune âge, servait de bélier à ses brebis — mène paître un immense troupeau sur les bords du Terek. Prévenue par sa servante, Æxsijnæ [1] vient de l'autre côté du fleuve et se dévêt entièrement. Sosæg-Ældar s'endort sur le sol et a une perte séminale. Il s'éveille, se lave et s'en va. Æxsijnæ, qui a tout remarqué, « compte les jours de la pierre » et, au bout de neuf mois, l'ouvre : « du nombril de la pierre », un petit garçon lui sourit et lui crie de remplir d'eau une cuve, de la faire chauffer et de l'y plonger : son corps deviendra ainsi d'acier trempé [2]. Elle apporte douze voiturées de charbon, verse l'eau dans une cuve et y plonge le garçon, — mais les genoux pointent hors de l'eau. « Tu perds ta peine, crie-t-il, encore de l'eau, encore de l'eau ! » Æxsijnæ se précipite à la fontaine, mais le « gardien de la fontaine [3] » la retient, et l'engrosse. Quand enfin elle revient, il est trop tard : le corps du garçon s'est refroidi et ses genoux n'ont pas bénéficié de la trempe. Alors Æxsijnæ secoue le pan de son vêtement : un deuxième garçon bondit de sous elle et se met à courir. Le premier garçon lui dit : Eh, mon frère, où cours-tu ? Que ton nom soit Sirdon [4], fils de Natar Uatar ! » Sirdon riposte :

1. Dans ce recueil, c'est la désignation ordinaire de Satana : « La Princesse ».
2. Confusion évidente de Soslan avec Batradz, héros métallique qui naît rougi au feu et qui, en effet, se « trempe » aussitôt dans des cuves d'eau.
3. Des variantes sur Batradz, il ressort que c'est un diable ou un monstre diabolique.
4. *Syrdon* (en dialecte digor, *Sirdon*) est un dérivé (cf. *Nærton* de *Nart*, etc.) de *syrd* « bête sauvage ».

« Et que ton nom à toi soit le vaillant Soslan, fils de Sosæg Ældar, né de la pierre secrète (?) [1] ! » De ce jour et jusqu'à leur mort, Soslan et Sirdon ne vécurent jamais en bonne intelligence [2].

b) *ONS*, naissance de Syrdon, pp. 189-190.

La belle Narte Dzerassa va à la rivière puiser de l'eau, mais le maître des rivières, Gatæg, exige qu'elle se donne à lui. La première fois, elle refuse, mais cède la seconde fois. De cette rencontre naît Syrdon, qui se montre de jour en jour plus intelligent. Il pouvait non seulement raconter le passé, mais prévoir l'avenir. Il était rusé et trompait souvent les Nartes qui, d'ailleurs, le trompaient aussi de temps en temps. Malgré leurs fréquents différends avec lui, les Nartes l'aimaient beaucoup. Il était intelligent et adroit.

c) Kajtmazov, pp. 30-31, *Sirdon = LN*, n° 34 *a*, pp. 118 et p. 77, n° 20, note finale.

Sirdon était un des Nartes. Voici comment il était né. Une fois, Satana lavait son linge sur les bords de la rivière. Elle ne portait pas de pantalon. Le diable vint de l'autre côté de la rivière, vit son corps blanc comme neige et, tout excité, se colla à une pierre, qui fut fécondée. Satana s'était aperçue de la chose et compta les mois. Le jour venu, elle fit ouvrir la pierre. Comme celle-ci était énorme, il fallut la mettre en morceaux. Quand on fut près du point où devait se trouver l'enfant, Satana enivra et endormit les ouvriers avec de l'arak — son invention, — puis elle acheva avec soin l'opération. Elle appela l'enfant Sirdon. Le rusé Sirdon, en sa qualité de fils d'un diable, se distinguait par son agilité d'esprit et son habileté à trouver des expédients. Mais les Nartes ne le considéraient pour rien : ils se moquaient de lui comme d'un imbécile et ils l'obligeaient aux menus services.

d) Je ne connais que par le dictionnaire de Vs. Miller, s.v. *Syrdon*, l'existence d'une autre variante où c'est la

---

1. « *Sosæg-Ældari furt, sos doræj xuærzigurd Soslan ba dæu nom fæuuæd !* » Les *Pamj.* traduisent *sos doræj* « ot suxogo kamnja, de la pierre sèche », ce qui est injustifiable. L'ossète a un mot *sos* (dig. *sus*) qui équivaut à notre « chut ! » et qui donne de nombreux dérivés au sens de « secret ». Le dictionnaire de Vs. Miller (II, p. 1144) propose, avec point d'interrogation, « *schweigender Stein, geheimnisvoller Stein* », — et même « *Bimstein* ». En fait l'étymologie probable de Soslan est différente : v. ci-dessous, p. 187. C'est encore Syrdon qui donne leur nom à Batradz (J. Šanaev *1*, p. 32 = *LN*, n° 11 *b*, p. 52) et à Totradz, l'un des adversaires de Sosryko (J. Šanaev *1*, p. 12 = *LN*, n° 24 *a*, p. 92; *Pamj. 1*, n° 20, p. 101 = *LN*, n° 24 *b*, p. 93; *ONS*, p. 418.

2. Cf. ci-dessous, n° 11 *b*.

mère de Syrdon qui est une diablesse (*Pamj.* de l'Inst. de Folklore de l'Ossétie du Sud, I, p. 59); le dictionnaire cite cette phrase :

« La diablesse (*xæiræg*) devint enceinte par cette malédiction; elle mit au monde Syrdon. »

2. Le malin Syrdon

Syrdon est, pour les Ossètes, le type même, la mesure de l'intelligence rusée. Dans un éloge de Satana (Kajtmazov, p. 11, fin du récit *Axsnart et ses enfants* = *LN*, nᵒ 3 *b*, p. 26), il est dit : « Elle était si intelligente qu'elle ne le cédait même pas aux hommes; Sirdon lui-même, le parent d'Uryzmæg, le plus rusé des êtres, ne pouvait la duper. » Dans beaucoup de récits, un trait, au passage, atteste le don qu'a Syrdon de savoir ce que les autres ne savent pas. Voici quelques exemples :

1) Dans les récits sur la guerre inexpiable des deux grandes familles nartes des Æxsærtægkatæ et des Boratæ [1], un trait met en valeur une des « habiletés » de Syrdon : les chiffres n'ont pas de secret pour lui.

a) *Pamj. 2*, nᵒ 13, *Boriatæ et Æxsærtægkatæ*, texte pp. 42-46, trad. pp. 38-42 = *LN*, nᵒ 46 *b bis*, p. 145.

D'après cette variante (où Uoræzmæg, Soslan, etc., appartiennent à la famille des Æxsærtægkatæ), dans l'épisode final de la lutte, les Æxsætægkatæ obtiennent de Kænti Sær Xuændon le service d'une armée magique, qu'ils feront eux-mêmes sortir « des portes de fer de la Montagne Noire »; mais ils n'en disposeront qu'à une seule condition : c'est de dire à Kænti combien ils ont fait sortir d'hommes, afin qu'il puisse savoir avec précision, après la bataille, « qui aura été tué et qui sera revenu vivant ». Les Æxsærtægkatæ font sortir une armée immense et sont bien incapables de la compter. Uoræzmæg confie son embarras à Æxsijnæ-Æfsinæ-Satana qui aussitôt, pendant la nuit, coud une culotte à trois jambes (*ærtik' axug xælaf*) et, au lever du soleil, la suspend à la haie de clôture. Surgi on ne sait d'où,

---

1. V. ci-dessus, pp. 132-133 et ci-dessous, nᵒ 6.

Sirdon apparaît et voit la culotte. — « Tu es bien malade, dit-il à Satana, s'il te faut une culotte à trois jambes ! Les armées des Æxsærtægkatæ se composent de 30 fois 30 000 hommes avec 100 en sus, et, parmi eux, il n'y en a pas un qui ait trois jambes. Et voilà Satana qui s'est mise à faire d'avance des culottes à trois jambes ! »

Satana n'en voulait pas davantage : elle dit aussitôt le chiffre à Uoræzmæg, qui le transmet à Kænti Sær Xuændon. L'armée se trouve ainsi utilisable et la victoire assurée.

b) Vs. Miller, *Os. Et. 1, 1,* n° 14, *Soslan et Uryzmæg,* pp. 76-77 = *LN,* n° 46 *b,* pp. 144-145.

Uryzmæg fait sortir l'armée magique d'un tombeau. Les Nartes lui disent qu'elle est inutilisable si l'on n'en sait pas le nombre. Uryzmæg va trouver Satana, qui coud la culotte à trois jambes (*ærtykkaxyg xælaf*) et l'étale sur une pierre. Le matin, survient Syrdon, qui s'étonne : « J'ai passé toute la nuit à rôder dans l'armée, ils sont cent fois cent et trois cents en plus, et je n'ai pas vu d'homme à trois jambes [1]... »

c) *ONS,* pp. 387-388.

Variante très proche des précédentes. Syrdon dit : « Comme c'est étrange ! Ils sont cent fois cent chez les Boratæ et les Æxsærtægkatæ ont le double de troupes. Dans leur armée, il y a des hommes à un œil, des hommes sans mains, des hommes à une jambe. Mais, à trois jambes, je n'en ai pas vu. Pourquoi Satana a-t-elle un pantalon à trois jambes ? »

2) Kajtmazov, *Axsnart et ses enfants,* p. 10 = *LN,* n° 2 *a,* p. 24 [2].

C'est Syrdon, son parent, qui vient prévenir Uryzmag que, dans la tombe de sa mère, on entend pleurer une petite fille, hennir un poulain et aboyer un petit chien.

3) J̌. Šanajev *1, Comment Satana fauta,* p. 21 = *LN,* n° 4 *a* [3].

Une fois qu'Uryzmæg et Satana s'attardent dans la steppe, les Nartes les croient perdus pour toujours. Syrdon leur dit : « Non,

---

1. « *sædæsædæji æmæ ærtæ sædæ sæ uældai, fælæ ærtykkaxug læg ku næ fedton.* » Le même trait apparaît encore, très déformé, dans une troisième variante, *Pamj. 1,* n° 15, *Æxsærtægkatæ et Boratæ,* p. 85 = *LN* n° 46 *a,* p. 144.

2. Dans une autre variante, Vs. Miller, *Os. Et., 1,* 1, p. 48 = *LN,* n° 2 *b,* p. 25, Syrdon n'est pas nommé : c'est seulement *ju læppu,* « un jeune homme » qui prévient les Boratæ.

3. Ce détail n'a pas été retenu dans mon résumé des *LN;* il doit être inséré p. 32, après la ligne 2.

ils ne sont pas morts; quand ils reviendront, ils rempliront le ventre à beaucoup de pauvres gens ! » En effet le couple revient et fait proclamer par le crieur public que riches et pauvres s'assemblent sur le *nyxæs* pour une beuverie monstre.

4) Vs. Miller, *Os. Et.*, 1, 3, *Récits sur Soslan*, p. 147 = *LN*, nᵒ 30, p. 111.

Une fois, Soslan, dégoûté de la jalousie des Nartes, avait creusé un souterrain et s'y était retiré secrètement avec la belle Agunda dont ils lui contestaient la possession. Les Nartes le cherchèrent vainement. Mais l'astucieux Syrdon leur révéla l'emplacement du souterrain. Ils déterrèrent Soslan et dorénavant lui laissèrent Agunda sans discussion.

Parfois ce don de prévision dont Syrdon est doué et fait montre s'accompagne de la mauvaise joie de savoir l'imminence d'un malheur dont les autres ne se doutent pas. Syrdon joue volontiers, en style comique, les Cassandre :

5) J̌. Šanajev *3*, *Autre variante sur Sosryko*, pp. 4-8 = *LN*, nᵒ 26 *b*, pp. 99-100 [1].

Sosryko étant allé à l'étranger pour sept ans, les Nartes le crurent mort. Ils se désolaient. Un jour, Syrdon vint à eux et leur demanda en souriant : « Pourquoi ce chagrin, Nartes ? Vous ne vous amusez plus... En vérité, Nartes, qui pleurez-vous ? » Les Nartes s'indignent : « Ce chien continue à s'amuser quand il n'y a pas lieu. Il nous est mort un homme qui valait à lui seul tous les Nartes, et il nous parle de nous amuser ! » — « Attendez un peu, vos maisons verront comme il est mort ! » leur dit Syrdon.

Sosryko revient. Tout joyeux, les Nartes font un festin où ils se divertissent fort. Mais voici que survient encore le malfaisant Syrdon : « Nartes, Nartes, dit-il, pendant sept ans, c'est tout juste si vous n'avez pas porté le deuil de Sosryko. Je vous disais qu'il reviendrait, que sa mort n'était pas écrite. Vous le voyez, maintenant, et il va vous donner de ses nouvelles ! » Et en effet, vainqueur des Nartes au jeu de dés, Sosryko se met à malmener les jeunes Nartes : à l'un il coupe une main, à l'autre le nez, à un troisième il arrache un œil... Syrdon les rencontre comme ils reviennent du jeu : « Ah ah ah, Nartes ! Vous avez porté pendant sept ans le deuil de Sosryko. Vous voyez maintenant, j'espère,

---

1. Ce récit prête à Sosryko une conduite cruelle qui ne convient pas à son caractère; il est sans doute passé du cycle de Batradz à celui de Sosryko.

qu'il est vivant ! Il vous a bien marqués, comme du bétail : pas de danger que vous vous perdiez, le travail est bien fait ! Celui qui avait un nez n'a plus de nez, celui qui avait une oreille n'a plus d'oreille, celui qui avait une main n'a plus de main... Pour une mort de Sosryko, c'est une jolie mort. Il n'y a pas à dire... » Les Nartes étaient furieux contre Syrdon. Mais que pouvaient-ils faire ? Il disait vrai. Ils n'eurent plus qu'à se cacher chacun dans son coin.

6) *ONS, Totradz et Soslan,* pp. 422-423.

Les Nartes assemblés pour les jeux voient au loin venir comme un nuage noir, avec des corbeaux volant derrière lui. L'œil perçant de Syrdon a déjà vu et compris. « Ce n'est pas un nuage noir, dit-il, c'est le cheval d'Alymbæg, ce ne sont pas des corbeaux, mais les mottes de terre qu'arrachent ses quatre pieds ! » Et, comme les jeunes gens nartes disent qu'ils voient bien le cheval, mais pas le cavalier. « Il y a un cavalier, dit Syrdon, et quel cavalier, vous allez vite le voir de vos yeux ! » En effet, c'est le petit Totradz, fils d'Alymbæg, qui arrive sur le cheval de son père, qu'a tué naguère Soslan. Il pique Soslan du bout de sa lance, redresse la lance, et jusqu'au soir, promène le grand Narte dans cette position inconfortable.

Les Ossètes se sont servis de thèmes de contes connus pour mettre en valeur l'intelligence de Syrdon. Ainsi celui des objets merveilleux :

7) *ONS, Comment Syrdon trompe les géants,* pp. 213-214.

Syrdon rencontre trois géants qui se disputent pour se répartir trois objets : une peau d'animal qui transporte où l'on veut, une table à trois pieds qui se garnit spontanément des mets les plus succulents; une corde qui ôte le poids de ce qu'elle attache. Syrdon leur propose de tirer trois flèches dans trois directions; chacun ira chercher une des flèches, et choisira, suivant son rang d'arrivée, un des objets. Dès qu'il est seul, Syrdon prend la corde, met la table sur la peau et ordonne à la peau de le transporter sur le toit de sa maison. Grâce à la table, il offre aux Nartes un bon festin.

L'intelligence de Syrdon lui vaut d'être choisi parfois pour arbitre :

8) *ONS, L'assemblée des Nartes*, pp. 316-317.

Voulant savoir lequel d'entre eux est le plus brave, ils s'adressent à Syrdon. Il leur propose un certain nombre d'épreuves. Seul Batradz ose et réussit.

3. Syrdon et les Nartes

Les rapports ambivalents de Syrdon avec les Nartes sont bien mis en relief dans un type de récit complexe, fort populaire en Ossétie. Taquineries constantes et réciproques, où Syrdon finit toujours par avoir le dessus, où le drame finit toujours par être évité, et qui n'empêchent pas Syrdon de servir les Nartes.

a) *Pamj. 2*, n° 21, *Le fléau des Nartes, Sirdon*, texte pp. 61-64, trad. pp. 57-59 = *LN*, n° 33 *d*, p. 117 et n° 34 *c*, p. 120.

Uoræzmæg, Xæmic et Soslan partent à la chasse et prennent avec eux Sirdon en qualité de « junior [1] ». En cours de route, prétextant que son cheval n'est plus en état de le porter, il se fait prendre en croupe successivement, dans l'ordre décroissant de leurs âges, par Soslan, par Xæmic, enfin par Uoræzmæg. A chacun il vole le briquet qui était dans les sacoches. Le soir, à la halte, Soslan va chasser et rapporte un cerf. « Allumons du feu », disent-ils et, vainement, ils cherchent leurs briquets. Du haut d'un arbre où il cassait des branches, Sirdon les persifle : « Eux-aussi, dit-il, vos briquets sont allés à la chasse... »

Par bonheur, sur une montagne voisine, ils aperçoivent la fumée d'une maison et envoient Soslan demander du feu. Il arrive chez des géants qui le font asseoir au haut bout du banc; mais ils avaient étalé de la colle sur le banc et il adhère au bois... Xæmic, envoyé ensuite, a le même sort et reste collé à côté de Soslan. Puis encore Uoræzmæg. Alors, au campement, Sirdon allume du feu, se gorge de viande, suspend deux chapelets de tripes à ses moustaches et, ainsi équipé, se dirige vers la maison des géants. Ils l'invitent à s'asseoir, mais il se dérobe : — « N'est-ce pas assez qu'ils soient assis là dans l'ordre inverse des âges ? Il faut en plus que, moi, je m'asseye sur le même rang ? Ils sont mes

---

1. *Sirdoni ba fæxxudtoncæ kæstæræn :* le *kæstær* est comme le valet de l'expédition. Le contraire de *kæstær* « junior » est *xistær* « senior ».

seigneurs, ils remplissent de cendre un sac et c'est là-dessus que je m'assieds !... » Aussitôt, les géants remplissent de cendre un sac et, naturellement, versent dessus de la colle. Mais la colle est bue par la cendre et reste sans effet. Alors Sirdon se promène conduisant les géants d'un Narte à l'autre — Soslan, Xæmic, Uoræzmæg — et les faisant copieusement meurtrir par les géants. Puis il excite les géants les uns contre les autres [1] et ils s'entretuent. Alors les Nartes le supplient : « Délivre-nous de cette humiliation par n'importe quel moyen ! » Sirdon n'est pas pressé : il s'occupe à rôtir les chapelets de tripes accrochés à ses moustaches et lèche le jus qui coule. « Je ne vois qu'un moyen, dit-il enfin, de vous tirer de là; c'est d'aller chercher la grande scie des Nartes et de vous scier le bas du dos ! » Ils le supplient à nouveau : « Ne rends pas public notre déshonneur, trouve n'importe quoi d'autre ! » Sirdon a pitié. Il fait chauffer un grand chaudron d'eau; avec l'eau bouillante, il fait fondre la colle et les délivre. Ils se rassasient de viande à leur tour.

Dans leur hargne contre Sirdon, ils vont couper à son cheval les commissures des lèvres. Sirdon fait semblant de ne s'apercevoir de rien, mais il coupe la queue des trois autres chevaux. Le lendemain, quand la caravane repart, Sirdon fermant la marche, les trois grands Nartes se retournent vers lui : « Dis donc, Sirdon, pourquoi ton cheval rit-il en marchant ? » Il riposte : « Il rit parce qu'il voit devant lui de quoi rire. » Ils inspectent leurs chevaux : plus de queues...

— « Mais que faire, se disent-ils, avec cette canaille [2] ? Si nous le tuons, les Nartes nous chansonneront. Si nous le laissons comme ça, il nous rendra la vie impossible... » Ils réfléchissent et voici ce qu'ils font : ils courbent un arbre, attachent au sommet Sirdon par les moustaches et laissent l'arbre se redresser, puis ils s'en vont. Par bonheur, un berger passe, sifflant bruyamment dans son chalumeau, avec un troupeau de blancs moutons. Sirdon se met à crier : « Non, non ! Je ne veux pas être ældar (« chef »), je n'accepte pas !... » Le berger s'approche et interroge : « Que dis-tu ? Qu'est-ce que tu n'acceptes pas ? — Qui je suis ?... Les Nartes me choisissent pour être leur ældar et je n'accepte pas; alors ils m'ont attaché là et me laissent jusqu'à ce que j'accepte. — Eh bien, mets-moi à ta place ! — Bon, dit Sirdon; mais peut-être ne supporteras-tu pas d'être attaché de cette façon ? —

---

1. Dans d'autres variantes. c'est en général en leur posant un « problème » : « Qu'est-ce qui est le plus utile, le marteau, les tenailles ou l'enclume ? » ou : « Quel est le plus fort [dans une histoire absurde d'abord racontée], le bœuf ou le renard ? »...

2. « Ci jin kænæn ne sævdi lægæn ? » m.-à-m. « Que faire à ce nôtre homme malfaisant ? »

Si, je supporterai... » Il détache Sirdon qui l'attache et lui recommande : « Dis que tu acceptes ! » Du haut de l'arbre le berger répète : « J'accepte... » Mais déjà Sirdon a pris son chalumeau et le voici qui défile dans les rues des Nartes en sifflant bruyamment à la tête du blanc troupeau. Les Nartes s'étonnent de ce butin. « Je l'ai reçu, dit-il, en paiement des fesses d'Uoræzmæg, de Xæmic et de Soslan ! »

Combiné ainsi ou autrement, et souvent agrémenté d'épisodes supplémentaires, ce récit est connu en bien des variantes (ainsi *ONS*, « L'expédition des Nartes », pp. 191-203). Parfois la malice initiale de Syrdon a été provoquée par une méchanceté des Nartes. Voici par exemple le début d'une variante :

b) J̆. Šanajev 2, *Les Nartes et Syrdon*, pp. 11-13 = *LN*, n° 33 *a*, pp. 116-117 [1].

Un jour Sosryko, Uryzmæg, Xæmic et Soslan partirent en expédition. Ils invitèrent Syrdon à les accompagner comme « junior ». « Moi, dit-il, vous accompagner, messeigneurs ? Je n'ai pas de chance avec vous : sûrement, pour me payer, vous me donnerez encore des bœufs de trois ans, des brebis qui n'ont mis bas qu'une fois ! Vous me ferez encore cette offense... » (Il parlait ainsi pour amener les Nartes à lui donner justement ce paiement, sachant bien que, par hostilité, ils faisaient toujours le contraire de ce qu'il souhaitait.) — Ne crains rien, répondirent-ils; si nous prenons quelque chose, tu auras une part égale aux nôtres. » Et l'on se mit en route.

Il fallut passer une rivière. Comme Syrdon n'avait pas de cheval, il se suspendit à la queue du cheval de Sosryko. Au milieu de la rivière, Sosryko se retourna vers Syrdon et lui demanda : « Quand est-il le plus indiqué de se couper les ongles ? » — « Quand on y pense ! » répondit étourdiment Syrdon. — « Tu vas donc avoir l'ennui de rester un peu dans l'eau », dit Sosryko et, tirant son couteau, il se coupa tranquillement les ongles. Pendant ce bain de siège, Syrdon enrageait du dépit de s'être si sottement laissé prendre, et il jura de se venger. (Suit le vol des briquets.)

---

1. Ce récit, comme il arrive parfois, dédouble et juxtapose Sosryko et Soslan, — Soslan n'étant plus qu'un comparse, un nom, et Sosryko gardant toute la personnalité du héros. — Autres récits analogues : Vs. Miller, *Os. Sk.* pp. 113-116; Kajtmazov, pp. 31-34 = *LN*, n°ˢ 33 *b, c, d*; 34 *b*, pp. 117-119.

La malignité de Syrdon, quand il accompagne les Nartes en expédition, se marque parfois autrement : il s'amuse à les égarer :

c) Vs. Miller, *Os. Et.* 1, 3, n° 1, *Tradition sur les géants,* p. 137 = *LN,* n° 47 *a,* p. 146.

Une fois les Nartes partirent en expédition sous le commandement de Soslan. Syrdon leur servait de guide dans les montagnes et, suivant son naturel, il s'amusa tout le jour à les égarer, de sorte que la nuit les surprit dans la montagne. Ils virent une caverne, y entrèrent, — et ils s'aperçurent le lendemain qu'ils avaient dormi non dans une caverne, mais dans le creux de l'omoplate d'un squelette de géant...

Voici encore un échantillon de cette matière abondante.

d) *ONS, Comment Syrdon trompa encore les Nartes,* pp. 211-212.

Irrités d'une journée de chasse sans gibier, les Nartes passent leur mauvaise humeur sur Syrdon. Ils l'envoient dans un coin de forêt où ils savent qu'il y a un trou d'eau : peu s'en faut qu'il ne s'y noie. Il sèche ses vêtements et revient. Il dit aux Nartes qu'il a vu des animaux merveilleux qui se sont enfuis au plus dru de la forêt. Il est oriente ainsi vers un fourré épineux d'où, la nuit tombant, ils ne savent comment sortir.

Même en dehors de ces conflits aigus, les Nartes se défient de Syrdon. P. ex., *ONS,* p. 409, au moment de partager le butin qu'ils ont fait dans la forteresse de Gur, ils creusent d'abord une fosse et y mettent Syrdon, craignant qu'il ne suscite des querelles pendant le partage. Mal leur en prend : quand ils le retirent de la fosse, il leur révèle qu'ils se sont laissés duper par le premier qui a choisi.

4. Histoires à la Nasreddin Hodja

Etant donné ces rapports tendus des Nartes et de Syrdon, et la manière dont Syrdon bafoue les Nartes, on ne s'étonnera pas que des histoires du cycle de Nasreddin-Hodja ou du même type soient parfois attachées à Syrdon. Voici quelques exemples.

a) *Pamj. 1*, nº 8, *Comment Syrdon brûla les vêtements
des Nartes*, pp. 63-64 = *LN*, nº 35, p. 120 [1].

Syrdon avait un mouton qu'il engraissait avec amour, comme
les moutons qu'on garde pour les noces (*toqul*). Les Nartes
résolurent de le manger. Un jour Urysmæg, Batradz, Sozyryko et
Omar (de la famille des Alægatæ) tinrent à Syrdon ce discours :
« Voici le *qajmæt* (la fin du monde) qui arrive : plus besoin de rien
mettre en réserve, fais-nous donc manger ton mouton ! —
Bon », dit-il. Il tua son mouton, l'accommoda et le servit. Mais à
quelque temps de là, un jour que les Nartes se baignaient, il prit
les vêtements qu'ils avaient posés sur la rive et les brûla : il ne
leur laissa que leurs chemises. Quand les Nartes sortirent de l'eau
et lui demandèrent où étaient leurs vêtements : « Je les ai brûlés,
dit-il; si c'est le *qajmæt* et si nous allons tous mourir, vous
n'avez pas plus besoin de garder vos vêtements que je n'avais
besoin de garder mon *toqul* ! »

b) *Pamj. 1*, nº 18, *Le vol de la vache d'Uryzmæg*,
pp. 91-93 = *LN*, nº 35, note finale, p. 120.

Uryzmæg à la barbe de neige, le « senior » des Nartes, avait
une vache : elle disparut. Il la chercha longtemps et finit par
découvrir qu'elle avait été volée par Syrdon, fils de Gatag. Il
attacha une longue corde au cou de sa chienne et la suivit. Elle le
mena jusque dans la maison souterraine de Syrdon [2] où, dans le
chaudron suspendu sur le foyer, cuisait justement la viande de sa
vache... Syrdon invita Uryzmæg à s'asseoir, s'éclipsa un instant
— le temps d'aller chercher la tête de la vache, enveloppée dans
son manteau de pluie, et de la glisser sous le siège d'Uryzmæg
—, et fit de grandes protestations d'innocence avec de grandes
imprécations : « Qu'ils mangent du chien et de l'âne, le père et la
mère de celui qui est en ce moment assis sur la tête de ta
vache ! » Puis il servit à Uryzmæg de la viande et Uryzmæg s'en
alla.

A quelque temps de là, sa chienne le ramena à la maison
souterraine, pendant une absence de Syrdon. Il égorgea et
découpa tous les enfants de Syrdon, jeta les morceaux dans le
chaudron et s'en alla. Quand Syrdon revint et vit bouillir le
chaudron, il commença par se réjouir. Mais quand il explora le
chaudron avec la grande fourchette qui sert à tirer la viande
(*fydis*), il ramena une tête, une main, un pied et se désola.

1. Variante toute proche dans *ONS*, « Qui a trompé qui ? », pp. 220-231.
2. V. ci-dessous, p. 158, n. 2.

c) *ONS, L'invention de la fandyr,* pp. 204-210.

Les Nartes ont construit une belle maison commune pour les fêtes et veulent avoir l'avis de Syrdon. Deux fois, par des paroles sibyllines, il leur fait comprendre qu'il y manque, au milieu, la chaîne du foyer et, devant la fenêtre de l'est, la maîtresse de maison. Ils pourvoient à ces deux défauts et appellent Syrdon. Cette fois, il refuse de se déranger, mais Xæmyc le bat et il doit céder. Il déclare la maison parfaite, mais jure de se venger : c'est pourquoi il vola et tua la vache de Xæmyc.

Comme dans la variante précédente, Xæmyc est conduit par la chienne de Syrdon (cf. *Pamj. 3*, p. 27-28) à « la maison secrète, sous le pont », — car Syrdon a deux maisons, celle-là et celle que tout le monde lui connaît au village. Xæmyc découpe et jette dans le chaudron non seulement les fils, mais la femme de Syrdon.

Quand celui-ci découvre son malheur, il tire du chaudron la main de son fils aîné, y attache comme cordes les vaisseaux qui amènent le sang à son cœur et se met à jouer de cet instrument macabre, pleurant ses fils et sa femme. Il se rend ensuite au *nyxæs* où les Nartes sont ravis de cette musique et lui promettent, s'il leur donne cet instrument, de lui ouvrir toutes les portes et de le traiter avec honneur. Il le leur donne. (Cf. ci-dessous 6, 1, c).

d) *ONS, Comment Syrdon fit la commémoration de ses morts,* pp. 215-217.

Les Nartes reprochent à Syrdon de ne pas offrir de banquet commémoratif pour ses morts — usage ruineux, mais auquel est attachée une société qui aime festoyer. Syrdon finit par se résigner, mais ne fait préparer qu'un simulacre de bière, qui ne lui coûte guère. Et de même pour le reste. On voit vite pourquoi. Tandis que le crieur convoque les Nartes, il s'arrange (en posant la question : qui est venu le premier au monde, l'œuf ou la poule ?) pour provoquer une querelle entre les hommes stupides qu'il a engagés pour la circonstance. Ils en viennent vite aux coups et renversent le chaudron. Quand les hôtes arrivent, Syrdon leur montre le désastre et ils ne peuvent que s'en retourner.

5. Syrdon, Uryzmæg et la Dame d'Urup

Voici des fragments d'un curieux récit qui présente, sous plusieurs aspects, un Syrdon somme toute sympathique.

G. Šanajev, *Le Narte Uryzmæg et Uærp et ældar*, pp. 22-34 = *LN*, n° 7 pp. 38-43 [1].

Uryzmæg à la barbe fleurie et le Sire d'Urup étaient frères de serment [2]. Uryzmæg vivait au milieu des Nartes, le Sire d'Urup vivait au ciel. Un jour, le Sire d'Urup, laissant au ciel sa jolie femme, partit pour un long voyage. A cette nouvelle, Uryzmæg sella son cheval Durdura, prit son violon, alla dans les steppes de la Kouma et, s'asseyant sur une pierre, joua des airs joyeux dont le son montait au ciel et charmait la Dame d'Urup : tantôt elle dansait, tantôt elle chantait. Uryzmæg fit cela chaque jour.

Le malfaisant, le joyeux menteur (*gædyj*) Syrdon, fils de Gatag, *kævdæsard* [3] de la célèbre famille narte des Boratæ, se dit qu'Uryzmæg devait avoir une raison d'aller chaque jour à cheval dans les steppes de la Kouma. Il alla un jour à sa rencontre et lui dit : « Que je mange tes maladies, mon seigneur Uryzmæg ! Tu es un des plus illustres parmi les Nartes. Quand tu n'es pas avec eux, ils sont abattus, bons à rien. Quel grand besoin as-tu donc de harasser chaque jour ton cheval pour aller dans les steppes de la Kouma ? Cette bête sans prix en est toute maigre. Ils ont raison, les jeunes Nartes, de dire que ta raison s'en va... Que je mange tes maladies, mon seigneur ! J'ose te dire cela... — Ah, débauché menteur Syrdon, répondit Uryzmæg, t'imagines-tu que tu vas savoir mes secrets ? » Il sourit et s'en alla en disant : « Je te conseille de rester tranquille : tu ne découvriras pas mes desseins ni mes secrets ! » Une deuxième fois, surgissant on ne sait d'où, Syrdon l'aborda de même façon et s'attira même réponse. Mais Uryzmæg se ravisa et lui révéla quelle galanterie l'attirait chaque jour sur les steppes de la Kouma.

En entendant ces mots, Syrdon éclata d'un tel rire que les larmes jaillirent à flots de ses yeux et qu'il tomba par terre : « Quel dommage que les Nartes t'aient perdu, toi, l'un de leurs hommes les plus en vue ! Tu les réjouissais, tu les ranimais dans leur abattement ! Rappelle-toi, Uryzmæg, comme tu étais haut placé à leurs yeux !... Ah, la jeunesse narte dit bien vrai, que ta raison est troublée ! Reprends-toi, secoue ta folie, etc., etc. » Et longtemps il continua de rire sur la naïveté du vieux héros. A la

---

1. Urup (*Uærp*) est une localité du district du Kouban. *ældar* = « chef, seigneur ».

2. V. *LN*, pp. 165-166.

3. *kævdæs-ard*, m.-à-m. « trouvé dans les mangeoires ». Les *kævdæsard*, qui occupaient dans les nobles familles une situation bâtarde, étaient les fils du maître de maison et de servantes, filles ou femmes, qui couchaient avec lui en entrant à son service (après quoi, elles pouvaient coucher avec qui elles voulaient). Ces enfants restaient sous l'autorité du chef de famille qui était libre de leur léguer une petite part d'héritage, à son jugement. Cette situation sociale disparut après 1861, avec tout le système du servage.

fin Uryzmæg lui dit : « Bon, faisons un pari : si je ne dis pas vrai, je te donnerai mon cheval pie Durdura. Mais si je gagne le pari, c'est toi qui devras me donner ton cheval à trois pieds qui court comme le vent. » Ils conclurent le pari.

Syrdon monte au ciel, chez le Sire d'Urup, et il doit se rendre à l'évidence : Uryzmæg a dit vrai. Il se désespère, gémit sur la perte de son coursier à trois pieds, mais la bonne Dame d'Urup le console : « Non, ne te désole pas, je t'assure que tu ne perdras pas ton cheval à trois pieds. Va dire de ma part à Uryzmæg que je commence à fort mal le juger de s'être permis de faire un pari avec un homme de naissance inférieure à la sienne... » Syrdon revient trouver Uryzmæg, fait la commission et, en effet, Uryzmæg lui laisse son cheval. Et le malfaisant menteur Syrdon retourne chez les Nartes, si joyeux qu'il en balaye les rues de son bonnet.

L'histoire se corse en ce sens qu'Uryzmæg monte à son tour chez la Dame d'Urup; que celle-ci le reçoit dans son lit, où ils passent agréablement la nuit; que le Sire d'Urup, revenu inopinément, les surprend endormis et ne leur fait pas de mal; mais que, à quelque temps de là, il envoie sa femme à Uryzmæg, chez les Nartes, avec un billet qui ne laisse pas de doute : il la lui donne pour toujours, « — car la trahison est venue de toi, Uryzmæg ! » Mesurant brusquement sa faute, Uryzmæg se désole : il a trahi un ami, un frère de serment ! Se tournant vers la Dame d'Urup, il la traite de femme maligne et de vipère, il tire son épée et va la tuer, quand...

« Où Syrdon ne pénétrait-il pas ? dit le texte. Il n'y avait chez les Nartes aucun secret qu'il ne connût. » Il surgit donc à point nommé devant Uryzmæg — on ne sait d'où — et lui dit : « Bonjour à toi, mon seigneur Uryzmæg, que je mange tes maladies ! Il ne faut pas te laisser égarer ni oublier le haut rang où tu est placé parmi les Nartes ! Est-il convenable que toi, l'illustre Uryzmæg, tu t'échauffes comme tu fais ? Non, tu ne dois pas tuer une femme de ta main : tu te déshonorerais, toi et ta famille. Tu peux lui appliquer la peine ordinaire des femmes adultères, c'est-à-dire l'attacher à la queue d'un cheval que tu lâcheras en liberté dans les steppes et dans les forêts... »

Uryzmæg ne put que suivre le conseil de Syrdon « que Dieu — ajoute le texte — avait créé tout exprès pour que les Nartes ne pussent vivre sans lui. » Syrdon s'appliqua ensuite à réconcilier Uryzmæg et le Sire d'Urup : ils échangèrent de nouvelles fiancées, dont ils convinrent de jouir tous deux la même nuit.

Voici au contraire quelques récits (nos 6-8) où l'animosité de Syrdon envers les Nartes se manifeste de façon plus grave.

6. Syrdon et les guerres des Boratæ et des Æxsærtægkatæ

Plusieurs variantes racontent les cruelles hostilités qui opposèrent les deux grandes familles nartes des Æxsærtægkatæ et des Boratæ [1]. Syrdon en est partiellement responsable.

1) a) *Pamj. 1*, n° 15, *Les Æxsærtægkatæ et les Boratæ*, pp. 82-83 = *LN*, n° 46 *a*, p. 143.

Le conflit éclate dans les conditions suivantes : Les Æxsærtægkatæ ont tué le jeune Krym-Sultan, de la famille des Boratæ, mais les Boratæ n'en savent rien. Ils ont longtemps cherché le disparu, puis ont oublié. Un jour, les Æxsærtægkatæ offrent un festin aux Boratæ et à tous les Nartes. On néglige d'inviter Syrdon. Quand les Nartes reviennent, ils trouvent Syrdon assis sur le *nyxæs* : « Que la mort t'oublie ! lui disent-ils; nous, nous avons oublié de t'inviter au festin des Æxsærtægkatæ... » Syrdon répond : Je n'ai jamais plaisir à me trouver assis parmi les Nartes à une "table de sang [2]" ! » A ces mots Sozyryko se fâche et saisit la poignée de son épée : « Tu parles de "table de sang", esclave ! Syrdon, fils de Gatag ! Est-ce que les Æxsærtægkatæ ne nous ont pas régalés comme ils régalent toujours les Nartes ? Et tu prétends qu'ils nous ont offert une "table de sang" ? Où as-tu pris cela ? » — « Mais, oui, c'était une "table de sang" et non un festin ordinaire... » et il leur raconte par le détail le meurtre du petit Krym-Sultan. D'où la guerre.

b) Vs. Miller, *Os. Et.* 1, 1, n° 14, *Soslan et Uryzmæg*, pp. 73-75 = *LN*, n° 46 *b*, p. 144.

Dans cette variante, Syrdon, assis sur le *nyxæs*, fait simplement, par-devers lui, la réflexion : « C'est étrange : ils leur ont tué le meilleur d'entre eux, et ils les invitent maintenant à un festin ! » Mais la « Dame des Vents » (*Uad-axsîn*) était la bonne amie (*lymmæn*) de Soslan. Elle répète les paroles de Syrdon à son amant qui, aussitôt, se lève du festin, — et la bagarre éclate [3].

---

1. Cf. ci-dessus, n° 2, 1) *a, b*, un épisode de ces luttes.

2. *Tujy fyng*, proprement « table de sang », festin offert à l'occasion d'un « prix du sang ».

3. Dans *ONS*, « Les jeux du petit Batradz », pp. 245-246, avec des conséquences moins graves, Syrdon, au nom des Boratæ rassemblés, traite avec insolence Batradz enfant : « Quels gens vous êtes, vous les Æxsærtægkatæ ! Quand on vous invite gentiment, vous ne venez pas et si l'on ne vous invite pas, vous enfoncez les portes avec vos têtes ! » Offensé, Batradz s'en va.

c) *ONS, Æxsærtægkatæ et Boratæ, vendetta,* pp. 381-389.

Ce sont les Boratæ qui ont tué et fait disparaître un garçon de l'autre famille qui le recherche vainement. Ici s'insère une variante de l'épisode de la vache d'Uryzmæg volée par Syrdon et des fils de Syrdon coupés en morceaux par les jeunes Æxsærtægkatæ (v. ci-dessus 4, 2)). Syrdon, dans sa fureur, dit aux meurtriers : « Ce n'est pas difficile, de faire du mal à un isolé comme moi ! Pendant ce temps, votre petit garçon pourrit dans la forge des Boratæ... Evidemment, vous avez peur, vous ne vous vengez pas des Boratæ !... » Mais à ce moment, il n'y a au village que les jeunes Æxsærtægkatæ, les hommes faits étant en expédition : ils ne peuvent, à eux seuls, entreprendre de venger leur mort.

Les Boratæ demandent alors à Syrdon : « Que pouvons-nous faire pour bafouer les Æxsærtægkatæ ? » Il répond : « Déterrez leur gamin, coupez-lui la tête, mettez-la au bout d'une perche et prenez-la pour cible de vos flèches. Vous ne pouvez rien imaginer de plus offensant pour les Æxsærtægkatæ ! » Les Boratæ suivent le conseil. Mais les hommes Æxsærtægkatæ rentrent, et c'est la guerre.

2) *ONS, La mort de Xæmyc,* pp. 318-319.

Dans cette version, l'assassinat de Xæmyc, père de Batradz, est un épisode de l'hostilité des deux familles résultant d'un complot auquel Syrdon participa : Sæjñag Ældar, sollicité de tuer Xæmyc, ne veut s'engager que si certains au moins des Æxsærtægkatæ donnent leur accord. Syrdon excite les plus vils, la lie de cette famille.

7. Syrdon et la famine des Nartes

a) *Pamj. 2,* n° 11, *Les terribles journées des Nartes,* texte pp. 35-36, trad. pp. 31-32 = *LN*, p. 34, n. 2.

Au cours d'une terrible famine, il ne subsistait chez les Nartes qu'un bœuf, celui de Subælci. Sirdon le vola, se gorgea de grillades et suspendit à ses moustaches des chapelets de saucisses. Puis il ouvrit le flanc de sa chienne et la traîna, perdant ses boyaux, jusque sur le *nyxæs* où les Nartes, épuisés, se roulaient par terre, et invoquaient Dieu. Il leur parla de haut, les harcela, frottant leurs lèvres avec les boyaux de sa chienne, tandis que lui-même, tournant sa langue tantôt vers une de ses moustaches, tantôt vers l'autre, suçait le jus des deux chapelets de saucisses [1].

Dans un sursaut de révolte, Uoræzmæg trouva la force d'aller gémir auprès d'Æxsijnæ [2], la sage Dame des Nartes. « Ce que j'ai ? dit-il. J'ai que les Nartes meurent de faim, se roulent sur le *nyxæs* et que l'effronté Sirdon frotte leurs lèvres avec les boyaux de sa chienne... » — « Eh bien, répondit-elle aussitôt, puisqu'ils te font tant pitié, j'ai sept resserres pleines de toutes les nourritures et de toutes les boissons. Invite-les et nourris-les. J'avais caché cela pour toi, en prévision d'un tel jour... » Uoræzmæg tout joyeux convoqua les Nartes, qui mangèrent et échappèrent ainsi à la mort, sans qu'il soit plus question de Syrdon.

b) *Pamj. 3*, n° 1, *Le fils sans nom d'Uryzmæg*, texte et trad. p. 3.

Le récit commence par la scène de la famine. Le fléau des Nartes, Syrdon, lâche sa chienne sur les Nartes affalés comme des cadavres. Elle leur lèche les lèvres, mange leurs sandales, leurs ceintures. Uryzmæg avertit sa femme, qui lui montre ses réserves de nourriture et de boisson, et il convoque les Nartes au festin. Et il n'est plus question de Syrdon.

c) *ONS*, pp. 35-36. Tout proche de b).

d) Šifner, *Eloge du Narte Uryzmæg*, pp. 71-72 = *LN* n° 6, *b*, p. 38.

Misère et famine fondent sur les Nartes qui n'ont même plus la force de sortir. Un jour, parmi quelques-uns qui ont réussi à se traîner jusqu'au *nyxæs*, Uryzmæg est assis sur un banc de pierre, dans sa grande chouba. Un chien passe; il leur saute dessus, leur lèche la barbe, etc., — et Syrdon se moque d'eux.

8. Syrdon, les Nartes et Batradz

Dans une des variantes du récit qui raconte comment Batradz vengea cruellement sur les Nartes le meurtre de son père Xæmyc, Syrdon, consciemment sans doute, donne aux Nartes embarrassés un conseil terriblement pernicieux.

---

1. Le fameux *chachlyk* caucasien; en ossète *fizonæg*.
2. C'est-à-dire Satana.

a) J̌. Šanajev *1, Vengeance du Narte Batradz*, p. 32 = *LN*, n° 18 *d*, p. 67.

Batradz, s'adressant aux Nartes sur le *nyxæs*, leur dit : « Vous avez tué mon père, je suis resté orphelin et vous ne m'avez pas encore payé compensation comme il est d'usage. Je vais donc aiguiser ma bonne épée et, l'un après l'autre, ou par deux, je vous exterminerai. » Effrayés, les Nartes s'entreregardent. Alors l'ingénieux Sirdon, fils de Gatag, appelle à part les principaux Nartes et leur dit : « Ne vous chargez pas d'être juges dans l'affaire du meurtre de son père ! — Que faire ? demandent-ils. — Allez-lui dire : "Garde-nous ta grâce ! Tes lèvres — ton jugement [1] ! Ce que tu nous diras de faire, nous l'accomplirons !" Si vous lui parlez ainsi, il s'adoucira et aura pitié de vous. » Mais, quand les Nartes vont trouver Batradz et lui tiennent ce propos, il leur répond : « Fils de chiens, Nartes ! puisque "mes lèvres — mon jugement", je vais vous donner une tâche facile... » Et il leur impose successivement plusieurs tâches impossibles, ce qui lui permet de les massacrer.

b) Dans une autre variante, Šifner, pp. 33-40 = *LN* n° 18 b, p. 65, Syrdon, déguisé, détourne effectivement la colère de Batradz sur d'autres « responsables » et sauve ainsi les Nartes.

c) *ONS, Comment Batradz vengea son père*, pp. 320-332.

Batradz exige compensation pour le meurtre de son père et l'offense faite à sa mère avant sa propre naissance (cf. ci-dessous n° 9). Syrdon donne d'abord aux Nartes le même conseil que dans la variante a). Puis, après les exigences impossibles de Batradz, il accepte de les sauver à condition que, chaque année, au « Jour du Partage », ils lui abandonnent les bœufs paresseux, les génisses malingres et les agneaux d'un an maigres. Ils acceptent. Syrdon va trouver Batradz et lui dit — ce qui est faux — que les meurtriers de son père sont les Esprits célestes. Batradz se fait tirer comme une flèche sur un arc et détruit l'assemblée des Esprits (cf. variante b).

Voici des récits qui racontent des méchancetés que Syrdon a faites à un Narte particulier : Xæmyc, Uryzmæg ou Soslan-Sosryko. Et d'abord à Xæmyc et à sa jeune femme :

---

1. C'est-à-dire : « Rends le jugement que tu voudras. »

9. Syrdon, Xæmyc et la femme de Xæmyc

Batradz est né, on l'a vu [1], d'un abcès formé dans le dos de son père Xæmyc par un crachat (ou un souffle) de sa mère. Comment les choses en étaient-elles arrivées à ce point d'étrangeté ? Nous avons d'assez nombreuses versions de l'événement et Syrdon, par sa curiosité maligne, son insolence ou ses commérages, est presque toujours responsable.

a) Vs. Miller, *Os. Et.* 1, 1, *Comment naquit Batradz,* pp. 14-17 = *LN*, nᵒ 11, *a*, pp. 50-51.

Le Narte Xæmyc, au cours d'une expédition de chasse, rencontre un jeune garçon qui l'émerveille par ses dons de chasseur. Il lui demande en mariage une fille de sa famille et tous deux vont chez les parents du garçon, qui lui donnent leur fille. Mais le garçon prévient son nouveau beau-frère : « Si quelqu'un fait un reproche à ma sœur, ou elle se tuera, ou il faudra la ramener au lieu d'où tu l'as prise ! » Arrivé chez les Nartes, Xæmyc installe sa jeune femme au sommet d'une tour où elle semble à l'abri des risques. « Mais, dit le texte, où Syrdon n'était-il pas le fléau des Nartes [2] ? » Un matin il réussit à aller la trouver, la regarde et dit : « Maudite créature, catin ! Tes pareilles ont-elles jamais osé venir chez les Nartes ? Jusqu'à quand resteras-tu en haut de la tour, sans descendre ?... » Après quoi, naturellement, la jeune femme dit à Xæmyc, d'une voix noyée de larmes, que le pacte est rompu : « Votre *saulæg* [3] Syrdon m'a dit telle et telle injure et je ne puis plus vivre ici. Ramène-moi chez mon père ! » Xæmyc ne peut que consentir. Elle ajoute : « Je t'aurais enfanté un fils tel qu'il n'y en aurait pas eu deux dans le monde. Maintenant, je vais te souffler entre les deux épaules. Quand je soufflerai, il se formera une grosseur. Compte les mois, et fais-la ouvrir. L'enfant qui en sortira, jette-le dans la mer [4]... »

---

1. V. ci-dessus, p. 134.

2. *Syrdon fydbylyz kæm næ udis Nartæn ?* Le mot *fydbylyz* signifie exactement « mal, malheur » (« Übel, Unglück », dit le dictionnaire de Vs. Miller).

3. *sau-læg* proprement « homme noir » : dans la société hiérarchisée des Ossètes, c'est le nom de la dernière classe avant les esclaves (*kusæg*). C'étaient des hommes libres; seulement certaines familles de *sau-læg*, s'étant installées sur des terres appartenant à un *ældar* (noble), payaient une redevance au propriétaire.

4. Pour le tremper : c'est Batradz, le héros d'acier.

b) J̌. Šanajev *1, Comment naquit Batradz,* pp. 27-32 =
LN, n° 11, *b,* p. 52.

Au moment où l'inconnu, « le fils de Bcen », donne sa sœur à
Xæmyc — contre trois mille roubles — il lui dit : « Nous sommes
très susceptibles. Aussi, si ma sœur entend, de qui que ce soit,
une parole offensante, il faudra la ramener chez nous, car elle te
sera inutile... »

Xæmyc place sa femme au septième étage de sa maison et lui
défend de descendre. Le lendemain, quand Xæmyc vient au *nyxæs,*
les Nartes admirent son beau vêtement; ils découvrent ainsi qu'il
est marié. « Comme nous voudrions voir, disent-ils, la femme qui
coud de si beaux vêtements ! Quelle figure, quelles proportions,
elle doit avoir ! » Mais, naturellement, ils n'ont aucun moyen de
la voir. Sur ces entrefaites, la jeune femme devient enceinte.

Mais il y a, parmi les Nartes, le malfaisant Sirdon. Une fois
qu'ils expriment leur étonnement comme à l'ordinaire sur la
femme de Xæmyc, Sirdon leur dit : « Pourquoi n'allez-vous pas
voir cette femme qui vous étonne tant ? — Il est impossible de la
voir; s'il existe un moyen, fais-le toi-même ! » Alors Sirdon,
pendant l'absence de Xæmyc, observe les issues de la maison, se
glisse à l'intérieur et regarde la jeune femme. Il est étonné et dit :
« Ah, malheur aux Nartes ! C'est cela que vous appelez une
beauté ? Elle est tout juste grande comme ce qu'on peut prendre
d'un morceau de gibier avec les dents, et son derrière traîne sur
les mottes de terre ! » Revenu aux *nyxæs,* Sirdon répond aux
questions empressées des Nartes : « Une femme qui traîne son
derrière sur les mottes de terre, est-ce que je peux appeler ça une
beauté ?... » Quand Xæmyc rentre, sa jeune femme lui dit :
« Ramène-moi chez moi ! Il est venu un homme qui m'a regardée
du haut de la tour et qui s'est mis à me dénigrer ! »...

... Au moment où ils se séparent, elle crache dans le dos de son
mari : l'embryon passe ainsi de la mère au père.

c) G. Šanajev, *Récit sur le Narte Xæmyc, le lièvre blanc
et le fils de Xæmyc, Batradz,* pp. 6-9 = *LN,* n° 11, *c,*
pp. 52-53.

Dans cette version, toute mythologique, la jeune femme est une
fille de Don-Bettyr, génie des eaux; elle est une de ces « Filles
des Eaux » auxquelles les jeunes filles ossètes font des offrandes
d'œufs, de beignets, de gruau et de bière de millet, le samedi qui
suit la semaine de Pâques [1]. La clause « mélusinienne » du
mariage est celle-ci : la jeune femme ne peut vivre à la lumière du

1. G. Šanajev, *l. c.,* p. 6, note.

soleil que couverte d'une carapace de tortue; elle portera donc
toujours ce masque, sauf la nuit.

Parmi les Nartes qui assistent à la noce, il ne pouvait pas ne pas
y avoir Syrdon, fils de Gætæg, *kævdæsard* [1] de l'illustre famille
des Boratæ, astucieux compère, qui vivait à ne rien faire, selon
son caprice, et qui aimait à provoquer des malheurs [2]. Il tâche
donc de savoir qui est cette fiancée recouverte d'une peau de
tortue. Il s'assied dans le char volant qui amène la jeune fille dans
la maison de Xæmyc. Et, tandis que les Nartes, légers et
insouciants de l'avenir comme à l'ordinaire, se livrent aux
réjouissances, Syrdon n'a constamment qu'un objet en tête : cette
fille de Don-Bettyr, qui ne se montre en public que sous un
masque de tortue. C'est plus fort que lui : il lui faut trouver le
moyen de l'amener à s'en dépouiller. Nuit et jour, il se frappe la
tête, il veut voir la jeune mariée dans tout son charme, se repaître
du spectacle de sa beauté. Il forme divers plans. Enfin il se glisse
dans la chambre des époux et se cache sous le lit. Quand la jeune
femme enlève sa carapace, la splendeur de son corps
illumine toute la pièce comme font les feux des diamants : point
n'est besoin d'éclairage... Elle s'endort d'un sommeil profond.
C'est tout ce que souhaite le rusé Syrdon. Il se saisit de la carapace et la jette dans le feu, où elle brûle. Avant le jour, Xæmyc
et sa jeune femme veulent s'habiller, elle cherche sa carapace, —
en vain. Alors elle se tourne vers son mari et lui dit : « Je n'ai
plus mon masque et, sans lui, je ne puis vivre sous le chaud
climat de la terre; il faut que nous nous séparions pour toujours. »
Or elle était enceinte... Elle a juste le temps de transmettre le
germe à Xæmyc et disparaît instantanément. Son germe passe à
Xæmyc dans une excroissance qui se forme sur son dos.

d) Vs. Miller, *Os. Et.* 1, 3, n° 12, *Récits sur Batradz,*
p. 48 = *LN*, n° 11, *d*, p. 53.

La fiancée de Xæmyc est une femme toute petite et laide, mais
qui lui plaît. Il la porte dans sa poche partout où il va, et elle est

1. V. ci-dessus, p. 150, n. 2.

2. G. Šanajev, *l. c.*, p. 7, note, après avoir dit que Syrdon était un *sangvinik*
qui s'efforçait de découvrir tous les secrets et dont les Nartes ne pouvaient se
passer dans leurs jeux et dans toutes leurs entreprises, ajoute : « Les Ossètes n'ont
pas encore oublié sa maison souterraine, aux multiples sections. Ils disent entre
eux "maison de S." (*Syrdony xædzar*) pour désigner un bâtiment qui contient beaucoup
de divisions. La tradition dit qu'il était impossible, quand on ne les connaissait
pas, de trouver l'entrée et la sortie de la maison de Syrdon. » Tuganov, dans son
article « Kto takie Narty ? » (Qu'est-ce que les Nartes ?), *Izv. oset. instit.*
krajevedenija, 1 (Vladikavkaz, 1925), p. 376, dit qu'en Digorie, près du lieu
appelé *Mæxčesgi xubus*, on montre un rocher sur lequel est gravé le plan d'un
labyrinthe sans issue : c'est la maison de Syrdon. Cf. ci-dessus, p. 148, sous le
n° 4, b).

très éprise de lui. L'astucieux Sirdon sait cela et en prend prétexte pour bafouer les Nartes : « Vous n'avez plus d'usages, de loi [1] ! L'un de vous porte sa femme dans sa manche, un autre dans sa poche ! » Devinant que Sirdon a découvert son secret, Xæmyc dit à sa femme : « J'ai peur que Sirdon ne se moque de moi devant les Nartes parce que je te porte sur moi. Il vaut mieux que je te ramène chez tes parents. » Sa femme lui dit : « Bien que nous n'ayons pas couché ensemble, un fils merveilleux te naîtra : sur ton dos va pousser une tumeur », etc.

e) *Pamj. 2*, n° 8, *Naissance de Batradz*, pp. 19-21 = *LN*, n° 11, *e*, p. 53.

La fiancée de Xæmic, Agunda, est d'abord une petite grenouille, qui se transforme en une très belle fille aux cheveux d'or, aux sourcils noirs comme les ailes du corbeau : sa forme animale est destinée à la garantir de la chaleur du soleil et du froid de la terre. Sa mère la donne à Xæmic à condition que nul des habitants de la terre ne la voie ni ne la connaisse. S'il manque à cette condition, il devra ramener la jeune femme. Xæmic jure qu'il en sera ainsi, met la grenouille dans sa poche et retourne chez les Nartes. Un jour, Satana prépare un grand banquet auquel tous les Nartes assistent, jeunes et vieux, hommes et femmes. Xæmic s'y rend, avec sa femme dans sa poche. Le service était fait par le fléau des Nartes, Sirdon [2]. Sirdon renverse une coupe sur la tête des vieillards nartes en criant : « Nartes, que Dieu ne vous pardonne pas ! Il y a, assis parmi les vieillards nartes, des gens qui ont des femmes dans leur poche et qui viennent ainsi aux banquets avec de jeunes mariées ! » Tenu par son serment, Xæmic doit renvoyer sa femme. C'est lui, dans cette version, qui lui crache dans le dos et la rend ainsi enceinte.

f) *ONS, Naissance de Batradz*, pp. 236-238.

Variante toute proche de la précédente. La jeune femme grenouille est dite Bceron, « de la famille des Bcer ». Xæmyc frappe violemment Syrdon après son indiscrétion. La fin est du type ordinaire : c'est la jeune femme, en s'en allant, qui souffle dans le dos de son mari, y transférant l'embryon.

---

1. On sait l'importance des *adaty* (coutumes, maintenues et appliquées par les vieillards) dans toutes les sociétés caucasiennes : c'est le fameux *xabze* des Tcherkesses, aussi minutieux et aussi impérieux que le *li* des Chinois. L'administration russe avait fait recueillir les *adaty* des Ossètes en 1844 : c'était un véritable code.

2. *æmbardi sinonxast ba Narti xijnæ Sirdon adtæj.*

10. Syrdon, les Nartes et le vieil Uryzmæg

Contre Uryzmæg vieilli — et donc menacé, puisque l'âge, en pays scythique, n'inspire pas de respect [1] — Syrdon sert allègrement les intentions homicides des jeunes Nartes.

a) *Pamj. 1*, nᵒ 12, *Comment les Nartes voulurent tuer Uryzmæg*, pp. 72-74 = *LN*, nᵒ 15, pp. 57-58.

Tous les Nartes étaient réunis dans la maison des Alægatæ pour un *afædzy-æmbyrd-syty-kuvd*, c'est-à-dire une grande « beuverie d'honneur de réunion annuelle ». A cette époque, Uryzmæg avait beaucoup vieilli et avait renoncé à participer aux banquets et réjouissances; c'est à peine s'il se traînait jusqu'au *nyxæs*. Les jeunes Nartes voulaient le faire mourir dans une saoulerie honteuse mais ils ne savaient comment l'attirer à leur banquet. Ils réfléchirent beaucoup, vainement. A la fin, le malfaisant Syrdon leur dit : « Ne vous inquiétez pas, je vous amènerai Uryzmæg et vous vous amuserez de sa vieillesse ! » Syrdon alla trouver Urymæg sur le *nyxæs* et lui dit : « Bonjour, mon aîné ! Pourquoi rester tristement assis ? Il y a aujourd'hui un grand banquet chez les Alægatæ et les jeunes Nartes m'ont chargé de t'inviter. » Uryzmæg refusa et Syrdon revint au banquet. On le pria de tenter une nouvelle démarche. Il y alla, se grattant la tête avec son bâton, et dit à Uryzmæg : « Non, il n'est pas digne de toi de ne pas être au milieu des Nartes !... — Vas-y, mon vieil homme, dit alors Satana à Uryzmæg; prends mon petit mouchoir de soie : si les Nartes veulent te faire du mal, jette-le à terre. »
Pendant le banquet, on fait boire Uryzmæg tant et tant que le sang lui monte aux yeux : il jette le mouchoir et aussitôt, magiquement prévenue, Satana prie Dieu d'envoyer sur terre Batradz. Furieux, tout brûlant, Batradz arrive sur le seuil des Alægatæ au moment où Nartes et Uryzmæg échangent, suivant l'usage, des défis en forme d'énigmes. Il s'élance dans la salle. Mais Syrdon a le temps de se transformer en hirondelle. Comme il s'envole, Batradz, d'un coup d'épée, lui fend la queue : c'est de ce jour, dit-on, que les hirondelles ont la queue fendue. Batradz fait alors un beau massacre de Nartes.

b) *ONS*, *Comment Batradz sauva Uryzmæg*, p. 258-262.

Variante toute proche. Syrdon transmet l'invitation des Boratæ d'une manière insolente : « Si tu veux y aller, vas-y; si tu ne veux

---

1. V. ci-dessus, p. 134.

pas, n'y vas pas ! » Pendant le festin, Syrdon remarque le stratagème conseillé par Satana : il a un entonnoir dissimulé sous son vêtement et il y verse le liquide. Syrdon conseille aux Boratæ de faire porter un toast debout. C'est alors qu'Uryzmæg a recours au mouchoir de soie. Syrdon se sauve par la cheminée.

11. Syrdon et Soslan

Mais c'est contre Soslan (ou Sosryko) que l'ingéniosité mauvaise de Syrdon est continuellement à l'affût. On a vu que, dans une variante, cela remonte loin : à leur naissance.

D'autres récits qui ne font pas naître ensemble les deux personnages expliquent autrement leur animosité réciproque.

a) *ONS, Pourquoi Syrdon devint l'ennemi de Soslan,* pp. 112-117.

Un jour Syrdon conduit son fils aux Nartes et leur dit : « Prenez-le comme cible et tirez des flèches. Si l'un de vous l'atteint, tant pis pour moi. Mais si vous ne réussissez pas à le tuer ni a le blesser, vous me paierez un bœuf par maison ! » Les jeunes Nartes acceptent d'enthousiasme. Pendant des jours, du matin au soir, ils tirent des flèches sur le garçon : aucune ne l'atteint et déjà Syrdon s'apprête à recevoir les bœufs. A ce moment Soslan rentre d'une expédition. Les jeunes gens l'informent, l'entourent de manière que Syrdon ne le voie pas et le mènent à la place où se fait le jeu. D'une flèche il tue le garçon-cible. Syrdon creuse une tombe et enterre son fils. C'est ainsi que lui et Soslan devinrent ennemis.

b) *ONS, Naissance et trempe de Soslan,* pp. 74-77.

A sa naissance, Soslan demande que le forgeron céleste Kurdalægon le trempe dans du lait de louve : ainsi son corps sera aussi dur que l'acier. Satana sollicite Kurdalægon qui accepte. Les Nartes, sans comprendre, le regardent creuser un bassin dans un grand arbre. Syrdon devine que c'est pour tremper le nouveau-né et s'écrie : « Regardez ce qu'il fait ! Il taille un bassin de quatre doigts trop long ! » Croyant avoir mal pris ses mesures, Kurdalægon raccourcit son projet. Le résultat est que, pendant son bain de lait de louve, Soslan ne peut étendre ses jambes et que ses genoux restent vulnérables. C'est par là qu'il mourra.

L'hostilité de Syrdon se marque de bien des façons, plus ou moins graves, jusqu'à l'attentat final. Voici d'abord un récit où Syrdon se donne seulement le plaisir d'annoncer à Sosryko un malheur qui le touche et de le railler :

12. Syrdon et les deux « jeunes » de Sosryko

J̆. Šanajev *1*, *Sosryko*, pp. 3-5 = *LN*, n° 22, p. 84.

Au petit jour, les deux jeunes compagnons (*kæstærtæ* [1]) de Sosryko sont allés seuls, sans leur aîné (*xistær*), à un rendez-vous de combat que Sosryko avait pris avec trois guerriers nogaï : retenu par une ruse de la belle Agunda, sa maîtresse, Sosryko était encore à midi dans son lit. Les Nogaï ont tué sans peine les deux jeunes gens. Sirdon, passant près de la maison de Sosryko, lui crie : « Qu'il est doux de reposer dans les embrassements de la belle Agunda ! Mais pendant ce temps, le soleil s'est levé, et Sosryko se soucie peu que deux jeunes garçons soient tués là-bas depuis longtemps ! » Sosryko bondit hors du lit, donnant à Agunda un tel coup de coude qu'elle reste évanouie. Il arrive juste à temps pour tuer les trois Nogaï et revient, chargé des armes des ennemis et de ses deux « jeunes ».

Dans le récit suivant, Syrdon, truquant un tirage au sort, fait échoir à Sozyryko une mission particulièrement dangereuse :

13. Syrdon, Sozyryko et le tirage au sort

a) *Pamj. 1*, n° 14, *Comment Sozyryko tua le héros Mukara, fils de Para*, p. 76 = *LN*, n° 21 *d*, p. 81.

Un très dur hiver s'était abattu sur les Nartes. Ils n'avaient pas de quoi nourrir leurs grands troupeaux de chevaux, qui mouraient de faim. Ils se réunirent et délibérèrent longtemps sans trouver aucun moyen. Alors le malfaisant Syrdon, fils de Gætæg, leur dit : « Mes seigneurs Nartes, que je mange vos maladies ! Il est difficile de sauver vos chevaux si vous ne les poussez pas du côté de la mer, là où les champs et les steppes sont libres de neige et de froid. Mais qui de vous peut faire cela ? Uryzmæg est déjà

---

1. V. ci-dessus, p. 144, n. 1.

vieux et tous les autres sont trop orgueilleux. Mais je sais bien que si les riches steppes de là-bas ne sauvent pas votre fortune, c'en est fait de vous : poussez-y vos troupeaux ! » Les Nartes s'assemblèrent. Il y avait là Uryzmæg, Čelaxsærtæg fils de Xyz, Sæjnæg-ældar, Xæmyc, Soslan et Sozyryko. Quand ils furent réunis, les Nartes dirent : « Jetons les sorts : celui qu'ils indiqueront, c'est lui qui conduira les troupeaux de chevaux des Nartes vers les riches steppes du bord de la mer ! » Ce fut à Syrdon qu'il revint de jeter les sorts. Il retourna sa misérable coiffure, recueillit les *xal* [1] de tous les Nartes, y compris Sozyryko. Syrdon n'aimait pas Sozyryko. Il prit donc le *xal* de Sozyryko et le cacha entre ses doigts tandis qu'il mettait les autres dans son chapeau. Il tira au sort, selon l'usage, une première et une seconde fois pour rien. La troisième fois, naturellement, il « amena » le *xal* de Sozyryko et le lui rendit. Alors Sozyryko rassembla tous les grands troupeaux de chevaux des Nartes et les poussa vers les riches steppes du bord de la mer, — où l'attendaient de périlleuses aventures qu'avait sans doute prévues Syrdon.

b) *ONS, Soslan et les fils de Tar,* pp. 94-95.

C'est Uryzmæg, au cours de ce terrible hiver, qui dit aux Nartes que les seuls pâturages accessibles sont ceux des dangereux fils de Tar, Mukara et Bibyc. Syrdon truque le tirage au sort et fait désigner Soslan. Celui-ci songe d'abord à le tuer, mais réfléchit qu'il aura l'air, s'il fait cela, d'avoir peur de l'expédition et il épargne Syrdon.

14. Syrdon, Čelaxsærtæg et la cuirasse de Sosryko

J̌. Šanajev *1, Les Alægatæ,* pp. 5-9 = *LN,* n° 25, *a,* pp. 96-97.

Les Alægatæ avaient chez eux tout ce qui peut se manger et se boire. Un jour ils invitèrent les Nartes qui se distribuèrent, pour banqueter, en quatre équipes. L'une avait à sa tête Uryzmæg, une autre Xæmic, la troisième Sosryko et la quatrième Čelaxsætæg, fils de Xiz, un riche homme de la classe des *færsag* [2]. Les Nartes se mirent à boire et à porter des santés. C'était Sirdon qui servait. Ils burent avec frénésie et une querelle éclata entre Sosryko et

---

1. Petit morceau de roseau, marqué d'un signe de reconnaissance, que fournit chaque participant.
2. La deuxième classe de la société, au-dessous des *ældar.*

Čelaxsærtæg, le premier affirmant qu'un *færsag* n'avait pas le droit de présider une table. Čelaxsærtæg protesta et défia Sosryko à la danse. Les enjeux étaient, du côté de Čelaxsærtæg, sa sœur, la belle Agunda; du côté de Sosryko, la « cuirasse de Cerek » *(Ceredzi sgær)* qu'aucun coup ne pouvait entamer, le « casque de Bidas » *(Bidasy taka)* et son épée narte. Dans un premier match de danses assez simples, Čelaxsærtæg l'emporta déjà sur Sosryko, tournant comme une roue de moulin sur les poignards des Nartes. Ensuite, les Alægatæ firent apporter la fameuse coupe à quatre anses appelée *Nartamongæ* (« Révélatrice des Nartes »). Sirdon l'emplit de boissons diverses, de serpents, de lézards, de grenouilles, de tout ce qu'ils purent trouver, et les Alægatæ dirent : « Celui qui dansera avec le *Nartamongæ* sur la tête sans rien renverser sera le meilleur danseur ! » Sosryko dansa et laissa couler quelques filets de liquide. Čelaxsærtæg, tout en dansant, tira de la coupe tantôt un serpent, tantôt un lézard et en frappa la poitrine de Sosryko. Quand il s'assit, les Nartes lui donnèrent la victoire.

Sosryko dit alors à Čelaxsærtæg : « Je vais étaler devant toi toutes mes cuirasses. Si tu reconnais la cuirasse de Cerek, prends-la ! » Ainsi fit-il, et Čelaxsærtæg fut bien embarrassé : toutes les cuirasses présentées étaient semblables... Sirdon appela Čelaxsærtæg à l'écart et lui dit : « A présent, il cherche à te rouler, il ne te donnera pas l'enjeu que tu as gagné. Monte en selle, prends ta lance, éperonne ton cheval et fais le tour des cuirasses en criant : "Voici la bataille, cuirasse de Cerek !" La cuirasse de Cerek bondira alors d'elle-même et viendra à toi, car elle aime la bataille. Emporte-la. Autrement, de bon gré, Sosryko ne te la donnera pas ! » Čelaxsærtæg suivit le conseil et emporta la cuirasse, talonné par Sosryko jusqu'à sa forteresse.

Dans un épisode de la guerre ainsi provoquée, Syrdon intervient d'une manière particulièrement cruelle :

15. Syrdon et la mort du jeune allié de Soslan

a) *Pamj. 2*, n° 15, *Les troupes de la forteresse de Gori*, texte pp. 49-50, trad. pp. 45-56 = *LN*, n° 25, *d*, pp. 98-99.

Soslan, avec les Nartes qu'il a convoqués, assiège la forteresse de Gori où réside Jelaxsærdton, dont il veut conquérir la sœur. Jelaxsærdton dispose de trois flèches magiques, infaillibles. Un tout jeune garçon narte, Zimajxuæ, a demandé à accompagner

Soslan, qui a fini par l'admettre. Au cours du siège, il dit à Soslan : « Je vais aller m'installer sur le sommet du rocher noir qui domine la forteresse et je le désagrégerai à coups de pied. Mais, pendant ce temps, Jelaxsærdton décochera contre moi une de ses trois flèches. Elle m'atteindra au pied, dans le tarse, et je tomberai du haut du rocher. Alors, toi, prends-moi avant que j'aie touché terre et emporte-moi jusqu'à ce que tu aies franchi sept ruisseaux. Après, il arrivera ce que Dieu veut : nous prendrons la forteresse et nous emmènerons pour toi la belle Agunda. Si tu ne fais pas jusqu'au bout ce que je t'ai dit, je mourrai et tu échoueras dans ton entreprise. » Zimajxuæ se hisse donc sur le rocher et en fait dégringoler des blocs qui détruisent tout un quartier de la forteresse. Jelaxsærdton lui décoche une flèche au moment où il lève son pied, la flèche le frappe au tarse et le petit garçon roule sur la pente comme une gerbe de blé. De ses deux mains puissantes, Soslan tend sa bourka noire, le recueille avant qu'il ait touché terre et l'emporte aussitôt. Il a déjà franchi trois ruisseaux quand il rencontre Sirdon, qui a pris les traits d'un vieillard, portant sur l'épaule un vieux sac, un râteau et une fourche cassée. « Où vas-tu si vite, vieillard ? demande Soslan. — Les Nartes viennent de prendre la forteresse de Gori : peut-être pourrai-je y ramasser quelque chose; alors j'y vais vite... Mais, toi-même, tu ressembles à Soslan. Où vas-tu donc, avec ce mort ? Jeræxcau, fils de Dedenæg, a emmené avec lui la belle Agunda... » Soslan ne croit pas ce discours et continue. Il ne lui restait plus à franchir que le septième ruisseau quand Sirdon se présenta encore devant lui, sous la forme d'une vieille femme en train de filer. Elle s'étonna : « Tu es bien Soslan, qu'est-ce que tu as à emporter ce mort ? Les Nartes ont pris la forteresse de Gori et Jeræxcau, fils de Dedenæg, a emmené Agunda pour l'épouser... » Cette fois Soslan crut aux paroles de la femme, déposa sur sa bourka le corps du garçon, le plaça sur un kourgan (tumulus) et rejoignit en courant son armée : elle attendait tranquillement de ses nouvelles. Il comprit alors sa faute et revint au kourgan, mais il y trouva le garçon mort. Sirdon avait jeté sur lui la « terre du cadavre ». Soslan se rendit à l'évidence et congédia son armée. Quant à lui, il égorgea un bœuf, vida l'enveloppe du ventre et entra dans ce ventre, juste entre les mois de juin et de juillet [1].

---

1. *axuædæg ba jeu gal ravgarsta, æ xurfi dzaumauti jin rakaldta ma uoj xurfi bacudæ tægkæ amistolæj sosæni astæu.* Je traduis littéralement le texte ossète, car la traduction russe des *Pamj. 2* n'est pas exacte: *amistol* n'est pas août, mais juin. Pour la date, v. ci-dessous, p. 187. Sur la signification de cet épisode, v. mes *RSA*, 1978, pp. 276-282.

b) Vs. Miller, *Os. Et.* 1, 1, *Uryzmæg et Sozryko*,
pp. 44-45 = *LN*, nº 25, *b*, p. 98 [1].

Dans cette variante, où l'adversaire de Sozryko est appelé
Čilaxsærdton, c'est non pas Sozryko, mais un des Nartes de son
armée, Uryzmæg, qui recueille le petit garçon au moment où il
tombe du rocher, le pied traversé d'une flèche qui ressort par le
genou. « En ce temps-là, dit le texte, quand on portait quelqu'un
[mourant] par-delà trois vallées, il ne mourait pas. » Uryzmæg
prit donc le garçon sur son dos et se mit en devoir de lui faire
passer les trois vallées fatidiques. Il en avait déjà passé deux, —
mais il y avait Syrdon, le fléau des Nartes. Il dit à Uryzmæg :
« Aha, Uryzmæg, ta troupe est en déroute et, toi, tu as pris sur
ton dos un fils de sorcière et tu le portes... » A ces mots,
Uryzmæg jeta son fardeau, — et c'est pourquoi le garçon mourut.

Voici enfin le grand crime de Syrdon : le meurtre — par
personne interposée — de Soslan (ou Sosryko) :

16. Syrdon et le meurtre de Soslan (Sosryko)

a) *Pamj.* 1, nº 6, *Comment Sosyryko épousa la fille du
Soleil et comment il mourut*, pp. 46-47 = *LN*, nº 28, *a*,
p. 104 et nº 29 *b*, pp. 107-108.

Sosyryko, sur son cheval, revient du monde des morts, où il est
allé consulter sa première femme, défunte. Elle lui a bien
recommandé de passer sans s'arrêter, pendant son retour, devant
tous les objets qu'il rencontrerait. Docile à cet ordre, il laisse ainsi
à terre des pièces d'or, une queue de renard en or. Mais voici
qu'il aperçoit un vieux bonnet. Il se dit : « Pourquoi ai-je écouté
cette femme infidèle et légère ? J'ai perdu des trésors... » Et il
ramasse le vieux bonnet en disant : « Il ira très bien à nos jeunes
filles pour essuyer le moulin ! » Or, ce bonnet n'était qu'une
forme prise par le fils de Gætæg, le menteur (*gædy*) Syrdon.
Syrdon entra dans le cœur de Sosyryko et de son cheval. Nul ne
savait jusqu'alors sur la terre comment on pourrait causer la mort
de Sosyryko et de son cheval, car ils étaient invulnérables. A un
certain point de la route, comme Sosyryko, mécontent de son
cheval, le menaçait et le frappait, le cheval lui dit : « Que dieu ne
te pardonne pas, Sosyryko ! La mort ne peut me venir que de

---

1. D'autres variantes content la mort du petit héros sans faire intervenir la
malignité de Syrdon : J. Šanajev *I, Les Alægatæ*, pp. 5-9 = *LN*, nº 25 *a*, p. 97.

dessous mes sabots ! — Et moi, répliqua le héros, la mort ne peut me venir que de mes jambes, parce que mes jambes sont en simple fer noir, tandis que le reste de mon corps est en pur acier noir ! A moins que la Roue de Barsag ne roule contre moi et ne me coupe les jambes, je ne risque pas d'autre mort ! Il n'y a que la Roue de Barsag qui puisse me donner la mort... » Ayant tout entendu, Syrdon sauta de la poche de Sosyryko. Il appela les diables et ils se mirent à tirer des flèches sous les sabots du cheval. Le cheval dit : « Me voici tué. Mais prends ma peau, fais-en un *burdjuk* [1] et remplis-le de paille, je m'efforcerai de te ramener chez toi [2]... » Sosyryko fit ainsi. Mais Syrdon, quand il entendit les paroles du cheval, courut sous terre et dit aux diables avec colère : « Anes que vous êtes ! Faites chauffer les pointes de vos flèches, et lancez-les, rouges comme feu ! » Les diables obéirent, les flèches touchèrent le cheval empaillé au ventre et l'enflammèrent : toute la peau brûla. Sosyryko dut rentrer chez lui à pied.

A quelque temps de là, à la chasse, Sosyryko se voit soudain poursuivi par la « Roue de Barsag », — roue dentée, arme étrange, animée, douée de parole. Elle roule à grande allure et commence par couper les jambes des compagnons du héros. Il se lance à son tour à sa poursuite, mais comment l'atteindre ? Vainement il prie divers arbres (le platane, l'aulne) d'arrêter la Roue : ils refusent et il les maudit. Le bouleau a plus de courage; grâce à lui Sosyryko peut d'abord, de trois flèches, casser trois dents (*dandæg*) de la Roue, puis la saisir et la frapper de son épée. Il bénit le bouleau et emmène la Roue captive chez les Nartes. Elle reste là douze ans et les Nartes s'en servent pour transporter le fumier dans leurs champs. A la fin, elle obtient sa liberté moyennant le serment solennel, par-devant Dieu, d'aller tuer son propre maître, Barsag.

Comme elle traverse le village, elle rencontre une jeune fille — qui n'est autre que Syrdon — qui lui demande : « Où vas-tu, Roue de Barsag ? — Je vais tuer mon maître ! — Et pourquoi le tuer ? C'est un des meilleurs parmi les Nartes. — Sosyryko m'a obligée à jurer par-devant Dieu que je tuerai Barsag. » Alors Syrdon dit à la Roue : « Ne trompe ni Dieu ni Sosyryko, fais comme ceci : ne tue pas Barsag, coupe lui seulement le bout des dix doigts des mains et des dix doigts des pieds; alors il te fera encore meilleure (c'est-à-dire plus forte) que tu n'étais ! » La Roue ne l'écoute pas et continue à rouler, tandis que Syrdon disparaît. Une deuxième fois, au milieu du village, sous les traits d'une vieille femme, puis une troisième fois, au bout du village,

1. Sorte d'outre de peau.
2. Cf. *LN*, pp. 160-161.

sous les traits d'un vieillard, Syrdon pose la même question et
donne le même avis. A la fin, la Roue se dit que cette jeune fille,
cette vieille femme et ce vieil homme n'ont aucun intérêt à lui
donner ce conseil, et elle le suit : elle coupe le bout des doigts de
Barsag, — et c'est depuis lors, dit le conteur, que les hommes ont
des doigts de longueur inégale.

Peu après, Sosyryko ayant insulté la fille du soleil qui se
baignait près de la mer, celle-ci prend à son service la Roue de
Barsag, en location, contre douze vaches pleines, et un jour que
Sosyryko chasse, la Roue fonce sur lui à l'improviste et lui coupe
les deux jambes. Le héros mutilé demande au corbeau d'aller
avertir les Nartes Boratæ; le corbeau refuse et Sosyryko le maudit.
Il fait la même prière à l'hirondelle, qui accepte, qu'il bénit, et
qui remplit sa mission. A la fin, après bien des résistances,
Sosyryko se laisse enterrer et se résigne à passer chez les morts.

Chaque matin, Syrdon sort avec ostentation du village en
pleurant, en se frappant la tête d'un bâton et en disant des phrases
comme il est usuel d'en dire au sujet d'un mort, sous peine
d'offenser les proches : « O Sosyryko, ô Sosyryko, comment
pourrai-je vivre, maintenant que tu n'es plus vivant ? Je suis mort,
Sosyryko, je suis perdu, ma maison est ruinée, etc. » Puis il tire
de l'écurie le beau cheval blanc, la monture aimée de Sosyryko, il
le selle après avoir mis sur son dos une plante épineuse, et il
monte : le sang du cheval coule sous la selle. Syrdon se rend ainsi
au cimetière, à la tombe de Sosyryko. Là il fait de la voltige tout
autour de la tombe en improvisant mainte variation sur le thème :
« Comme ta mort me fait plaisir, Sosyryko ! » Puis il monte sur
le toit du tombeau, s'assied, fait toutes sortes d'inconvenances et
finit par soulager son ventre. Chaque jour il répète ce manège. Un
jour, Sosyryko en a assez. Du pays des morts, il pointe sa flèche
dans la direction du toit de son tombeau et, pendant que Syrdon se
soulage, il décoche… La flèche atteint Syrdon au sommet de la
tête et il tombe mort sur la terre.

b) J̌. Šanajev *1, Mort de Sosryko*, pp. 9-12 = *LN*, n° 29
a, pp. 105-107.

Sirdon ne donne pas de conseil à la Roue qui a d'elle-même
l'idée de couper le bout des doigts de son maître pour se libérer de
son serment. Quand, dans une deuxième rencontre, la Roue a
coupé les jambes de Sosyryko, Sirdon surgit soudain près de lui.
Sosyryko lui dit : « Voici mon cheval, sellé et bridé. Va vite dire
aux Nartes ce qui m'est arrivé ! » Sirdon monte en selle et se met
à tourner autour de Sosyryko, le harcelant d'ironies. Après avoir
béni le loup, la chouette et le corbeau qui n'ont pas voulu manger
sa chair, Sosyryko prie l'hirondelle d'aller prévenir les Nartes; elle
y va, revient, et il la bénit.

Les Nartes sont sur le *nyxæs* quand l'hirondelle arrive et se met à crier au-dessus d'eux. Sirdon, qui était là, dit : « Ecoutez, Nartes, l'hirondelle vous apporte une nouvelle ! » Tout le monde se tait. Sirdon reprend : « Elle dit que Sosryko a tant tué de gibier qu'il ne peut le rapporter. Envoyez-lui des voitures dans la forêt ! » Les Nartes conduisent des voitures, mais, au lieu de gibier, c'est Sosryko qu'ils rapportent. Sosryko leur dit : « Maintenant, Nartes, donnez-moi la possibilité de tuer Sirdon de mes propres mains, puis j'irai à la place qui m'attend ! » Ils traînent Sirdon jusqu'à lui et il le tue de ses mains. Ensuite ils enterrent Sosryko avec une grande affliction et placent Sirdon à ses pieds. Suivant d'autres, ils dressent Sirdon debout, à ses pieds, en guise de *cirt* (monument funéraire) [1].

c) *Pamj. 2*, n° 6, *La mort de Soslan et la Roue d'Ojnon*, texte pp. 19-21, trad. pp. 15-18 = *LN*, n° 29 c *bis*, p. 109.

Au cours d'une chasse, Soslan rencontre une jolie fille qui s'offre à lui, qu'il refuse et qu'il insulte. Or, c'est la fille « du Père Jean [2] » (alias : « du Marsug céleste [3] »). Elle va se plaindre à son père, qui ordonne à son serviteur, « la Roue d'Ojnon » *(Ojnoni calx)* [4], de s'élancer contre Soslan. Après s'être fait retremper par le forgeron céleste Kurd-Alaugon, la Roue d'Ojnon s'ébranle pour tuer Soslan. Celui-ci, dès qu'il la voit, la prend en chasse. Il maudit successivement l'aulne, puis le charme-bouleau, qui ne savent pas arrêter la Roue. Mais elle arrive à un bosquet de noisetiers où elle s'empêtre dans du houblon et où Soslan peut l'atteindre : il bénit ces deux végétaux. Il va mettre la Roue en morceaux, mais celle-ci lui demande un délai, comme c'est, au Caucase, le droit strict des vaincus : elle jure que, trois jours plus tard, elle sera au rendez-vous sur le kourgan de Haram; là, Soslan pourra la tuer. Soslan la relâche.

La Roue s'en retourne, désespérée. Surgi on ne sait d'où, Sirdon est sur son chemin. « Pourquoi reviens-tu ainsi, déses-

---

1. Dans un récit tout différent, deux variantes : Vs. Miller, *Os. Sk.*, n° 1, *A propos de Sirdon*, p. 117 = *LN*, n° 34 *b*, fin; et *LH*, p. 69 : sur le point de mourir, Sirdon demande à Soslan (ou à sa femme) d'être enterré dans un lieu d'où il n'entendra pas le bruit des hommes : on l'enterre sous le *nyxæs* ! Puis, comme sa présence souterraine suffit à provoquer un esprit querelleur dans les assemblées, on jette son cadavre à l'eau. Mais, à cause de sa parenté avec les génies aquatiques, il ressuscite et revient persécuter les Nartes.

2. *fid Iuanej kizgæ*.

3. *uælarvon Marsugi kizgæ;* Marsug = Barsag.

4. *Ojnon* est une variante de « Jean » : Vs. Miller, *Os. Et.*, II (1882), p. 285, signale rapidement une légende suivant laquelle Soslan a été tué par « la Roue de saint Jean-Baptiste » (le Père Jean, *fyd Ioanne*).

pérée ? lui dit-il. — J'ai juré à Soslan, répond-elle, que je
serai dans trois jours sur le kourgan de Haram, et il me tuera;
c'est pour cela que je suis désespérée : je n'ai plus de force, mon
tranchant s'est émoussé... » Sirdon dit alors : « Lorsque Kurd-
Alaugon a trempé ton acier, j'étais là et j'ai volé une partie de ton
fer. Je vais te le rendre. Fais-toi tremper à nouveau, fais boucher
tes ébréchures, — et, quand Soslan sera endormi là-bas (sur le
kourgan), passe-lui sur les genoux : tout le reste de son corps est
trempé avec du *boramæz* [1] et tu ne pourrais le couper. »

C'est ce qui arrive. Solsan a les jambes coupées. Il poursuit
néanmoins la Roue d'Ojnon sur des échasses qu'il a vite ajustées
à ses moignons. Il va l'atteindre quand Sirdon dit à la Roue :
« Passe sur la terre labourée ! » Là en effet les échasses de Soslan
s'enfoncent et il ne peut continuer...

Soslan reste longtemps là, baignant dans son sang. Il maudit le
corbeau, le renard, qui se laissent tenter par ce sang et bénit le
loup qui, vertueusement, a refusé. Soudain Sirdon surgit devant
lui, tout en larmes : « Vaillant Narte Soslan, tu ne méritais
vraiment pas cette mort sans gloire... » Soslan lui dit : « Cesse de
pleurer et va annoncer mon malheur aux Nartes ! — Je ne puis
aller à pied, je prendrai ton cheval... — J'ai donné ma parole que
je ne laisserais pas, sous mes yeux, un autre monter sur mon
cheval; va donc te mettre en selle dans un endroit caché ! »
Sirdon mène le cheval dans un fourré. Il place une plante à épines
sous la couverture de la selle et monte. En passant près de Soslan,
la pauvre bête ruant, il dit : « Quel cheval mal dressé tu as,
Soslan ! — Il fera bien l'affaire de quelqu'un, — dépêche-toi, et
préviens Æxsijnæ [2] ! »

Sur le cheval tout en sueur et en sang, Sirdon arrive au village
et trouve les Nartes attablés chez le Narte Alæg [3]. Quand ils
apprennent cette nouvelle, ils préparent un si beau tombeau que,
séduit, Soslan y entre vivant. Avant d'y entrer, il fait son
testament : son épée, sa cuirasse, son arc, il les laisse à Jeræxcau,
fils de Dedenæg, avec mission de venger sa mort sur la Roue
d'Ojnon; son cheval, au bout d'un an, qu'on le remette à
Sirdon... Les survivants des Æxsærtægkatæ exécutent ce
testament. Jeræxcau finit par attraper la Roue et la met en
morceaux. Quand à Sirdon, un jour qu'il le mène à l'abreuvoir, le
cheval de Soslan lui donne un tel coup de sabot qu'il en meurt.

---

1. Le conteur ne savait plus expliquer ce mot, qui désigne plutôt de la colle, et
qui a l'air d'une 3ᵉ pers. du sg. du « potentiel négatif » d'un verbe tatar (m.-à-m.
« qui ne peut... »).

2. Satana.

3. Eponyme des Alægatæ.

d) *ONS, La mort de Soslan*, pp. 167-186.

Version analogue à la précédente, avec des variations intéressantes.

Quand Balsæg, le père de la jolie fille dédaignée, envoie la Roue contre Soslan, en même temps il l'avertit de loin : « Prends garde, rejeton des Nartes ! — Quelle arme as-tu donc, réplique Soslan, pour espérer me tuer ? — Quelque chose va t'arriver dessus, attends le choc ! — Et quelle partie de mon corps dois-je offrir au coup ? — Ton front ! »

A ce moment Soslan voit surgir la Roue. Il la reçoit sur son front et elle rebondit. Soslan veut l'attraper, elle s'échappe. Balsæg crie de nouveau : « Attention, la voici qui revient sur toi !. — Que dois-je lui opposer cette fois ? — Ta poitrine ! »

Avec fracas, la Roue heurte la poitrine de Soslan. Le héros réussit à l'attraper et lui casse deux rayons. La roue supplie, promet d'être dorénavant non la Roue de Basæg, mais la Roue de Soslan et Soslan lui fait grâce. Pendant qu'elle s'en retourne, le pernicieux Syrdon apparaît devant elle. « Bon chemin, Roue de Balsæg ! — Ne me nomme plus Roue de Balsæg, ou bien Soslan me tuera. Je suis maintenant la Roue de Soslan. — Voilà ce que sont devenues ta force et ta puissance ? demande ironiquement Syrdon. — Tais-toi, n'excite pas ma mauvaise nature. Je suis de ceux qui savent tenir leurs serments ! — Fait couler du sang de ton petit doigt et tu seras libre de ton serment. Ne sais-tu pas que c'est à toi qu'il revient de tuer Soslan ? Essaie, attaque encore une fois ! »

La Roue hésite, mesure les risques, mais Syrdon lui enseigne qu'elle peut surprendre Soslan pendant sa sieste. Vite elle va se faire remettre par Kurdalægon les rayons qui lui manquent et s'élance. Mais, ce jour-là, Soslan ne fait pas la sieste et c'est à ses douze compagnons endormis que la Roue coupe les jambes. Quand Soslan revient, il se lance à la poursuite de la Roue, maudit un grand nombre d'espèces d'arbres qui refusent de s'opposer à la Roue, jusqu'à ce que le noisetier et le houblon l'arrêtent. Soslan lui brise plusieurs rayons avec ses flèches et bénit les deux végétaux. Quand, levant l'épée, il va mettre la Roue en morceaux, elle le supplie, promettant d'aller tuer douze hommes de sa famille en compensation des douze compagnons de Soslan. Soslan la relâche.

Syrdon surgit devant la Roue, sous les traits d'un vieillard : elle peut s'acquitter de sa promesse, suggère-t-il, à peu de frais, en coupant seulement les ongles des mains et des pieds de douze hommes de sa famille. La Roue ne veut rien entendre. Sous les traits d'une vieille femme, puis sous ceux d'un jeune homme,

Syrdon renouvelle son conseil. Impressionnée par l'accord de ces trois personnes, la Roue s'y conforme. De temps en temps, Syrdon vient en outre, sous ses propres traits, l'exciter à la vengeance. La Roue résiste : n'est-ce pas de Syrdon que lui sont venus ses malheurs ? Syrdon ne se tient pas pour battu. Tant qu'à la fin, la Roue va se faire remettre par le forgeron céleste ses rayons cassés et, un jour que Soslan est à plat ventre, rampant vers un gibier, elle roule sur lui, le frappe aux genoux et lui coupe les jambes.

La fin du récit est très proche de la variante a. Syrdon aigrit les derniers moments de Soslan en prétendant que les Nartes restent à festoyer sans se soucier de lui, puis qu'ils lui préparent un cercueil et un linceul sans valeur. C'est un jeune cousin de Soslan qui attrape difficilement, après un match de métamorphoses, la Roue et la brise en deux sur la tombe de Soslan. Et Soslan, par une des trois fenêtres qu'il a fait faire à son tombeau (une donnant sur l'orient, une sur le zénith, une sur le couchant), tire la flèche qui touche Syrdon au sommet de la tête et le tue.

e) Pfaff, n° 3, *Voyage de Sozruko dans le monde souterrain, fragments*, p. 173 = *LN*, n° 29 c, p. 108, et pp. 113-114.

Dans cette variante très altérée, Syrdon, qui intervient tout autrement, a le beau rôle.

Un jour, Sozruko voulut aller visiter les morts, mais il ne put trouver la porte de leur demeure. Or, dans le ciel, vivait Balsik, qui avait une grande Roue [1], et cette Roue connaissait le chemin qui mène au monde souterrain. Sozruko pria Balsik de la lui prêter. Balsik consentit. Mais pour mettre la Roue en mouvement, il la plaça d'abord sur le front de Sozruko, puis sur ses genoux [2]; la Roue partit dans le mauvais sens et coupa les deux jambes de Sozruko. Bien que sans pieds, Sozruko la poursuivit, mais elle était déjà loin et bientôt elle disparut. Ne sachant que faire, Sozruko demanda conseil à l'astucieux Syrdon qui lui dit : « Pour arriver à tes fins, va prendre, dans un grand troupeau, le meilleur cheval; égorge-le et nettoie son ventre de toutes les saletés qu'il contient [3]... » Quand ce fut fait, la Roue apparut au loin. Sosruko la poursuivit, finit par lui arracher deux rayons, mais elle se jeta dans la mer Noire.

---

1. Dans une note, Pfaff explique (mais l'explication est évidemment de lui) que la Roue de Balsik, c'est l'*anankè*, le *fatum*...

2. Cf. ci-dessus la variante d et ci-dessous les variantes tcherkesses, pp. 177-179.

3. Souvenir déformé de l'épisode du cheval empaillé, ci-dessus n° 16 a, p. 167.

17. Syrdon et la fin des Nartes

La fin de la race des Nartes — en dehors des morts tragiques de quelques-uns — est racontée de diverses manières, mais elle est toujours l'effet d'un châtiment divin : Dieu la punit pour ses violences ou pour son orgueil impie. Une des variantes met Syrdon à l'origine de cette catastrophe finale.

ONS. La perte des Nartes, pp. 481-484.

Les Nartes avaient vaincu maint adversaire et nul ne pouvait se mesurer avec eux. Ils réfléchirent : quel ennemi provoquer encore ? Alors le pernicieux Syrdon leur dit : « Vous êtes toujours à prier Dieu. Tâtez donc de sa force ! Les Nartes répondirent : — Mais nous ne savons pas où il est. — Mettez-le en colère et il se montrera de lui-même. — Et comment pouvons-nous le mettre en colère ? — Quels esprits obtus que les vôtres ! Cessez de le prier, oubliez son nom, faites comme s'il n'était pas ! Modifiez les portes de vos maisons, faites-les assez hautes pour n'avoir pas besoin de vous baisser en y entrant afin que Dieu ne s'imagine pas que vous vous inclinez devant lui. Faites cela et c'est lui-même qui viendra vous trouver. »

Ainsi font les Nartes et Dieu leur envoie l'hirondelle comme parlementaire : qu'a-t-il fait pour les offenser ? D'une seule voix, les Nartes font répondre qu'ils l'ont servi assez longtemps sans qu'il daigne se montrer et qu'ils souhaitent le voir et se mesurer avec lui.

Dieu renvoie sa messagère avec une deuxième question : au cas où il serait le plus fort, souhaitent-ils que leur race périsse complètement ou se survive au moins dans une descendance dégénérée ?

Les Nartes choisissent de périr complètement : ils souhaitent une gloire éternelle, non la vie. Et Dieu commence. Quelque quantité de blé qu'ils battent en un jour, ils n'en tireront qu'un sac de grains. Mais les Nartes sont rusés : ils divisent leur récolte en meules de sept gerbes et battent séparément chacune de ces meules : chacune produit un sac de grains. Alors Dieu changea de malédiction : de jour, les épis de leurs champs seront toujours verts et ne seront mûrs que la nuit. Les Nartes essayèrent de moissonner la nuit, mais à peine mettaient-ils les pieds dans leurs champs que les épis reverdissaient. Ils trouvèrent cependant une ruse. Ils préparèrent des flèches avec des pointes ouvertes en deux branches comme des ciseaux et, pendant la nuit, les lancèrent sur leurs champs : les épis qu'elles coupaient restaient mûrs. Ils survécurent ainsi pendant un an. Puis ils se dirent : « Pourquoi faisons-nous cela ? Nous avons donné notre parole à Dieu. Plutôt une fin glorieuse qu'une vie sans gloire ! »

Et ils se laissèrent mourir.

18. Syrdon dans les légendes des peuples voisins des Ossètes

Chez les peuples voisins des Ossètes et qui leur ont emprunté l'épopée narte, Syrdon a eu des destins divers. On le voit figurer, sous le nom de *Sirdan* et sans caractère spécial, dans un groupe de Nartes (à côté de Sosruko, Račikau [1], Sibilči [2]), qu'énumère un récit des Tatars de Pjatigorsk [3]. Les Abkhaz parlent de *Šardən* et, sous l'influence du nom « Hoja Nasrettin », de *Hoja-Šardən* [4]. Les Tatars de Karatchaï ne semblent même pas connaître son nom : ils racontent, sans le faire intervenir, des épisodes qui, chez les Ossètes, sont attachés à Syrdon [5]. Les Tcherkesses non plus ne le connaissent pas : L. Lopatinskij a noté que quelques traits du caractère de l'Ossète Syrdon sont passés, chez les Qabardis (Tcherkesses orientaux), à Sosruko lui-même, qui est plus un rusé et magicien qu'un vaillant [6].

I. — *Légendes tchétchènes et ingouches sur Botoko-Širtta (Batuko-Šertuko).*

En revanche, chez les Tchétchènes, sous le nom de *Botoko-Širtta,* et chez leurs frères les Ingouches, sous le nom de *Batoko-Šertuko,* Syrdon connaît une grande fortune.

1. Le *Jeræxcau* des Ossètes.
2. Le *Sibælci* des Ossètes.
3. S. Urusbiev, *SMK* 1, 2 (1881), p. 16, n° 2, Šauaj = *LN* n° 38, pp. 127-129.
4. V. I. Abaev, *Osetinskij jazyk i fol'klor* I (1949), p. 317.
5. M. Alejnikov, *SMK*, 3, 2 (1883), pp. 145-147, n° 2, *Les Emegen* = *LN*, n° 33 *g*, p. 118.
6. *SMK* 12 (1891), 1, 2 p. 19 : cf. *RHR* 125 (1942), p. 110.

Voici ce qu'un des premiers observateurs, Čax Axrijev, disait de Botoko-Širtta il y a trois quarts de siècle [1] : « Dans toutes les entreprises des Orxustoj apparaît, comme guide et comme conseiller, Botoko-Širtta, personnage mythique, d'essence surnaturelle, qui va dans l'autre monde et en revient quand il veut [2]. Bien qu'il n'appartienne proprement ni au groupe des Njart ni à celui des Orxustoj, il est toujours du côté de ces derniers, les tirant toujours de situations critiques. Quant aux Orxustoj, ils le récompensent en le blessant de leurs plaisanteries et même parfois le regardent avec mépris : c'est le cas en particulier de Soska-Solsa [3] qui se distingue entre les Orxustoj par sa vigueur héroïque et par ses victoires [4]... »

De fait, Botoko-Širtta s'éloigne du type de l'Ossète Syrdon par deux traits importants :

1° Son caractère surnaturel plus marqué et ses rapports plus réguliers avec l'autre monde [5];

2° La disparition à peu près complète de ce qu'il y a dans Syrdon de malfaisant ou ridicule. Son rôle constant est de donner aux Orxustoj, et même à l'insolent Soska-Solsa, des conseils sincères et judicieux : par exemple, il prévient Soska-Solsa que le géant-berger Koloj-Karta est terrible-

---

1. *SSKG*, 4, 2 (1870), pp. 1-2. D'après Cax Axrijev, ce sont les *Orxustoj* (ou *Ærxstuaj*, déformation du nom ossète *Æxsærtægkatæ*) qui correspondent aux Nartes des Ossètes; les *Njart (Nært)* sont au contraire leurs adversaires. De fait, les principaux Orxustoj sont Orzmi, Pataraz, fils de Xamč, et surtout Soska-Solsa : c.-à-c. les noms mêmes des principaux Nartes Æxsærtægkatæ d'Ossétie, Uryzmæg, Batradz fils de Xæmyc, et Soslan. Ils passent leur temps en expéditions, en beuveries, ou sur le *pegata* (ingouche *pegat*) qui est, dans le village, la place publique, l'équivalent du *nyxæs* des Ossètes. Sur tout ceci, v. *LN*, pp. 5-6 et p. 6, n. 1.

2. De même, le Batoko-Šertuko des Ingouches : « Il pouvait à tout moment aller dans l'autre monde et en revenir » (Čax Axrijev, *Inguši. SSKG*, 8, 2 (1875), p. 31; il était « l'intermédiaire » entre ce monde-ci et l'autre (*ibid.*, p. 36).

3. Soska-Solsa, Sosryko et Soslan. Cf. aussi « Soslan, fils de Sosæg » (cf. variante 1 a) : H.W. Bailey, *JRAS*, 1953, p. 113, n. 8.

4. Le dernier recueil de folklore tcherkesse et ingouche avant la déportation massive de ces peuples, *Čečeno-Inguškij Fol'klor* (Moscou, 1940), pp. 249-273, contient plusieurs épisodes de l'épopée narte. Les « Orxustoj » d'Axriev sont ici nommés *Erstxuo* et notre personnage est, en ingouche, « le rusé *Batoko-Širtjaxa* ».

5. Quand les Orxustoj se jettent sur lui pour le mettre à mort, il disparaît instantanément sous terre (Čax Axrijev, *SSKG*, 5, 2, p. 38).

ment fort, — ce qui provoque les sottes protestations de
Soska-Solsa; il lui enseigne ensuite comment diminuer cette
force (à savoir, faire coucher Koloj-Karta deux semaines de
suite avec une femme [1]).

Quand il punit les Orxustoj, c'est à la suite de graves
outrages (par exemple ils lui ont tué son fils sans raison) et
d'ailleurs il leur pardonne toujours dès qu'ils le supplient et
les tire du danger où il les a placés [2]. Le Batoko-Šertuko
des Ingouches a enseigné aux hommes à faire des sacrifices
funéraires [3]; en mourant, il a exprimé le regret de n'avoir
pas complété l'éducation agricole des hommes [4]; quand
Pataraz, fils de Xamč, las de la vie, a voulu mourir, il a prié
Batoko-Šertuko de le conduire au pays des morts [5]; à
l'insolent Soska-Solsa, il donne des leçons méritées et
modérées dont celui-ci doit ensuite reconnaître le bien-
fondé [6]; il accepte de faire les commissions que lui donnent
les Orxustoj [7]…

II. — *Légendes tcherkesses sur la vieille sorcière et le meurtre de Sosryko.*

Les Tcherkesses ignorent le nom et le personnage même
de Syrdon [8]. Ils font d'autre part tuer Sosryko [9] par la Roue
dans des circonstances bien différentes que celles que
décrivent les Ossètes [10]. Mais ces récits doivent être signalés

---

1. Čax Axrijev, *SSKG*, 4, 2, pp. 4-7.
2. Chez l'ogresse Gorbož, Čax Axrijev, *SSKG*, 5, 2, pp. 38-39, = *LN*, nᵒˢ 33 *e*, 34 *d*.
3. Il a emmené avec lui dans l'autre monde un « témoin », qui certifie ensuite que les animaux sacrifiés dans ce monde-ci vont bien à destination, Čax Axrijev, *SSKG*, 8, 2, pp. 31-32.
4. *Ibid*.
5. *Ibid*., p. 36; c'est le Batradz, fils de Xæmyc, des récits ossètes.
6. Il lui dit que son fusil a la valeur d'une vache et que lui-même, Soska-Solsa, a la valeur d'un bon chien; Soska-Solsa se fâche; mais Batoko-Šertuko lui explique l'immense valeur d'une vache, — et Soska-Solsa lui-même fait peu après l'expérience de tout ce que représente un bon chien de garde, *ibid*., p. 37.
7. *Ibid*., pp. 38-40.
8. V. ci-dessus, p. 174.
9. En tcherkesse, *Sewsərəq°o, Sawsərəq°o*.
10. Sauf, partiellement, celles de Pfaff, nᵒ 16 e, ci-dessus, p. 172, et de *ONS*, nᵒ 16 d, p. 171.

ici parce que, à défaut de Syrdon, on y voit paraître une conseillère pernicieuse, une vieille femme, qui tient évidemment sa place. Voici la version qabarde, la plus anciennement publiée.

a) L. Lopatinskij, *Beštau*, *SMK* XII, 1 (1891), pp. 45-46 = *LN* n° 29 *d*, p. 109.

Au bas des pentes du mont appelé « les Cinq Monts [4] », il y a une vaste plaine où les Nartes de toute la Qabardie se réunissaient pour toutes sortes de concours : ils couraient, lançaient des pierres, tâchaient de désarçonner un cavalier d'un simple coup de main, tiraient des flèches sur un but. A tous ces jeux, l'illustre Narte Sosryko triomphait toujours et les autres étaient fort jaloux. Une fois, toutes les pentes sud du mont étaient couvertes d'une foule innombrable. On jouait à un jeu inouï : un groupe de Nartes roulaient jusqu'au sommet une Roue magique, *Žan Šarx*, munie de dents d'acier, et d'autres Nartes, installés au sommet, la lâchaient sur la pente. Sosryko était en bas. Quand vint son tour de pousser la Roue, il la poussa comme les autres, avec les mains. Alors les Nartes qui étaient en haut, voulant le perdre, commencèrent à le provoquer : « Eh, Sosryko, pousse la Roue avec la poitrine ! » Sosryko fit comme ils demandaient. — « Pousse avec le genou ! » Sosryko s'exécuta. — « Pousse avec le front ! » Sosryko le fit sans peine : en un clin d'œil, la Roue rebondissait au sommet de la montagne. Comme le soleil se couchait, le jeu fut interrompu et Sosryko s'en alla.

Pendant la nuit, une vieille sorcière vint trouver les Nartes et leur dit : Comment ? Vous voulez vous défaire de Sosryko et vous ne savez pas que son corps est invulnérable ? — Que dis-tu, vieille ? Nous n'avons jamais rien entendu de tel ! », répondirent les Nartes. — Vous haïssez Sosryko, reprit la sorcière, et moi, je hais sa mère Satanej. Ecoutez donc mes paroles : quand on tira Sosryko du ventre de la pierre où il s'était formé, sa hanche, où le forgeron appliqua les tenailles, se couvrit d'os et devint vulnérable. Demandez-lui donc de pousser la Roue magique avec la hanche ! » Le lendemain matin, quand parut Sosryko, ils lui lancèrent la Roue et il se mit à la pousser comme la veille. « Eh, Sosryko ! lui crièrent-ils, pousse avec la hanche ! » Dans l'ardeur du jeu, Sosryko oublia le danger et, quand la Roue arriva sur lui, il lui présenta la hanche. Sous la violence du coup, l'os se brisa et Sosryko tomba, à demi mort.

b) Par la suite, à partir d'enquêtes systématiques chez les Qabardes (Tcherkesses orientaux, les seuls restés massivement au Caucase), la grande collection, dont je n'ai pu me procurer que la traduction, ou plutôt l'adaptation russe (prose et aussi, malheureusement, vers), *Narty, kabardinskij epos* (Moscou, 1951, 2ᵉ éd., 1957), a publié une version développée de la mort de Sosryko, pp. 127-136.

Ce sont les géants, associés aux Nartes de la famille de Totreš, ennemis de Sosryko, qui le provoquent au jeu de la *Žan Šerx*. Il renvoie la roue sans dommage avec la paume, avec la poitrine, avec le front. Les géants s'abandonnent au découragement quand intervient la vieille sorcière Barymbux, qui hait Sosryko depuis le berceau. Elle se tranforme en divers objets posés sur la route de Sosryko [1]. Celui-ci les néglige, sauf le dernier, un casque d'or. La sorcière surprend ainsi le secret de la vulnérabilité de la cuisse du héros. Elle s'empresse de le communiquer aux géants qui défient Sosryko. Dans le feu de la colère, celui-ci accepte de recevoir et de renvoyer la roue avec ses cuisses. La roue lui coupe les deux jambes.

A Maykop, chez les derniers Tcherkesses occidentaux, A. M. Gadagatl' a recueilli plusieurs variantes dont il m'a aimablement communiqué des photocopies. De même, en Syrie et en Jordanie, le regretté folkloriste Koubé Chaban. Elles sont d'accord, en particulier sur le rôle de la sorcière.

J'ajoute seulement deux compléments, l'un noté en 1931 à Tuapse (Caucase) par Troubetzkoy, l'autre par moi-même en 1930 chez les émigrés d'Anatolie.

c) N. Trubetzkoy, *Aufenthalt bei den Tscherkessen des Kreises Tuapse,* dans *Caucasica* 11 (1934), *Die Sage vom Sosruko,* p. 17, n° 1.

Chez les Tcherkesses occidentaux, dans la région de Tuapse, le prince N. Troubetskoy a noté en 1911 un récit analogue. Le jeu a lieu sur les pentes de l'Elbrouz et la Roue s'appelle *čiyanku-šarx*. Troubetskoy ajoute (1934) :

---

1. Il est remarquable que, dans des traditions des Tcherkesses occidentaux émigrés en Anatolie, que j'ai notées en 1930-31 (région d'Ismit), Sosryko — qui a pris des traits du Syrdon ossète (v. ci-dessus, p. 175, n. 1) — se livre à ce même exercice : « Sosryko faisait tout par sorcellerie, m'a-t-on dit à Maşukiye; il revêtait toutes sortes de formes; parfois, sur la route, un passant ramassait un baluchon, l'apportait chez lui; il regardait : c'était un homme ! »

« Quand je demandai comment la vulnérabilité des hanches de Sosryko était connue des Nartes, quelqu'un (peut-être le vieux Šaupux, sous la dictée de qui j'ai noté ce récit) me dit que c'était le diable qui avait révélé ce secret aux Nartes. Le diable s'était changé en une vieille bourse et s'était placé sur la route. Sosryko l'avait ramassé et mis dans sa poche. Alors le diable avait exploré tout le corps de Sosryko et, finalement, découvert la vulnérabilité de ses hanches [1]. »

d) G. Dumézil, *Légendes sur les Nartes, nouveaux textes relatifs au héros Sosryko,* dans *Rev. de l'Hist. des Rel.,* 125 (1942-43), p. 118.

Chez les Tcherkesses (Abzakhs et Tchamguis) d'Uzun Tarla, en Anatolie (vilayet d'Ismit), j'ai noté une variante aberrante, où reparaît la sorcière, mais non plus la Roue.

Un jour une vieille sorcière dit aux ennemis de Sosryko qu'il allait attaquer leur village; qu'elle-même s'attacherait à une corde d'arc, que la flèche qui en partirait frapperait le cheval de Sosryko sous les sabots et que le cheval tomberait. C'est ce qui se passa. Sosryko écorcha alors son cheval [2] et, de sa peau, se fit un bouclier. Il resta ainsi sept ans à combattre derrière son cheval. La huitième année, une flèche le toucha et lui brisa la jambe. La moelle de son os se répandit autour de lui... — Suit la scène des animaux.

e) G. Dumézil, *Contes et légendes des Oubykhs* (1957), *La mort de Sausərəq°a,* pp. 1-4.

Il s'agit d'une légende tcherkesse occidentale racontée en oubykh. C'est la « mère des Nartes », *Saq°ənaž (Sequnež)* [3] qui leur révèle le moyen de tuer le héros. Baignant dans son sang, il bénit le loup et le lièvre qui refusent de manger sa chair et maudit l'aigle noir qui la mange avec trop d'appétit.

---

1. Dans l'article de la *RHR* 125 (1942), j'ai noté, p. 118 (Uzun Tarla), une explication différente : « ... C'est une femme qui avait nourri Sosryko, une femme de nom inconnu, autre que Seteney, qui leur avait dit que Sosryko mourrait de cette façon. » (Cf. ci-dessous, variante e).
2. Cf. ci-dessus, pp. 167 et 172, n. 3.
3. Cf. ci-dessus, p. 134, n. 3, déformation de *Satanay* ?

III. — *Légendes abkhaz,*
sur le meurtre de Sasrkva.

Les variantes abkhaz sont du type tcherkesse : une vieille
sorcière y a pris la place de Syrdon comme conseiller
pernicieux. En voici un exemple :

A. Xašba et B. Kukba, *Abxazskije Skazki* (Légendes
abkhazes), Suxum (1935), *Nart Sasrkva,* pp. 37-48.

Dans ce récit abkhaz, mais d'origine tcherkesse, Sasrkva,
voulant élever chez lui sa sœur unique, s'apprête à l'enlever de
force à ses frères. Ceux-ci montent à cheval et marchent contre
son aoul. En chemin, ils rencontrent une vieille femme qui trotte,
montée « sur le cop de Šašva », dieu de la forge. Elle les interpelle
et, quand ils lui ont dit leur intention, elle les renseigne : « Vous
pouvez assez facilement vous défaire de Sasrkva. Il est brave,
hardi, intrépide, on peut donc l'attirer à n'importe quel exploit.
Comme sa jambe droite est de fer, proposez-lui, pour prouver son
héroïsme, de briser à la volée une énorme pierre et promettez-lui
en échange de lui donner la fille. Sa jambe se brisera et vous
reprendrez votre sœur. » Sasrkva accepte l'épreuve, mais se sert
de sa jambe gauche et, au grand désappointement de ses frères,
réussit. Une deuxième fois, la vieille se présente à ses frères et
leur dit : « Il faut croire qu'il a reçu la pierre avec la jambe
gauche. Proposez-lui de recommencer en se servant de sa jambe
droite ! » Sasrkva accepte et, cette fois, sa jambe se brise.

Le recueil publié en 1962 (un volume de texte, un de
traduction russe), *Pritključenija Narta Sasrykva i ego 99*
brat'ev a publié un récit plus détaillé (II, pp. 272-285) qui
est d'accord avec le texte précédent. Comme Syrdon n'y
paraît pas, je ne le résume pas ici.

CHAPITRE IV

COMPARAISONS

De ces récits caucasiens, à travers les inégalités de ton et les incohérences de détail qui ne sauraient manquer dans un tel dossier folklorique, se dégage le dessin d'un personnage original, mêlé à la vie des héros, sans qui même leur vie serait toute changée et peut-être inconcevable, et qui pourtant se définit constamment par opposition à eux. Que l'on repasse le rapide signalement donné pp. 174-176 et qu'on l'étoffe de toutes les interventions et aventures qu'on vient de lire : Syrdon s'animera, dans son harmonieuse complexité. Et, avec lui, sa réplique islandaise, Loki.

Par un amusant paradoxe, Syrdon (et plus encore le Širtta, Šertuko qu'il est devenu chez les Tchétchènes et chez les Ingouches) est à certains égards plus surhumain, plus « mythique », comme dit Čax Axrijev, que Loki. Il a plus de dons que lui; si tous deux se métamorphosent, circulent vite, découvrent tous les secrets, etc., Syrdon paraît « savoir » davantage : non seulement ce qui est loin, mais l'avenir; il compte prodigieusement; ses rapports avec le monde souterrain, son pouvoir de surgir et de disparaître à volonté sont peut-être aussi plus marqués. Mais ce ne sont là que des nuances différentes dans deux natures qui se recouvrent trait pour trait.

On n'aura certainement pas l'idée de chercher, dans le plus ou moins de malignité que Syrdon manifeste en diverses occasions, la preuve d'une « chronologie », d'une

« évolution », les récits où il joue des tours aux Nartes étant supposés « postérieurs » à ceux où il leur rend des services : tout cela est mêlé, contemporain et, dans sa contradiction même, cohérent, et c'est justement cette contradiction qui définit la personnalité de Syrdon; c'est à cause d'elle que les Nartes, tout en l'utilisant, le méprisent, et, tout en le haïssant et le méprisant, le supportent; c'est grâce à elle qu'il peut ajourner longtemps le forfait majeur qui, rompant ce fragile équilibre, le précipite à sa perte. Il est clair que ces réflexions valent aussi pour Loki : les « vraisemblances » psychologiques qu'on a postulées pour faire « évoluer » vers le mal un Loki « primitivement » bon, la perspective « historique » qu'on a voulu mettre ainsi dans son dossier, sont artificiels; Loki se définit, lui aussi, par cette contradiction, par cette tension, qui fonde sa propre conduite et celle des autres dieux à son égard.

Laissant au lecteur le soin de vérifier l'étroite analogie des deux caractères, *je n'insisterai que sur une correspondance remarquable entre les deux* conduites *parce qu'elle résout la difficulté la plus considérable du problème de Loki. Cet élément de solution, dont j'essaierai ensuite de tirer quelques conséquences, peut se formuler d'abord brièvement ainsi :* la mort de Baldr et la mort de Soslan (ou Sosryko) sont des faits mythiques homologues où Loki et Syrdon jouent des rôles homologues.

I. — LA MORT DE BALDR
ET LA MORT DE SOSLAN-SOSRYKO

Dans une des *Notes* jointes aux *Légendes sur les Nartes,* j'ai signalé les éléments « solaires » qui subsistent dans la carrière du héros Soslan (ou Sosryko) [1], comme des éléments « fulgurants » subsistent dans le héros Batradz [2]. Ces éléments sont particulièrement importants dans la légende de sa mort. Je reproduis ce que j'écrivais à ce sujet en 1930 [3] :

Partant des figurations gallo-romaines du « dieu à la Roue » — un dieu tenant une roue de moyenne grandeur à bout de bras ou sur l'épaule —, Gaidoz a écrit en 1884-1885, une étude justement célèbre intitulée « Le dieu gaulois du Soleil et le symbolisme de la Roue ». Grimm, Mannhardt avaient déjà traité la question et sir J. G. Frazer l'a reprise encore dans toute son ampleur à propos du mythe germanique de Baldr [4]. Malgré les réserves de Frazer, il reste acquis que, dans nombre de cas, les rites européens des équinoxes et des solstices où figure une roue enflammée sont des fêtes *solaires,* que cette roue elle-même est un symbole solaire [5]. Le lecteur trouvera chez les auteurs qui viennent d'être mentionnés de très nombreux exemples de ces scènes rituelles. Une des plus caractéristiques est celle qui a été décrite, il y a un siècle, à Basse-Kontz (arrondissement de Thionville, Lorraine), et qui se pratiquait à la Saint-Jean, fête chrétienne du solstice

---

1. *Note IV*, pp. 190-199 : naissance *pétrogénès* (cf. *Mithras* naissant de la pierre sur laquelle s'est masturbé Diorphos : Ps.-Plutarque, *De fluv. et mont. nomin.*, 23); mariage avec la fille du soleil; victoires localisées « à midi »; victoire obtenue en découvrant sur sa poitrine, à midi, le « talisman qui brille comme le soleil »; au plus fort d'un terrible hiver, conquête du feu autour duquel un géant forme cercle, sa tête rejoignant ses pieds. Ajouter maintenant (ci-dessus 16 *d*) que Soslan se fait mettre dans un tombeau qui a trois fenêtres orientées l'une au soleil levant, la deuxième au soleil de midi, la troisième au soleil couchant.

2. Sur ces éléments naturalistes de figures et de mythes complexes, v. ci-dessous, pp. 214-215, 230-232.

3. *LN*, pp. 196-198. Cf. *RSA*, pp. 95-100.

4. *The Golden Bough*, 3ᵉ éd., VII, *Balder the Beautiful,* I (1914), pp. 106-346.

5. P. 330. Frazer, d'ailleurs, souligne lui-même que les deux explications (celle de Mannhardt, Gaidoz... : symbolisme solaire; celle de Westermarck : rituel purificatoire) ne s'excluent pas.

d'été [1]. Ce village est situé sur le flanc d'une colline plantée d'arbres fruitiers et de vignes qui domine la Moselle. La veille de la fête, écrit Tessier, les hommes — les femmes sont rigoureusement exclues — s'assemblent au sommet de la colline où a été placée une grande roue garnie avec de la paille que toutes les maisons du village ont contribué à fournir. Le maire de la ville voisine de Sierck allume la paille et aussitôt la roue, guidée par deux jeunes gens agiles qui la tiennent par l'arbre d'essieu (dépassant de chaque côté de trois pieds), se met à rouler le long de la colline; autour d'elle des hommes courent, tenant des torches de paille. Les deux jeunes gens qui guident la roue s'efforcent de la mener jusqu'en bas et de la jeter tout enflammée dans la Moselle; ils y réussissent rarement, soit que les vignes arrêtent la roue, soit que la paille ait achevé de brûler avant d'avoir atteint le bas de la pente. Quand, par extraordinaire, l'opération réussit, on voit là le meilleur présage pour la vendange.

Qu'on se reporte maintenant aux récits sur la mort de Soslan-Sosryko. Les conteurs ne savent plus qui est Barsag (ou Marsug, ou Balsag, Balsik...), personnage céleste, propriétaire de la Roue de Barsag. Mais la Roue elle-même est clairement décrite, et chez les Ossètes, et chez les Tcherkesses [2].

Dans les récits ossètes (nᵒ 16 *a-e*) [3], c'est une roue de type ordinaire ou dentée et, dans une variante au moins, enflammée, puisqu'elle réduit en cendres les arbres — sauf le bouleau — qui s'opposent à sa course (nᵒ 16 *b*) et puisqu'elle se fait mettre au feu par son maître avant de rouler sur lui (*ibid*). Elle roule du ciel à la terre, à travers forêts et plaines, jusqu'à la mer Noire (à l'Occident !) où elle tombe à l'eau (nᵒ 16 *a, e*). Sosryko (ou Soslan), quand il l'aperçoit, la poursuit dans une course épique; une première fois, grâce au bouleau et au houblon qui l'empêtrent et l'arrêtent, il peut la saisir et l'emmener en captivité; mais une seconde fois elle surgit à l'improviste et lui coupe les jambes. Alors ce sont les deux fils du héros qui la poursuivent en vain jusqu'à la mer Noire : elle est déjà au fond des eaux. On notera que, dans 16 *a*, c'est la « fille du Soleil » qui, pour se venger d'une injure de Sosryko, envoie la Roue contre lui.

---

1. Tessier, « Sur la fête annuelle de la roue flamboyante de la Saint-Jean à Basse-Kontz, arrondissement de Thionville », dans les *Mémoires et dissertations publiés par la Société royale des antiquaires de France*, 5 (1823), pp. 379-393.

2. Sur les idées — confuses — que se font aujourd'hui de la Roue magique les Tcherkesses émigrés dans la région d'Ismit, cf. *RHR*, 125 (1942-1943), pp. 116-117.

3. Je conforme les références des *LN* au classement adopté dans le présent livre.

Chez les Tcherkesses, la Roue n'est pas si fabuleuse. Elle n'a ni vie propre, ni maître céleste, et elle n'agit (bien qu'on traduise son nom par « roue magique ») que selon les principes les plus certains de la mécanique. Mais nous regagnons du côté « rite » ce que nous perdons du côté « mythe » : la roue qui tue Sosryko (18 II, *a-f*) est une large roue munie de dents d'acier qui, lors d'une grande réunion des Nartes sur leur habituel terrain de sport, leur sert d'instrument de *jeu* : un groupe de Nartes, en haut d'une montagne, la précipite sur la pente qu'elle dévale à toute vitesse, et un autre groupe de Nartes, en bas du mont, la reçoit, l'arrête et la remonte. Quand c'est le tour de Sosryko — l'invulnérable — d'encaisser le choc, les Nartes lui demandent successivement de recevoir la roue avec la poitrine, avec le genou, avec le front, jusqu'au moment où il la reçoit sur son seul endroit sensible, la hanche, et succombe.

Ces deux conceptions, assez différentes, se complètent [1]. La Roue fabuleuse chez les Ossètes et la Roue de fête chez les Tcherkesses présentent l'une et l'autre des traits qui rappellent les scènes populaires évoquées plus haut, notamment celle de Basse-Kontz. La roue de Barsag a l'apparence et l'usage d'une roue solaire [2]. Sans doute a-t-elle jadis correspondu, dans des mythes, à quelque accessoire rituel de solstice. Cette hypothèse devient presque une certitude par le fait que, dans une des variantes ossètes sur la mort de Soslan (n° 16 *c*; cf. p. 214, n. 1), la Roue meutrière est appelée non point « Roue de Barsag », mais « Roue d'Ojnon », (c'est-à-dire de Jean) [3], et d'ailleurs qu'elle est au service du « Père Jean », *fyd Ioanne*, c'est-à-dire, comme l'a noté depuis longtemps Vs. Miller, de saint Jean-Baptiste.

D'ailleurs, aussi bien chez les Ossètes à propos de Soslan, que chez les Tcherkesses à propos de Sosryko, il y

1. Les variantes ossètes 16 *d* et *e* sont intermédiaires entre le type ossète ordinaire et le type tcherkesse. Le *jeu* de la roue (ou d'une grosse pierre) lancée d'en haut et reçue à mi-pente par un héros se retrouve dans un récit des Turcs Oghouz. V. l'important article de Pertev N. Boratav, « Ak-Köbök, Sabur Kazan et Sosurǧa », *L'Homme*, 1963, pp. 86-105 (« Sosurǧa » est un emprunt des Tatars de Karatchaï aux Tcherkesses voisins; les récits sur Sosurǧa publiés en appendice dans cet article ne contiennent rien qui rappelle les rapports de Sosryko avec Syrdon ou son substitut la sorcière; il n'y a pas de récit sur la mort de Sosurǧa).

2. On a d'autres cas, en Europe, où la Roue de la Saint-Jean a été « mythisée » : en Irlande, au Moyen Age, on savait que le signal de la fin du monde serait l'arrivée sur les côtes de l'île, un jour de *Saint-Jean*, d'un bateau monstrueux appelé « *La roue à rames* » : v. les textes réunis par A. Olrik, *Ragnarök*, pp. 383-384.

3. Dans le *Dictionnaire ossète* de Vs. Miller et A. Freiman, III (1934), p. 1318, sont données les variantes *Uoinoni, Oinoni, Juoinoni calx.*

a, ou il y avait encore récemment, des traces de cultes qui orientent vers la même interprétation.

Vs. Miller, dans sa liste des *dzuar* (sanctuaires) d'Ossétie, a signalé [1] le soi-disant « tombeau de Soslan », construction de pierre en forme de dolmen érigée près de la localité de Nari, entre deux rivières, au lieu-dit *Macuti*. « Dans ce bâtiment, dit-il, sur une dalle de schiste, on voit le squelette bien conservé d'un homme de taille gigantesque, que la tradition appelle "squelette de Soslan", c'est-à-dire du héros bien connu des contes nartes. Sur sa mort, on raconte la même légende que sur celle de Batraz [2]. Près de la tombe, en *juin*, les Digoriens viennent égorger des béliers et prier Soslan pour qu'il leur donne du beau temps. O. Gatujev m'a dit qu'on avait trouvé à cet endroit un crucifix de cuivre; il est donc possible qu'il y ait eu là jadis un sanctuaire chrétien [3]. »

Un peu plus loin, dans le calendrier des fêtes [4], et avec une légère variante dans la date (*v ijule* au lieu de *v ijune*), Vs. Miller précise la valeur de cette fête : « Parmi les fêtes locales, on peut encore signaler le *kuvd* (banquet, sacrifice) en l'honneur de Soslan; il est offert en *juillet* par les habitants de la région, près du tombeau qui lui est attribué à Nary, en Digorie. Ils sacrifient à Soslan des béliers et le prient pour obtenir du beau temps, de la pluie. On ne voit aucun lien entre les récits épiques sur Soslan et ce *kuvd*. La légende qui attribue sa mort à la roue du *Fyd Ioanne* ou *Iuane* (saint Jean-Baptiste), laquelle lui aurait coupé les jambes, ne s'accorde pas avec l'état, parfaitement intact, du "squelette de Soslan". On enregistrera peut-être ultérieurement des traditions expliquant l'origine de ce *kuvd*. Nous pouvons seulement dire que le compagnon de la pluie, l'arc-en-ciel, s'appelle chez les Digoriens "l'arc de Soslan" (*Soslani ænduræ*). »

1. *Oset. Etjudy* II (1882), chap. VII : *Croyances religieuses des Ossètes*, p. 261. Le mot ossète *dzuar* est pris du géorgien *jvari* « croix »; mais le mot désigne aussi bien des « lieux saints » païens.

2. Affirmation erronée.

3. L'Ossétie, à diverses époques, sous des influences byzantines et géorgiennes, a été superficiellement christianisée.

4. *Os. Et.*, II, p. 285.

Vs. Miller se mettait en peine pour peu de chose. Il est évident que le « squelette de Soslan » n'est pas une donnée primitive, ne remonte pas aux premiers temps du paganisme. Quand il a été découvert, on l'aura placé dans le sanctuaire uniquement parce que, étant gigantesque, il ne pouvait être que celui d'un Narte, du plus illustre des Nartes, ou de celui qu'on honorait particulièrement dans le voisinage, de Soslan. Ce squelette n'est pas mutilé comme l'aurait exigé la vulgate de l'épopée narte ? Tant pis. Ne prêtons pas aux usagers des légendes et des sanctuaires ossètes des exigences que n'ont pas eues toujours, au Moyen Age, nos marchands de reliques. Ce qui est important, c'est : 1ᵉ le fait du sacrifice annuel; 2ᵉ sa destination (beau temps, pluie), et le pouvoir qu'il suppose qu'on attribue à Soslan; 3ᵉ sa date (juin ou plutôt juillet). On a sûrement là quelque chose d'archaïque et qui, par-delà l'épopée narte, rejoint la mythologie préchrétienne des Ossètes, car le nom même de *Soslan* (et donc du tcherkesse — repassé ensuite en ossète — Sosryko, *Sewsərə-q°o* [1]) et aussi le nom de son père *Sosæj* sont en rapport avec le nom ossète de la saison chaude *sos-æn* (dig. *susæn*) et avec le nom du mois assimilé à juillet (*sosæni mæjæ*, dig. *susæny mæi*). On se rappellera ici d'autre part que l'épisode où Soslan lui-même, trompé par Syrdon, laisse périr sur un kourgan son jeune compagnon et prend son deuil (un deuil étrange : il entre dans le ventre d'un bœuf qu'il vient d'égorger et de vider) est situé par la tradition *tægka amistolæj* sosæni *astæu*, « juste entre juin et juillet [2] ».

Ces indications recueillies chez les Ossètes sont confirmées par ce qu'on sait de certains cultes païens des anciens Tcherkesses. En 1911, dans la région de Tuapse, le prince N. Troubetskoy a pu encore parler avec des vieillards qui étaient nés dans le paganisme (disparu vers 1840), et surtout avec un pittoresque bonhomme, *Qarbeč x°ut*, qui, après avoir été musulman fanatique, s'était pris de haine pour

---

1. *-q°e*, *-q°o*, « fils » est le suffixe patronymique ordinaire en tcherkesse. Le rapport de *Soslan* et de *Sosryko* rappelle celui de *Syrdon* et de *Šertuko* (qui est son nom en ingouche).

2. Nᵒ 15 *a;* cf. p. 165, n. 1.

l'Islam et se déclarait païen avec ostentation [1]. Il a eu ainsi des renseignements sur ce « paganisme » qui, en fait, portait fortement la marque d'anciennes phases chrétiennes. Mais, à la révolution russe de 1917, les papiers de Troubetzkoy ont été égarés et, en 1934, à Vienne, il n'a pu noter que des souvenirs vieux de vingt-trois ans. Il ne se rappelait plus les noms de toutes les grandes fêtes mais savait qu'elles se laissaient rapprocher des fêtes de l'Eglise orthodoxe. On célébrait une fête printanière de pleine lune (cf. Pâques); cinquante jours plus tard, une autre fête, au cours de laquelle on parait les maisons de feuillage (cf. la Pentecôte); deux fêtes d'été, l'une au cours de laquelle on allumait un grand feu (cf. la Saint-Jean), l'autre consacrée à Šible, génie de l'orage (cf. la Saint-Elie, 20 juillet); deux fêtes en l'honneur de *Merem* (la Sainte Vierge), l'une en automne (cf. l'Assomption, 15 août; ou la Nativité de la Vierge, 8 septembre ?), l'autre au solstice d'hiver (cf. Noël). De ces dernières, Troubetzkoy dit avoir oublié les particularités. Il se rappelle seulement que, au cours de la fête d'hiver de Merem, on ornait de rubans et d'étoffes un petit arbre dépouillé de ses branches jusqu'à la moitié du tronc et qu'on l'apportait dans la maison en chantant un chant dont le refrain était : « Grande Merem, mère du grand Dieu, fais-nous vivre tranquilles, fais-nous riches, fais-nous bien portants [2] ! » Cet arbre s'appelait d'un nom dont Troubetzkoy ne garantit pas le phonème final : *Sewsərəš*, ou *Sewsərəs*, ou *Sewsərəż* [3], et qui évidemment inséparable de *Sewsərə-q"o;* si, comme il est probable (les autres combinaisons n'ont pas de sens en tcherkesse), il faut choisir *Sewsəre-ż* [4] « le vieux [5] Sewsər », il est clair qu'on a une

---

1. Fürst N. Troubetzkoy « Erinnerungen an einen Aufenthalt bei den Tscherkessen des Kreises Tuapse », dans *Caucasica*, 11 (1934); II : *Erinnerungen an das Heidentum*, pp. 7-10.

2. *Merem-x°o, Tha-x°o y-âne, te-ğa-wun te-ğa-bav, te-ğa-psō !*

3. *š, ż* désignent ici des variétés de chuintantes qu'on obtient aisément en portant en avant la lèvre inférieure pendant qu'on prononce les sons français *ch, j*. Cf. Troubetzkoy, *art. cit.*, p. 8, n. 1.

4. Plutôt que *Sewsərə-ż* : devant *ż* et des sufixations analogues, la voyelle finale du nom est *e* plutôt que *ə*.

5. Terme de respect qui, en tcherkesse, ne s'applique pas uniquement à la

variante du nom de *Sewsərə-q"o* [1]. Cela est confirmé par ce
que Qarbeč, interrogé sur le sens de la cérémonie, a
répondu à Troubetskoy : *Sewsərez* était le nom d'un homme
qui avait fait beaucoup de merveilles, qui notamment
pouvait marcher sur la mer; mais il s'enorgueillit *et Dieu le
punit en lui enlevant une jambe;* et c'est en souvenir de ce
magicien que l'arbre orné s'appelle *Sewsərez*. Il est bien
clair que ce *Sewsərez* amputé de la jambe est le même que
notre *Sewsərəq°o*, Sosryko, à qui la Roue a coupé une ou
deux jambes; et son caractère de sorcier s'accorde avec ce
que j'ai noté moi-même du caractère de Sosryko, en
1930-1931, chez les Tcherkesses de la région d'Ismit [2].
Enfin G. Deeters, éditeur de *Caucasica,* a joint à l'article
de Troubetskoy une note [3] où il renvoie à une ancienne
description de la fête de « Séossérès » due au voyageur
Taitbout de Marigny, qui l'avait observée en 1817 [4]. Voici
cette description : « Séossérès [Séozérès *(sic)* était un grand
voyageur auquel les vents et les eaux étaient soumis. Il est
particulièrement en vénération chez ceux qui habitent près
des bords de ' la mer] est une jeune poirier que les
Tcherkesses coupent dans la forêt et qui, après avoir été
ébranché de façon que les tronçons restent seuls, est porté
chez eux pour y être adoré comme une divinité. Presque
tous en ont un : vers l'automne, le jour de sa fête [5], on le

vieillesse physiologique; il serait plus exact de traduire « le grand. le prestigieux
Sewsər ».

1. P. ex. dans des récits tcherkesses (chepsougs. abzakhs) que j'ai recueillis en
Anatolie sur un héros de la famille qui s'appelle chez les Ossètes les *Bora-tæ*, ce
héros est nommé, suivant les variantes, tantôt *Borə-q°o,* tantôt *Bore-ž* : le rapport
est exactement le même qu'entre *Sewsərə-q°o* et *Sewsəre-ž* — Troubetzkoy, *art.
cit.*, p. 8, n. 1, après avoir signalé l'identité probable des deux noms, ajoute :
« *Man hätte wieder eine Beziehung dieses Narte zu einem Sonnenwendenritus,
was die Vermutungen Dumézils (Lég. s. les Nartes,* S. 190 ff.) *über den solaren
Urprung des Sosruko-mythus stützen könnte.* »

2. *RHR* 125 (1942-1943), pp. 109-127; cf. ci-desssus, pp. 176-179.

3. *Art. cit.,* p. 8.

4. Jan Potocki, *Voyage dans les steppes d'Astrakhan et du Caucase,* édité par
Klaproth, Paris (1829), II, p. 309. Ce document est reproduit à peu près
littéralement, sans indication de source, dans Du Bois de Montperreux, *Voyage
autour du Caucase* (1839), I, p. 137.

5. On vient de voir en effet que Troubetskoy, d'après son informateur, signale
une autre fête, automnale, de Merem : 15 août ? 8 septembre ?

porte en grande cérémonie dans l'intérieur de la maison, au bruit de différents instruments et des cris de joie de toute l'habitation, qui le complimente de son heureuse arrivée. Il est couvert de petites bougies et, à son sommet, est attaché un fromage; on boit autour de lui du *bouza* [1], on mange, on chante, après quoi on le congédie et on le replace dans la cour où il passe le reste de l'année, appuyé contre une muraille [2], sans aucune marque divine. Il est le protecteur des troupeaux et a deux autres frères [3]. »

Il est probable que ce « dieu » n'intervenait pas seulement aux fêtes d'automne et d'hiver. Un récit qabardi, publié en turc en 1935, après avoir raconté de la manière ordinaire la mutilation de Sosryko par la Roue et la bénédicition qu'il donne au loup, se termine ainsi [4] :

Les Nartes dirent : Ne laissons pas Sosryko mourir dans ce monde-ci ! Et ils l'enterrèrent profondément. Mais, sous la terre, il continue de vivre. *Quand arrive le printemps,* de dessous le sol, il chante :

> — Là-haut le ciel bleuit,
> là-haut la terre verdit,
> sept jours, là-haut,
> je veux être libre.
> Je veux vivre
> pour me venger de mes ennemis,
> pour arracher leurs yeux jaloux !

« On dit qu'*au début de chaque printemps* on entend ainsi la voix de Sosryko. »

Ajoutons enfin que les Tcherkesses attribuent entre autres dons à Sosryko — comme les Ossètes à Soslan, on l'a vu

---

1. Bière de millet.
2. Contre la haie, dit Du Bois de Montperreux.
3. On trouvera une description très détaillée de la fête — rites publics, rites privés — dans N.F. Dubrovin, *Istorija vojny i vladičestva Russkix na Kavkaze*, I (1871), pp. 105-107. Un des traits est que le porte-parole de la foule rassemblée à la porte de la maison commune (dont une jeune femme fait semblant d'interdire l'entrée après avoir allumé quantité de lumières à l'intérieur) est un vieillard *boiteux* qui porte lui-même un bâton couvert de chandelles allumées, « Sozeris » qui est ici présenté comme le protecteur « de l'agriculture du village et de la prospérité domestique ».
4. *Şimalî Kafkasya*, nᵒ 16 (Varsovie, août 1935), p. 7. Il est possible que ce soit la traduction turque d'un texte emprunté à la revue *Kabardinskij fol'klor* (éd. de l'Académie, Moscou-Léningrad, qui ne m'est pas accessible).

— une puissance météorologique : « Comme il était malin, il pouvait provoquer la gelée, faire tomber la neige...; quand il combattait, il emplissait l'air de brouillard », — m'ont dit les Tcherkesses d'Uzun Tarla, en Anatolie [1].

On entrevoit ainsi ce qu'a pu être le type divin dont les légendes de Soslan et de Sosryko et les rituels ossètes et tcherkesses conservent le souvenir. A coup sûr, en partie, « génie de la végétation » et héros de fêtes saisonnières : le rituel de *Sewsərez* aura sûrement rappelé aux humanistes la dendrophorie (*arbor intrat*) du culte de Cybèle, rituel qui est lui aussi en rapport avec un grand malheur, avec Attis, le jeune héros mort de son automutilation ou tué au cours d'une chasse paysanne (Atys); cette dendrophorie a lieu le 22 mars, c'est-à-dire au moment précis où, chaque année, le Sosryko qabardi, du fond de sa sépulture, demande à participer à la résurrection de la nature, et chante [2]. On comprend aussi les sacrifices des Ossètes au « tombeau de Soslan », en juin ou juillet; et la désignation même du personnage par un mot apparenté à *sosæn* « la grande chaleur, juillet »; et l'insistance avec laquelle les légendes décrivent sa « descente aux enfers »; et aussi — pour revenir à notre point de départ — le rôle prêté à la Roue du

1. *RHR* 125 (1942-1943), pp. 110-111; cf. ce que Taitbout de Marigny dit de Séozérès (ci-dessus p. 189) : les vents et les eaux lui étaient soumis.
2. Graillot, *Le Culte de Cybèle* (1912), pp. 121-125 (avec les trois temps de la cérémonie : *ektomè, pompè, prothésis*). « ... L'arbre qui entre dans le temple [22 mars] est le pin. C'était sous un pin qu'Attis avait sacrifié sa virilité et qu'il était mort de sa blessure. De son sang répandu sur le sol étaient nées les violettes, qui avaient entouré l'arbre d'une ceinture fleurie. Cybèle les avait tressées en couronne sur le cadavre de l'adolescent. Puis elle avait emporté son Attis au fond de sa caverne où elle avait donné cours à sa douleur inconsolée. On disait aussi qu'après avoir enseveli Attis, elle orna de violettes, fleurs de sang, le pin sous lequel il avait péri, qu'ensuite elle le transporta dans son antre et le consacra pour toujours à son culte... Ceux qui croyaient à la métamorphose d'Attis en pin comprenaient mieux la signification profonde du mythe. La procession du pin représentait le convoi funèbre d'Attis, esprit de l'arbre. Le pin est identique au Dieu... » — [A propos de l'*ektomè* :] « ... L'arbre choisi doit être coupé, non arraché. Il doit être coupé avant le lever du soleil. Ce sont les dendrophores eux-mêmes, généralement bûcherons, charpentiers ou marchands de bois, qui accomplissent cette tâche. Ils conservaient au pin une partie de ses branches, ou du moins quelques petits rameaux... Sur les racines, on immolait un bélier, sans doute pour apaiser l'esprit de l'arbre. On enveloppait alors le tronc d'arbre de bandelettes de laine, etc. »

« Père Jean » [1] dans la mort du héros. Et l'on découvre comment s'explique ce qui étonnait Vs. Miller [2] : il y a une profonde relation entre la *Roue* du Père Jean et la date *estivale* du kuvd de Soslan.

Soulignons enfin, avant de quitter le Caucase, l'affabulation que les Tcherkesses ont donnée au thème de la Roue : c'est au cours d'une joute d'adresse, d'un jeu auquel il se prête de bon gré, d'une « *fête* des Nartes » ou des géants, que, par traîtrise, Sosryko succombe.

En dépit de l'opinion fréquemment exprimée et récemment encore soutenue par F.R. Schröder [3], Baldr, lui, n'est pas un génie de la végétation. Même si on ne le suit pas dans la nouvelle interprétation qu'il propose (le meurtre de Baldr figurerait une scène d'initiation de jeune guerrier), il est impossible en effet de ne pas céder à la critique que Jan de Vries a faite du « Baldr the Beautiful » frazérien [4]. Dans la terminologie de nos études, Baldr est une figure du premier niveau (souveraineté, religion, droit) et non du troisième (fécondité, prospérité). Il n'y a pas lieu de nous étendre ici sur ce dieu si séduisant [5]. Il suffira de souligner que, bien que pour des raisons différentes, l'*importance, la gravité de sa mort* n'est pas moindre pour la collectivité à laquelle il appartient que celle du Soslan des Ossètes, et aussi que c'est au cours d'un vaste *jeu*, d'une vraie *fête* réunissant toute la société que soudain, Baldr succombe, traîtreusement frappé : « Baldr et les Ases, dit Snorri, s'amu-

---

1. Dans le nom tcherkesse *Ĵan-* (ou *Žan-*) *Šarəx, šarəx* est le mot ordinaire pour « roue » (pris à l'iranien : oss. *calx,* etc. : cf. sanscrit *cakra* « id. »), et le premier élément, diversement déformé, est l'adjectif tcherkesse occ, *č'an,* or. *ĵ'an* « coupant ». Quant au nom ossète *Barsæg (Balsæg, Marsæg...),* il n'est pas expliqué de manière sûre; on l'a interprété (Henko, Vs. Miller) par le tchétchène **malxæ sæg* « homme du soleil ».

2. V. ci-dessus, p. 186.

3. « Balder und der zweite Merseburger Spruch », *Germanisch-Romanische Monatschrift, N.F.,* 3 (1953), pp. 161-183.

4. « Der Mythos von Balders Tod », *ANF,* 70 (1955), pp. 41-60. Dans l'édition française de *Loki,* pp. 235-241, j'avais encore admis le caractère « Vegetationsgeist » de Baldr. Dans son *Loki* (1956), F. Ström considère encore ce caractère comme démontré et en tire de graves conséquences, avec beaucoup de glissements de proche en proche, pp. 96-129.

5. V. ci-dessous, chap. v.

sèrent ainsi; il se tenait sur la place du þing et tous les autres ou bien lançaient des traits contre lui, ou bien lui donnaient des coups d'épée, ou bien lui jetaient des pierres; mais quoi que ce fût, cela ne lui faisait aucun mal et cela semblait à tous un bien grand privilège. » Comme dans le cas du Sosryko tcherkesse, il paraît bien qu'on a ici la projection légendaire d'une de ces grandes réjouissances collectives, où toute la société s'ébat, comme les peuples demi-civilisés en montrent encore, comme les anciens peuples de l'Europe, de l'Atlantique à la steppe, en organisaient lors des fêtes capitales, saisonnières ou autres.

La ressemblance va plus loin, s'étend au *ressort dramatique* des deux légendes : de même que le Sosryko tcherkesse, trop sûr de son invulnérabilité, offre complaisamment toutes les parties de son corps à la Roue que les Nartes lancent contre lui [1], de même Baldr, trop confiant dans le serment qu'ont prêté tous les êtres, s'offre complaisamment comme cible aux projectiles des Ases; de même que Sosryko succombe par surprise, parce qu'une partie de son corps, une seule, la hanche ou le genou, n'est pas invulnérable, de même Baldr succombe par surprise, parce qu'un projectile, un seul, le gui, n'a pas prêté le serment de ne pas le blesser [2].

---

1. Trace de ce thème chez les Ossètes dans les variantes 16 *d* et *e*.
2. Contrairement à J. de Vries et à F. Ström, je ne pense pas qu'on puisse voir dans le meurtre de Baldr un doublet du meurtre de Víkarr ni généralement un meurtre sacrificiel.

II. — LOKI ET BALDR, SYRDON ET SOSLAN

Ce premier point établi, il est aisé de vérifier que Loki et Syrdon jouent dans ces deux sombres histoires des rôles homologues. L'un comme l'autre poursuit de sa haine le jeune et sympathique héros. L'un comme l'autre tue par procuration, n'est que le *ráđbani*, « le meurtrier par conseil » et non l'exécutant, le *handbani*. Pour cela, l'un comme l'autre use de son don de métamorphose : Loki se transforme en femme pour surprendre le secret de l'exception qui fait du gui l'unique arme possible du crime, puis, sans nouvelle métamorphose, conseille à l'aveugle Höđr de frapper Baldr avec le gui et lui indique la direction du coup; Syrdon se transforme d'abord en objets divers (vieux bonnet, objets d'or...) pour surprendre le secret de l'exception qui fait de la hanche (ou du genou...) de Soslan-Sosryko l'unique endroit possible de la blessure mortelle; puis, dans les variantes ossètes, tantôt sous sa forme ordinaire, tantôt successivement sous les traits d'une jeune fille, d'une vieille femme et d'un vieil homme, il donne à la Roue les conseils et lui fait les révélations qui lui permettront d'abattre Soslan; quand aux variantes tcherkesses, dans la surprise du secret comme dans l'avis pernicieux, elles ont si bien « fixé » la transformation de Syrdon en vieille femme que Syrdon a disparu et qu'il ne reste que la vieille femme. Enfin, comme Loki, Syrdon a commis par ce crime et par la froide haine dont il fait montre ensuite, son imprudence suprême : de même que Loki est saisi et supplicié par les Ases, on voit soit Soslan, avant d'expirer, soit le cheval de Soslan, soit plus généralement l'ensemble des Nartes mettre Syrdon à mort et l'enterrer de façon ignominieuse.

Il n'est qu'un trait de la conduite de Loki envers Baldr qui ne se retrouve pas dans la conduite de Syrdon envers Soslan-Sosryko : c'est la cruelle intervention par laquelle, sous les traits d'une sorcière, il fait mourir Baldr une deuxième fois, confirme sa mort, la rend irrémédiable, en rompant l'unanimité du deuil qui seule procurerait sa résurrection. Rien de tel ne suit la mort de Soslan-Sosryko : les outrages de Syrdon sont d'autre sorte. Mais on a vu qu'une scène homologue se rencontre dans l'épopée caucasienne, simplement appliquée non plus à la mort de Soslan lui-même, mais à celle d'un jeune garçon, ami et allié de Soslan, que Soslan doit sauver d'une blessure mortelle pour réussir son entreprise, et qu'il a commencé en effet à sauver : pour que le jeune garçon survive à cette blessure mortelle (ou revive, car elle paraît avoir déjà fait son œuvre), il suffirait que Soslan le portât d'une traite, sans le poser à terre, par-delà sept ruisseaux; sous les traits d'un vieillard, après le troisième ruisseau, puis sous les traits d'une vieille femme après le sixième, Syrdon donne par deux fois à Soslan une fausse nouvelle qui doit l'amener à poser le corps et à s'en aller; la première fois, Soslan ne l'écoute pas; mais, la seconde fois, il place le corps sur sa bourka et le laisse sur un kourgan; quand il revient, la fraude découverte, il est trop tard : la mort est irrémédiable et Syrdon a déjà jeté « la terre du cadavre [1] ». On voit que le sens de l'épisode, de la méchanceté est bien le même dans le cas de Loki et dans le cas de Syrdon. Et si l'on se rappelle l'indication rituelle et temporelle qui termine le récit ossète et qui situe le deuil que prend à cette occasion Soslan au moment précis de l'année où les Ossètes font leur sacrifice à Soslan lui-même (« juste entre juin et juillet »), on voit que, bien que sans lien dramatique avec la mort de Soslan, cet épisode, où Syrdon n'agit d'ailleurs que par hostilité pour Soslan, doit prolonger un mythe qui, au temps du paganisme, s'appliquait au même moment, à la même circonstance rituels.

Ainsi le rôle de Loki dans la mort et la « non-résurrection » de Baldr, et le rôle de Syrdon dans la mort de

---

1. N° 15 *a*; dans la variante 15 *b*, ce n'est pas Soslan mais Uryzmæg qui transporte le corps; mais, là même, le héros principal de l'histoire est pourtant Soslan : c'est pour le compte de Soslan que le jeune garçon a fait son exploit et a été frappé du coup mortel.

Soslan (et accessoirement dans la « non-survie » du jeune allié de Soslan) se correspondent et par leur motivation, et par leur affabulation, et par leurs conséquences. Comme déjà, en elles-mêmes, on l'a vu, ces deux morts sont homologues et se fondent sur le même type de représentations religieuses, on n'a certainement plus le droit d'examiner séparément le cas Loki-Baldr et le cas Syrdon-Soslan. Du coup, plusieurs solutions s'éliminent et, en vérité, il n'en reste qu'une. Il est invraisemblable qu'il faille partir d'un Loki et d'un Syrdon « primitivement » bienveillants et bienfaisants et admettre que deux « développements historiques » (par définition contingents) les aient transformés dans le même sens et amenés au même résultat; qu'ils aient, par exemple, tous deux tourné à l'aigre sous l'influence du diable chrétien ou mazdéen et qu'ils se soient trouvés, pour finir, insérés par une suite de hasards parallèles dans deux grands crimes de signification et de portée analogues, avec des rôles exactement équivalents.

Mais il n'est pas moins invraisemblable qu'un des deux seulement, Loki ou Syrdon, ait eu d'emblée, de toujours, la figure complexe qui ressort de son dossier, y compris sa participation au grand crime final, et que l'autre au contraire n'ait obtenu, rejoint cette figure que par un « développement historique ». Or, tout porte à croire que le rôle de Syrdon dans la mort de Soslan est fondamental, primitif, qu'il couronne par un crime inexpiable mais prévisible une carrière ambiguë et il est clair que, dans cette histoire, Soslan ne doit rien au Christ supplicié ni Syrdon au diable ou à Judas; si donc il reste probable, comme je l'ai dit plus haut, que certaines *expressions* de Snorri à propos de Baldr témoignent qu'une analogie a été sentie entre le Christ et Baldr et s'il reste possible que le diable ait *déteint* sur Loki, nous devons néanmoins penser que, avant toute intervention chrétienne, le drame de la mort de Baldr et les rôles des deux protagonistes étaient déjà fixés; que par conséquent la complexité et l'ambivalence de Loki, ou plutôt ses ambivalences (serviable et nuisible, bouffon malicieux dans la « petite mythologie » et criminel endurci dans la « grande »), sont congénitales. Bref, un des résultats de notre recherche comparative est de réduire à peu de chose, dans l'étude de Loki, le problème d'*évolution* religieuse et de le remplacer par la définition d'une *structure;* le parallélisme Syrdon-Loki garantit l'unité, l'harmonie essentielle du caractère et de toutes les actions de Loki.

Enfin, la méditation des *variantes* relatives à la mort de Soslan-Sosryko permettra aux germanistes de mieux comprendre, d'apprécier à leur juste et mince valeur la diversité, les contradictions mêmes qu'ils ont relevées entre les récits relatifs à la mort de Baldr : sur ces points homologues, la tradition germanique ne devait pas avoir plus d'uniformité ni de cohérence que la tradition caucasienne. On peut même s'amuser à remarquer que, par rapport à l'Edda de Snorri (où la perfidie de Loki éclate, sous son nom), les deux récits de Saxo Grammaticus (où Loki n'apparaît pas, mais où c'est quand même un conseiller, hostile à Balderus, qui révèle à Hotherus le seul moyen de tuer Balderus) se situent de la même manière que, par rapport aux variantes ossètes (où la perfidie de Syrdon éclate, sous son nom), les variantes tcherkesses (où Syrdon n'apparaît pas, mais où c'est quand même une conseillère, hostile à Sosryko, qui révèle aux ennemis de Sosryko le seul moyen de le tuer). Cette rencontre n'a, bien entendu, pas de signification particulière; elle permet seulement cette constatation de bon sens, que l'ampleur des divergences entre les variantes germaniques ne dépasse pas la normale et ne comporte pas, ne supporte pas les lourdes conséquences que certains ont prétendu en tirer [1].

Dans les sciences dites humaines comme dans les autres, on ne résout ni ne supprime un problème sans qu'aussitôt une autre surgisse à sa place. Nous n'échapperons pas à cette fatalité. Le succès même de la confrontation nous met en demeure d'expliquer l'étroite parenté de Loki et de Syrdon, c'est-à-dire de faire un choix dans le quadrille d'hypothèses qui se forme toujours en pareil cas. Loki a-t-il

---

1. V. les arguments de Mogk, ci-dessus, pp. 82-83. On comparera utilement ma discussion et le résumé qu'en a fait F. Ström, *Loki*, p. 6.

été directement ou indirectement calqué sur Syrdon par les Scandinaves ou leurs ancêtres, ou Syrdon calqué sur Loki par les Ossètes ou leurs ancêtres, — et cela soit par emprunt de société à société, soit par fusion de sociétés, de tribus nomades, comme il a dû s'en produire dans les steppes de l'Europe orientale ? Loki et Syrdon ont-ils été l'un et l'autre empruntés au folklore ou à la mythologie, conservée ou aujourd'hui disparue, d'un même troisième peuple ? Les analogies d'organisation sociale, de civilisation matérielle et morale qui ont existé entre les Ossètes (ou les Scythes) et les Scandinaves (ou les Germains) permettent-elles de concevoir la formation indépendante de ces deux personnages de même type et des légendes où ils interviennent ? Loki et Syrdon ont-ils été l'un et l'autre hérités, conservés par les Ossètes et par les Scandinaves à partir d'un même prototype datant soit de l'unité indo-européenne soit d'une unité partielle ultérieure où futurs Ossètes et futurs Scandinaves se seraient encore trouvés associés ? Annonçons-le tout net : nous sommes en état de recommander, mais pas encore de démontrer la dernière hypothèse, notre principal argument n'étant que négatif : les trois premières sont évidemment, en elles-mêmes, très peu probables.

III. — EMPRUNTS ?

La première hypothèse, celle de l'emprunt, consisterait en somme à reprendre, autrement orienté, appliqué à une matière plus précise, le thème du *Ragnarök* d'Axel Olrik [1]. On sait que cet auteur a supposé que les légendes eschatologiques des Scandinaves, de la *Völuspá* et de Snorri, étaient venues de l'Orient, du Sud-Est européen, exactement du Caucase; en particulier que Loki enchaîné et déchaîné était le démarquage nordique de ces Artavazd, Amirani, Rokapi, Abrskil, etc., de ces « Prométhées » qui peuplent tant de cavernes dans les hautes montagnes du Caucase. Chose étrange, ce puissant érudit n'a rien retenu de l'épopée ossète, il a passé à côté de Syrdon et de Soslan sans les voir, parce que son attention était centrée sur le *Weltuntergang,* sur la fin de ce monde, et que, bien sûr, les légendes sur les Nartes, aventures humaines et non cosmiques, ne lui fournissaient pas sur ce point de matière de comparaison [2]. Mais devons-nous, *mutatis mutandis,* reprendre ce moyen d'explication ? Sans doute non, et d'abord pour la raison qui fait qu'Olrik n'a pas été généralement suivi : les Scandinaves sont bien loin du Caucase et, des contacts directs étant évidemment exclus, on voit mal quel aurait été l'intermédiaire. Olrik a proposé les Gots, les Gots orientaux qui ont en effet rôdé sur les bords de la mer Noire (où ils ont laissé un petit résidu, les « Gots de Crimée », qui parlaient encore leur langue au XVIIIᵉ siècle) et qui ont pu établir des « chemins » de diverses sortes vers les Germains du Nord. L'année même

1. V. ci-dessus, p. 122, n. 1.
2. C'est là non pas le point faible (car il s'explique aisément par la différence de niveau entre la *mythologie* scandinave et l'*épopée* ossète), mais la seule lacune dans le parallélisme Loki-Syrdon. On ne verra sans doute pas de difficulté à penser que, si les Scandinaves ont eu de tout temps une eschatologie (ce qui est probable), ou du jour où ils s'en sont constitué une, le malin Loki y a joué un rôle comme les autres dieux et justement, après son supplice et à côté des monstres ses enfants, le rôle que la *Völuspá* et Snorri lui attribuent.

qui a suivi la publication du *Ragnarök,* dans·quelques pages
des *Danske Studier* [1], Olrik a pensé avoir résolu le
problème, c'est-à-dire avoir établi un contact historique
précis, et en même temps une rencontre littéraire, entre
Gots et Tcherkesses au IVe siècle de notre ère. Mais son
article est un de ces petits égarements que la Providence
inspire une ou deux fois dans leur vie aux plus grands
savants pour les rappeler à l'humilité. Tout y est d'une
grande naïveté. Olrik prend au sérieux l'extravagante
« histoire » des Tcherkesses cuisinée par Šora Bekmursin
Nogmov et servie en allemand par Ad. Bergé en 1866 [2]; il
admet l'étymologie fantaisiste du nom indigène des
Tcherkesses, *adăğe* à partir des anciens *Antes,* traités de
Caucasiens pour les besoins de la cause; il admet qu'un
fragment de chant tcherkesse (sur un chef nommé Bakssan,
tué avec son peuple par le nommé Gut), chant noté au
XIXe siècle, peut être relatif à des événements du IVe; dans
les circonstances vagues qu'il déduit de ce chant, il
découvre la version tcherkesse d'une catastrophe que les
Ostrogots infligèrent à un roi des Antes nommé Box (ou
Boz) et dont l'historien Jordanès (*Getica,* ch. 48) a fait
mention; il ne reste plus qu'à décréter que, phonétiquement,
Boz, Box est la même chose que *Bakssan,* ce qui est fait
allègrement p. 17... Bref, rien n'est à retenir de cette
tentative.

Non pas qu'il soit exclu que les Ostrogots aient
rencontré, au cours de leurs pérégrinations, non seulement
des ancêtres des Tcherkesses mais aussi les ancêtres des
Ossètes ou du moins de tribus apparentées et en possession
d'un folklore analogue. Mais nous avons vu à quel point le
vaste dossier de Syrdon et celui de Loki, y compris les
épisodes de la mort de Soslan-Sosryko et de la mort de
Baldr, forment chacun un *tout* et à quel point l'action de

---

1. *Danske Studier,* 1914, pp. 9-20 : « Goler og Tjerkesser i 4-de aarh. e. Kr.,
en undersögelse i anledning af Kaukasus-jætten of den bundne Loke » (Gots et
Tcherkesses au IVe siècle après J.-C., recherche à propos du géant caucasien et de
Loki enchaîné).
2. *Die Sagen des Tscherkessenvolkes,* Leipzig, 1866; p. 14, Olrik prend aussi
au sérieux la dérivation Sosryko < « Kossirich » < Cæsar ! (cf. *LN* pp. 6-7).

Loki et celle de Syrdon pénètrent l'ensemble des récits nartes et l'ensemble des mythes scandinaves. Il faudrait donc supposer : d'abord que les Gots ont emprunté à ces peuples de la Russie méridionale un morceau de mythologie très considérable et bien articulé; puis qu'ils l'ont fait passer de proche en proche jusque dans la Scandinavie occidentale; enfin que cet intrus a bouleversé, rénové la mythologie des Norvégiens. Pour m'engager dans cette voie, je demande un peu plus que la possibilité théorique des contacts entre Ostrogots et peuples caucasiens.

Mais surtout — et nous touchons ici à l'un des points les plus délicats de notre étude — pourquoi disons-nous que le dossier Syrdon et le dossier Loki sont inséparables ? Parce qu'on y constate une correspondance *totale* entre deux *types* pourtant *complexes*, c'est-à-dire une correspondance entre leurs natures, dons, situations sociales, moyens d'action, contradictions internes, etc.; parce que le déroulement de leurs deux carrières est aussi le même, aboutissant dans les deux cas et pour la même raison à la même catastrophe; en particulier parce que, entre le récit sur la mort de Baldr et les récits sur la mort de Sosryko et entre les parts qu'y prennent respectivement Loki et Syrdon, existent les nombreuses similitudes, de sens et de forme, qui ont été signalées plus haut. Tout cela exclut le hasard et pose le problème qui nous arrête. Il n'en reste pas moins que, si l'on confronte terme à terme les parties les plus évidemment homologues des deux dossiers, jamais il n'y a de ces superpositions rigoureuses qui commandent ou recommandent l'explication par l'emprunt. Par exemple, dans les récits sur la mort de Baldr et sur celle de Sosryko, il y a cette correspondance très remarquable que ces deux sympathiques héros, presque invulnérables, succombent au cours d'un grand jeu auquel, se croyant à l'abri d'un coup mortel, ils se prêtent complaisamment; mais ces deux jeux, tout en consistant l'un et l'autre à lancer sur le héros des projectiles normalement dangereux et ici, exceptionnel-lement, inoffensifs, ne se recouvrent pas, la Roue, si caractéristique des récits caucasiens, n'intervenant pas dans les récits scandinaves. L'immunisation et l'exception unique ont le même rôle à propos de Baldr et à propos de Soslan-Sosryko, mais sous des formes constitutivement différentes : ici, invulnérabilité de tout le corps, sauf de la hanche (ou du genou...); là, neutralisation de tous les projectiles, sauf du gui. Loki, sous les traits d'une sorcière, rend définitive la mort de Baldr quand elle est encore remédiable, comme Syrdon, sous les traits d'un vieillard et d'une vieille femme, rend définitive la mort du jeune allié de Soslan, et cette manifestation de méchanceté est un thème rare, dont on ne signale pas d'autre exemple dans les folklores européens; mais le détail est différent dans les deux cas et, chez les Ossètes, il s'agit non pas de Soslan lui-même, mais d'un compagnon chéri et précieux de Soslan, si bien que la méchanceté de Syrdon tend cette fois à affliger Soslan et à lui nuire, non à le supprimer. On multipliera aisément les exemples. Au cours des conférences où ce livre a été préparé [1], j'ai prié un étudiant, à titre de contrôle, de relever dans les deux dossiers ce qui peut passer pour des correspondances de détail significatives; voici tout ce qu'il a trouvé : 1º le « bain de siège » qui est, en plein milieu de la rivière, infligé à Syrdon accroché à la queue du cheval de Soslan, rappelle le « bain de siège » subi, au milieu de la rivière, par Loki accroché à la ceinture de Þórr [1]; 2º pendant que la Roue de Barsag était sur la forge du forgeron céleste, Syrdon a volé des fragments de son fer, ce qui l'a affaiblie, comme Loki a causé un défaut au marteau de Þórr pendant qu'un nain forgeron le fabriquait [2]. Et c'est tout, — et ces correspondances mêmes qui comportent de grosses différences, s'insèrent en des points fort différents, nullement homologues, des deux dossiers.

Des critiques étourdis tireront sûrement argument de cette constatation, qu'ils appelleront un aveu, pour détruire à peu de frais les conclusions du rapprochement Loki-Syrdon, pour dire qu'elles se bornent à constater des correspon-

1. Syrdon, nº 3 b; Loki nº 3 a et b. C'est l'épisode où W. Mohr dénie primitivement tout compagnon à Þórr (v. ci-dessus, p. 95, n. 3).

2. Syrdon nº 15 c; Loki nº 6.

dances « générales » qui ne prouvent rien. Ils auront tort. Pour détruire ce livre, il faudra découvrir, dans les littératures anciennes et modernes, d'autres personnages qui ressemblent à Loki et à Syrdon autant que Loki et Syrdon se ressemblent entre eux : sous une réserve qui sera faite tout à l'heure [1], et qui est d'ailleurs une confirmation, ce troisième larron n'existe pas. Les correspondances relevées ne sont pas générales, mais précises, en elles-mêmes et dans leur agencement; sur les points essentiels, d'ailleurs solidaires, des deux dossiers, elles définissent un *schéma* commun qui n'est nullement, en dépit du jeu de mots qui s'offre, schématique ni banal, mais au contraire original et complexe et qu'on ne retrouve pas ailleurs (schéma du caractère de Loki et de Syrdon, schéma de la mort de Baldr et de Soslan-Sosryko); seulement, dans l'affabulation, ces correspondances comportent toutes — et, laissant là les censeurs futurs, nous revenons à notre propos — une marge de liberté telle que je ne vois pas le moyen de tirer Loki de Syrdon ni Syrdon de Loki. Et c'est l'objection la plus grave contre toute explication par l'emprunt, direct ou indirect, de la Scandinavie au Caucase ou du Caucase à la Scandinavie [2]; objection qui vaut aussi contre la deuxième hypothèse formulée plus haut, à savoir l'emprunt fait, indépendamment, par le Caucase et par la Scandinavie à un même peuple indéterminable, étranger à l'un et à l'autre [2].

---

1. Ci-dessous, pp. 206-213.
2. Elle ne vaut pas s'il s'agit d'un héritage commun s'exprimant dans des scènes de même sens, de même intention, mais constituées de matière différente.

IV. — ÉTAT SOCIAL ET MYTHOLOGIE

La troisième hypothèse a contre elle d'être obscure, de faire uniquement appel aux rapports de causalité qui lient l'état social, économique, culturel d'un peuple et les produits de son imagination. Ces rapports sont réels, cette causalité joue. Mais dans des conditions et dans des limites qu'on ne peut préciser. De plus, dès qu'il ne s'agit plus de simples et évidentes transpositions de l'expérience courante, une telle explication tombe dans l'arbitraire.

J'ai moi-même signalé plusieurs fois [1] les remarquables rencontres de thèmes légendaires qui s'observent entre Celtes, Germains et Ossètes (ou Scythes), soulignant que ces rencontres s'expliquent en grande partie par des conditions de vie analogues : intensité de la vie collective, grandes beuveries (coupes celtiques, *Nartamongæ*) et toute la casuistique des préséances masculines et féminines, des rivalités, des défis, des concours; parlotes, jugements, jeux sur le þing scandinave, sur le *nyxæs* ossète, sur la place « au nord-est d'Emain-Macha [2] »; existence de bandes guerrières avec initiation (Batradz et Cúchulainn, plongés dans les cuves d'eau froide; Fianna, Harii, Berserkir); pratique de la chasse, des razzias; souveraineté magique (talismans des Scythes, des Tuatha Dé Danann)... Tout cela est évident et il n'est pas étonnant que des légendes reproduisant des modes de vie apparentés aient un air de famille. Le « type » de Loki et de Syrdon peut-il avoir été ainsi soit suscité, soit du moins précisé, orienté indépendamment chez les Ossètes et chez les Scandinaves par des faits d'expérience et par des traits de vie sociale analogues ?

Oui et non. On croira volontiers que, dans ces sociétés où la vie commune, publique, est très développée, où justement la parlote, l'astuce, le conseil sont de pratique et de

---

1. V. notamment *HC* (1942), pp. 53-60.
2. *Fri hEmain anairtúaith*, p. ex. dans la *Táin bó Cuailnge*, éd. Windisch, p. 131, 1. 1070.

nécessité journalières, où les susceptibilités, les rivalités déclarées ou latentes offrent une matière surabondante aux intrigants, il ait existé couramment un type social correspondant en gros à Loki et à Syrdon, susceptible de se styliser ici en Loki, là en Syrdon [1]. Les sagas, les biographies islandaises consignent plusieurs cas, plus ou moins romancés peut-être mais très plausibles, de conseillers pernicieux, qui font le mal sans raison, de fauteurs d'intrigues et de discordes — généralement des bannis ou des hommes de naissance inférieure —, d'hommes ingénieux et imprévoyants qui, poussés par la haine ou par leur démon, marchent d'imprudence en imprudence jusqu'à la catastrophe : pour m'en tenir aux grands textes, le Skamkal de la *Saga de Njáll* (chap. XLVII-LIII), le Björn de la *Saga de Grettir* (chap. XXI-XXII) font penser à Loki, en moins complexes. Si nous avions des sagas, des biographies de chefs ossètes ou tcherkesses, il est probable que nous y verrions, par la force des choses, agir des Syrdon, fonctionner ce qu'on a presque envie d'appeler un *rouage* social, tant il paraît peu évitable dans cette forme de société. Mais on touche immédiatement les limites étroites de ce genre d'explication : le caractère ambigu (serviable, pernicieux) qui fait l'intérêt de Loki et de Syrdon ne se retrouve pas dans ces personnages des sagas, mauvais tout d'une pièce, — sauf parfois un certain dévouement à leur seul patron; Björn, Skamkal, tout ingénieux qu'ils sont dans le mal, n'ont qu'une intelligence ordinaire qui ne les distingue pas du reste de la société : nous sommes loin de ce Loki, de ce Syrdon auxquels la société entière, menaçante, hostile, vient pourtant demander le « service d'esprit » que seul il peut rendre; d'autre part, la faculté de métamorphose de Loki et de Syrdon et leurs dons surhumains, leurs

1. Cf., avec une tout autre forme de société, la tentative de A. Brook-Utne pour dériver de la pratique des cours palestiniennes, des rapports entre grands suzerains et petits vassaux, le type biblique de Sâtân (l'ange « accusateur » au début du livre de Job, p. ex.), du *diabolos*, du calomniateur (Satan : cf. *sitnâh* « accusatio, libellus accusatorius ») : « "Der Feind", die alttestamentliche Satansgestalt im Lichte der sozialen Verhältnisse des nahen Orients », dans *Klio* 28 (1935), pp. 219-227.

rapports avec l'autre monde, leur aptitude à surgir et à disparaître, ne peuvent sortir, même par stylisation, de la pratique sociale; enfin et surtout, il y a le dernier épisode, les rôles si analogues de Loki et de Syrdon dans les légendes de la mort de Baldr et de la mort de Soslan-Sosryko, que la chronique quotidienne ne saurait avoir produits et qui doivent s'expliquer à partir de l'ensemble mythique, religieux (peut-être même, anciennement, rituel) dont ils font partie, — et sur ce point essentiel, il est clair qu'il est tout à fait vain d'expliquer les analogies thématiques des légendes caucasiennes et scandinaves par la ressemblance des formes sociales; l'accord, les raisons de l'accord restent mystérieux [1].

Il n'en demeure pas moins un fait géographiquement et ethnographiquement remarquable, auquel il a été fait incidemment allusion plus haut [2] : dans toutes les mythologies, dans tous les folklores connus, ce n'est ni Hermès ni Prométhée ni Héphaïstos, ni non plus Typhon ni Lucifer, ni bien entendu Lug ni Wieland [3], ni le *culture-hero* ni le *trickster* des Indiens de l'Amérique du Nord [4] qui rappellent le plus le type de Loki et de Syrdon : c'est un personnage de l'épopée irlandaise, du cycle des Ulates, c'est *Bricriu* (ou *Bricne*) *Nemthenga* (ou *Nemthengtha*); « Bricriu (à la) langue venimeuse ». Il n'est pas probable que ce soit le hasard qui, sur ce point encore, rapproche le monde celtique du monde germanique et du monde scythique : les conditions analogues de vie matérielle et morale doivent bien être pour quelque chose dans cette rencontre.

Bricriu sert souvent aux Ulates de messager et générale-ment leur est utile, car il est intelligent : c'est l'homme des

1. F. Ström, *Loki*, p. 8, m'a mal lu ou mal compris.

2. Ci-dessus, p. 203.

3. A. Haggerty Krappe, *The Science of Folklore* (1930), p. 333; cf. J. de Vries, *The Problem of Loki*, pp. 272-274.

4. F. von der Leyen, *Die Götter und Göttersagen der Germanen (Deutsches Sagenbuch*, I, 1909), pp. 222 et suiv.; Axel Olrik « Myterne om Loke » (*Festskrift Feilberg*, 1911), pp. 573-574; J. de Vries, *The Problem of Loki*, chap. XII. Que Loki ait inventé le filet, c'est vraiment insuffisant pour faire de lui un « héros civilisateur »; or il n'y a pas autre chose. V. maintenent J. de Vries, *Altgerm. Rel.-Geschichte*, II² (1917), pp. 265-266.

« plans » et, dans les textes tardifs, il est volontiers présenté comme un *ollam*, comme un savant; on le voit signalé, à la fin de l'inventaire de la maison du roi Conchobar comme « l'homme d'une grande utilité [1] ». Mais il est insolent injurieux, menteur, cupide, sans scrupule, et sa joie est de semer la discorde entre les chefs, entre les clans, entre les femmes. Il est curieux, découvre les secrets [2] et, devinant les malheurs dont les autres n'ont pas encore pris garde ou prévoyant les malheurs à venir, il se fait un malin plaisir de les révéler ou de les prophétiser [3]. Il est couard et tâche de ne pas participer aux combats; il reste neutre dans la grande guerre où les siens sont engagés à l'occasion de la *Táin*. Les Ulates le supportent impatiemment et l'emploient tout en se

1. Whitley Stokes, *Tidings of Conchobar mac Nessa*, *Eriu* IV, pp. 30-32, paragraphe 23 : « Il y avait un homme de grande utilité dans la maison, à savoir Bricriu, fils de Carbad. Les neuf fils de Carbad le Grand étaient dans la maison, à savoir Glaine et Gormanach, Mane Minscoth, Ailill, Duress, Ret et Bricriu. C'était un homme venimeux à la langue méchante que ce Bricriu. Il y avait assez de poison en lui. S'il essayait de garder le secret de sa pensée, il poussait sur son front un furoncle pourpre et il était aussi grand que le poing d'un homme. Il disait à Conchobar : cela surgira du furoncle cette nuit, ô Conchobar » (*Book of Leinster*, éd. Best-O'Brien, II, Dublin, 1956, p. 404, folio 107b, lignes 12559-12565). Je remercie M. Christian Guyonvarc'h qui a bien voulu mettre au point la bibliographie et les traductions irlandaises.

2. Par exemple dans *Compert Conculaind* (Versions I et II), édité par Ernst Windisch, *Irische Texte I*, 1880, pp. 134-145 d'après les manuscrits *Lebor na hUidre* et Egerton 1782; édition normalisée par A.G. van Hamel d'après les six manuscrits existants, *Compert Con Culainn and Other Stories, Mediaeval and Modern Irish Series*, III, Dublin Institute for Advanced Studies, Dublin, 1933, réed. 1956, pp. 3-8 (voir ici les paragraphes 1 et 3, pp. 3 et 4). Le manuscrit le plus ancien et le plus important est le *Lebor na hUidre*, éd. Best-Bergin, Dublin, 1929, pp. 320-322, folios 128a-128b, lignes 10558-10635, cf. Rudolf Thurneysen, *Zu irischen Handschriften und Literatur-denkmälern*, I, Berlin, 1912, pp. 31sqq; traduction française par Christian J. Guyonvarc'h, « La conception de Cuchulainn », in *Ogam* 17, 1965, pp. 363-391 avec, en annexe, pp. 390-391, la traduction du texte du manuscrit Stowe D. 4. 2., folio, 49a, 1, *Feis Tighe Becfholtaig* « le festin de la maison à la petite richesse », publié par Kuno Meyer, « Mitteilungen aus irischen Handshriften », dans *Zeitzchrift für Celtische Philologie* V, pp. 500-504.

3. Par exemple *Mesca Ulad* « L'ivresse des Ulates », éd. J. Carmichael Watson, *Mediaeval and Modern Irish Series* XIII, Dublin, 1941, pp. 12-15; dans la partie contenue dans le *Livre de Leinster*, éd. Best-O'Brien, tome V, Dublin, 1967, folios 264a-264b, p. 1176, lignes 34786-34813; *Tochmarc Ferbe*, éd. Windisch, *Irische Texte* III, p. 466, lignes 54-63; *Livre de Leinster*, éd. Best-O'Brien, V, folio 253b, p. 1138, lignes 33499-33507.

défiant de lui et en le méprisant. Par une sorte de fatalité, il se trouve souvent en posture ridicule : tombant du haut de son balcon dans le fumier lors de son fameux festin [1]; marchant à contrecœur quand Fergus menace de le tirer par les cheveux; lancé dans le feu par un coup de pied de Ceinnliath et sauvé de justesse par les domestiques [2]... On connaît le récit intitulé *Fled Bricrend*, « le festin de Bricriu » : les traits malins de son caractère y éclatent. Quand il invite les Ulates, leur premier mouvement est de refuser [3] :

§ 5. Cela arriva un jour qu'il y avait l'assemblée des Ulates à Emain Macha. On lui souhaita la bienvenue et on l'assit à côté de Conchobar. Il s'adressa à Conchobar et aux Ulates en même temps. « Venez chez moi, leur dit-il, consommer un festin avec moi. » « Je suis d'accord, dit Conchobar, si les Ulates sont d'accord. » Fergus mac Roig et les nobles d'Ulster aussi répondirent en disant : « Nous n'irons pas, car nos morts seront plus nombreux que nos vivants après que Bricriu nous aura enflammés les uns contre les autres si nous allons consommer son festin. »

§ 6. « Ce sera bien pire pour vous, dit-il, ce que je ferai si vous ne venez-pas avec moi. » « Que feras-tu donc, dit Conchobar, si les Ulates ne viennent pas avec toi ? » « Je ferai en sorte, dit Bricriu, que les rois, les princes, les héros de valeur et les jeunes guerriers se querellent, si bien qu'ils se tueront les uns les autres s'ils ne viennent pas à mon festin. » « Nous n'irons pas avec toi à cause de cela », dit Conchobar. « Je ferai des querelles entre le fils et le père si bien qu'ils s'entretueront. Si cela ne réussit pas, dit-il, je ferai des querelles entre les filles et leurs mères. Si cela ne réussit pas, je ferai se battre les deux seins de chaque femme, si bien qu'ils en viendront à des coups mortels et qu'ils seront meurtris et pourris. » « Il vaut mieux y aller », dit Fergus. « Entretenez-vous, dit Sencha, fils d'Ailill, à son sujet avec les nobles Ulates si vous le voulez bien. » « Il n'en sortira que du mal, dit Conchobar, s'il n'est pas tenu conseil contre lui. »

1. *Fled Bricrend*, éd. Henderson, *Irish Texts Society* II, Londres, 1899, p. 30, § 25.

2. Ces deux scènes dans la continuation de l'*Oided mac n-Usnig* publiée par Mackinnon sous le titre « The Glenmasan Manuscript », *The Celtic Review* II, 6, Edimbourg, octobre 1905, p. 108.

3. Ed. Henderson, p. 6.

Puis, quand le festin va commencer :

§ 8. « Bricriu agitait dans son esprit comment il provoquerait des querelles entre les Ulates quand vinrent à ses côtés les garants des champions. Quand furent claires dans son esprit sa réflexion et sa décision, il alla trouver la troupe de Loegaire Buadach, fils de Connad, fils d'Iliach... ! »

Et, à l'insu les uns des autres, il excite successivement Loegaire, Conall, Cúchulainn à briguer « le morceau du héros ». Ensuite il retourne au milieu de ses gens, « calme comme s'il n'eût provoqué aucune querelle... » Un peu plus tard, la querelle des trois héros ayant fait long feu :

« Bricriu et sa reine étaient dans leur appartement. L'état de sa maison royale lui était bien visible de son lit, et comment les choses étaient. Il agita dans son esprit comment il pourrait provoquer une querelle des femmes comme il avait fait une querelle des hommes... Tandis que la tête de Bricriu travaillait ainsi, il arriva que la femme de Loegaire sortit du palais avec cinquante compagnes pour se dégager le cerveau, que la bière et l'eau-de-vie avaient alourdi [2]... »

Et entre les femmes de Loegaire, de Conall et de Cúchulainn, il suscite un conflit de préséances...

Sa mort, enfin, répond à sa vie. Il n'a pas participé à la *Táin* (du moins dans une des versions) parce que, juste avant, à la suite d'une parole insolente, Fergus, à qui il était venu demander des présents et avec qui il faisait une partie, lui a abattu sur la tête son poing et les cinq pièces d'échecs qu'il tenait [3] : pendant un an, l'année que dura la *Táin*, il est resté alité et il ne s'est montré que pour le dernier jour, le jour où les deux taureaux, causes de toute l'aventure, vont lutter l'un contre l'autre. Suivant une des versions, Bricriu, de lui-même, en spectateur, vient assister au combat avec tous les autres héros survivants [4]; d'après

1. Ed. Henderson, p. 8, § 8.

2. Ed. Henderson, p. 16, § 17.

3. *Echtra Nerai*, chap. XVIII, éd. K. Meyer, *Rev. Celt.* 10 (1889), p. 336; cf. *Táin Bó Cuailnge*, éd. Strachan, p. 122 (l. 3653), éd. Windisch, pp. 893-894 (*l.* 6132-6141); Cécile O'Rahilly, *Táin Bó Cúalnge from the Book of Leinster*, Dublin, 1967, p. 134, *l.* 4850-4871.

4. Ed. Strachan, p. 122, *l.* 3651 sq., éd. C. O'Rahilly, p. 134, *l.* 4860-4861.

l'autre version, ce sont les Irlandais qui (à titre de sanction pour sa scandaleuse abstention dans les périls de la guerre) le désignent pour assister, comme témoin officiel, au combat [1]. Quoi qu'il en soit, les deux taureaux, tout en se pourchassant et s'encornant, bondissent sur l'endroit où est Bricriu et le piétinent, l'enfonçant à une coudée dans le sol [2].

On reconnaît, avec des nuances qu'explique assez une société plus royale et féodale que les sociétés germaniques et scythiques, des traits importants des personnages de Loki et de Syrdon. Mais d'autres traits sont aussi marqués : l'avidité, la cupidité de Bricriu paraît bien répondre à une pente non seulement de l'imagination mais de la passion irlandaise et généralement celtique. Et surtout il manque un trait sûrement essentiel : la mort ignominieuse du perfide et ridicule Bricriu ne châtie pas un crime comparable à ceux du *ráðbani* Loki et du haineux Syrdon; si quelque jeu périodique, quelque mythe de fête est à l'origine du thème de la *Táin* et spécialement du combat final des deux taureaux, il ne rappelle ni le jeu des Nartes lançant la Roue sur Sosryko ni le jeu des Ases lançant sur Baldr des projectiles de toutes sortes; et Bricriu, dans l'affaire, ne brille que par sa lâche absence.

De plus, le type de Bricriu, dans la pensée des Irlandais, est intégré à un système dont la Scandinavie [3] et l'Ossétie n'ont pas l'équivalent : il est surtout, si l'on peut dire, la moitié d'un mécanisme bien équilibré; il est le fauteur de discorde et de guerre auquel s'oppose le spécialiste de la paix et de la concorde, Sencha Mór, « le pacificateur des armées de l'Ulster [4] », qui, du levant au couchant, calmerait tous les hommes du monde « par ses trois belles paroles », *da thri findfoclaib*. Dans l'*Aided Guill meic Carbáda*,

---

1. Ed. Windisch, p. 893, *l.* 6130-6133 et p. 895, *l.* 6141-6143.

2. Ed. Strachan, p. 122, *l.* 3655 et suiv.- éd. Windisch, p. 897, *l.* 6154-6156.

3. Forseti, fils de Baldr, est le « conciliateur » du panthéon scandinave : aucun texte ne l'accouple à Loki. Cependant, cf. dans la *Hervarar Saga ok Heidreks,* chap. VI, l'opposition rigoureuse des deux frères, du conciliateur et du fauteur de querelle.

4. *Fer sidaigthi sluaig Ulad : Mesca Ulad,* éd. Hennessy, p. 38.

Sencha, en secouant le rameau de paix, calme Conchobar que Bricriu vient d'exciter contre Cùchulainn [1]. Dans la *Fled Bricrend*, c'est Sencha qui calme les trois compétiteurs du « morceau du héros » que Bricriu a traîtreusement opposés [2].

Il s'agit sans doute ici d'une conception celtique, de deux types constitutivement accouplés, dont l'un fait donc attendre l'autre, car on les retrouve, schématiquement indiqués, dans le *Mabinogi de Branwen,* qui raconte l'extermination presque complète d'une vieille population de l'île de Bretagne [3]. Les fils de Llyr, Bendigeit Vran (Bran) et Manawyddan, rois de l'île de Bretagne, ont avec eux leurs deux demi-frères (inférieurs : par la mère), Nissyen et Evnissyen : « L'un de ces jeunes gens était bon, il mettait la paix au milieu de sa famille quand on était le plus irrité; c'était Nissyen. L'autre mettait aux prises deux frères quand ils s'aimaient le plus [4]. » Et c'est bien ainsi qu'ils se comportent tout au long de l'histoire : Evnissyen mutile les chevaux donnés au roi d'Irlande qui vient d'épouser la sœur de Bran et de Manawyddan et provoque ainsi les représailles et la guerre [5]. Puis, dans le banquet qui marque la conclusion de la paix, après avoir d'ailleurs intelligemment et légitimement déjoué une ruse des partenaires [6], il jette brusquement dans le feu le tout jeune

1. Ed. Stokes, *R. Celt.* 14 (1893), p. 426.

2. § 16. Cf. les autres interventions pacifiantes et prudentes de Sencha dans le même récit, §§ 7, 21 (il réduit la querelle des femmes à une joute de paroles), 26, 29, 75. — Cf. la différence des conduites de Bricriu et de Sencha dans le *Compert Concúlainn.*

3. J. Loth, *Les Mabinogion,* 2e éd., I (1913), pp. 121-171. — Je cite cette traduction.

4. Edition Mühlhausen (1925), p. 21. En gallois *evnys* signifie « hostile »; le nom est écrit tantôt *Evnissyen,* tantôt *Evnyssyen* (ou *Efnyssyen).*

5. Loth, p. 125 : « ... Aussitôt il fond sous les chevaux, leur coupe les lèvres au ras des dents, les oreilles au ras de la tête, la queue au ras du dos; s'il ne trouvait pas prise sur les sourcils, il les rasait jusqu'à l'os. Il défigura ainsi les chevaux, au point qu'il était impossible d'en rien faire. » — Inutile de chercher un rapprochement particulier avec un des méfaits de Syrdon (ci-dessus, n° 3 b) : dans toutes ces sociétés de cavaliers, la méchanceté qui consiste à gâter un cheval est usuelle; le jeune Grettir, au début de la saga qui porte son nom, n'y manque pas.

6. Il tord le cou à des guerriers armés que les Irlandais avaient cachés dans des sacs tout autour de la salle : Loth, pp. 140 sq.

fils du roi d'Irlande (en faveur de qui son père vient d'abdiquer), que Nissyen avait au contraire affectueusement appelé [1] : il en résulte un combat et un grand carnage. Mais la fin d'Evnissyen rachète un peu ces méfaits, car elle ne manque ni de courage ni d'abnégation : les ennemis, les Irlandais, grâce à un grand « chaudron de résurrection », ressuscitent tous leurs tués, tandis que les morts gallois restent morts, ce qui doit fatalement entraîner la défaite de Bran et de Manawyddan, des Gallois, dans cette guerre qu'Evnissyen a provoquée et rallumée. Alors,

« Evnissyen, voyant sur le sol *les corps privés de renaissance* des hommes de l'Ile des Forts (= l'île de Bretagne) [2], se dit en lui-même : "O Dieu, malheur à moi d'avoir été la cause de cette destruction des hommes de l'Ile des Forts ! Honte à moi, si je ne trouve pas un moyen de salut ! " Il s'introduisit au milieu des cadavres des Gwyddyl (= Gaëls, Irlandais). Deux Gwyddyl aux pieds nus vinrent à lui et, le prenant pour un des leurs, le jetèrent dans le chaudron. Il se distendit lui-même dans le chaudron au point que le chaudron éclata en quatre morceaux et que sa poitrine à lui se brisa [3]. C'est à cela que les hommes de l'île [de Bretagne] durent tout le succès qu'ils obtinrent : il se réduisit à ce que sept hommes purent s'échapper... »

1. Loth, p. 142 : « La paix conclue, Bendigeit Vran fit venir l'enfant; l'enfant se rendit ensuite auprès de Manawyddan. Tous ceux qui le voyaient le prenaient en affection. Il était avec Manawyddan quand Nyssyen, fils d'Eurossuydd, l'appela auprès de lui. L'enfant alla vers lui gentiment. « Pourquoi, s'écria Evnyssyen, mon neveu, le fils de ma sœur, ne vient-il pas à moi ? Ne serait-il pas roi d'Irlande que je serais heureux d'échanger des caresses avec lui. — Volontiers, dit Bendigeit Vran, qu'il aille ! » L'enfant alla vers lui, tout joyeux. « J'en atteste Dieu, se dit Evnyssyen, la famille ne s'attend guère au meurtre que je vais commettre en ce moment. » Il se leva, saisit l'enfant par les pieds, et, avant que personne de la famille ne pût l'arrêter, il lança l'enfant la tête la première dans le feu ardent... » — Cette matière extrêmement disloquée et romancée des *Mabinogion* repose pourtant sur de vieux mythes brittoniques : Manawyddan, Bran sont d'anciens dieux : ce meurtre inattendu de l'enfant innocent, en pleine assemblée pacifique et joyeuse, est-il l'aboutissement romanesque d'un mythe comparable à l'assassinat du jeune, beau et bon Baldr ?

2. Mühlhausen, p. 32 : *ac yna, pan welas Efnyssyn y kalanad hab eni yn vn lle o wyr Ynys y Kedyrn...*; Loth, pp. 143-144. — Sur la fin de sa carrière, et après le meurtre du bel enfant, Evnissyen est donc, comme Loki à la fin de sa vie et après le meurtre de Baldr, un « empêcheur de résurrection », mais dans des conditions et avec des conséquences différentes.

3. Mühlhausen, p. 32 : *ymestynnu idaw ynteu yn y peir, yny tyrr y peir yn pedwar dryll, ac yny tyrr y gallon ynteu.*

Ainsi ce fléau des Gallois (et des Irlandais), par son sacrifice inattendu, permet à sept notables, dont Manawyddan et Bran (mais celui-ci mortellement blessé d'un coup de lance empoisonnée), de survivre à la ruine de leur armée.

Ces héros, Bricriu et Evnissyen, constituent, je le répète, ce qu'il y a, dans l'ancienne Europe, de plus proche de Loki et de Syrdon. L'analogie n'est pas niable, bien qu'elle n'atteigne pas aux rencontres précises du dieu scandinave et du héros ossète. Mais cela laisse entière la question que nous débattons : la ressemblance d'organisation sociale et de civilisation entre Scandinaves, Ossètes, Irlandais, explique peut-être la ressemblance de caractère et de conduite entre Loki, Syrdon (et partiellement Bricriu); elle ne saurait expliquer l'identité des rôles que les légendes attribuent à Loki, à Syrdon (mais non à Bricriu) [1] dans le meurtre d'un « bon » héros, Baldr ou Soslan. Il y a là une affabulation devant laquelle les considérations de sociologie structurale sont impuissantes [2].

---

1. Et peut-être l'analogie lointaine de ces rôles avec celui que joue Evnissyen (ici *handbani*, nullement *rádbani !*) dans le meurtre du bel enfant ?

2. La quatrième solution — l'héritage commun —, qui ne pouvait qu'être recommandée dans la première édition de ce livre, a été précisée et renforcée en 1958 dans le chapitre VII des *Dieux des Germains*, reproduit ci-dessous comme chapitre V.

V. — ÉLÉMENTS PSYCHOLOGIQUES
DU TYPE LOKI-SYRDON

Tout en réservant ces questions d'origine, il n'est pas impossible de faire quelques progrès dans l'interprétation du *type* de Loki et de Syrdon [1]. Nous venons de voir que l'expérience sociale de l'ancienne Europe a pu le susciter en partie, fournir d'importants éléments aux imaginations qui le composaient. A la différence des dieux engagés dans la grande tripartition indo-européenne, à la différence d'Óðinn et de Týr, de Þórr, de Njörðr et de Freyr, Loki n'est pas le patron d'une « fonction » régulière, nécessaire (ce qui explique qu'il ne reçoive pas de culte), mais il illustre, pour une part, une « situation » tellement fréquente et naturelle qu'elle pouvait passer pour nécessaire et régulière.

Mais il y a sûrement autre chose. Il y a toujours autre chose que la « fonction » ou la « situation » dans un dieu. D'une part chaque fonction ou situation comporte un *caractère*, une forme d'esprit idéal, que le dieu qui l'incarne a charge de représenter : jalousie, fureur, générosité, sensualité, etc., se répartissent, se combinent et s'expriment différemment, par exemple, aux trois niveaux du monde. D'autre part chaque fonction ou situation a une affinité particulière avec une ou plusieurs *parties du macrocosme*, une ou plusieurs des forces qui contribuent à son équilibre : Óðinn (ou Varuṇa) n'est pas seulement le Roi et le Voyant, Þórr (ou Indra) n'est pas seulement le Guerrier et le Fort, ni Njörðr et Freyr (ou les Nāsatya) les Producteurs et les Riches; des mythologies du ciel et de

---

1. F. Ström, *Loki*, p. 8, se refuse à admettre cette notion de type mythique et ajoute : « *Diese Hypothese erscheint um so mehr diskutabler als sie in dem konkreten Falle ihren Fürsprecher nötigt, in einem solchen Typus eine skandinavische Mythengestalt und eine Sagenfigur aus dem fernen Kaukasus zu vereinigen.* » Le lecteur a pu se rendre compte que ma démarche est juste l'inverse : ce n'est pas la volonté de déterminer un type qui m'a « obligé » à comparer Loki et Syrdon. De cette comparaison, imposée par leurs caractères et leurs actions, et poursuivie sans préjugés, un type *se dégage*.

l'ordre universel, de l'atmosphère et de la tempête, de la
terre et de la sexualité, s'associent, en images, en théorie
dramatisée, à ces définitions sociales et à ces modèles
psychologiques. Il est probable qu'il en est de même pour
Loki : des éléments psychologiques et des éléments naturalistes, sentis comme liés par nécessité ou convenance à la
« situation » sociale précédemment définie, ont dû nourir
l'affabulation. Commençons par les éléments psychologiques, qui sont ici les plus considérables.

1. L'intelligence impulsive

A la faveur de la « situation » sociale qu'expriment Loki
et Syrdon, les Scandinaves et les Ossètes ont poussé assez
loin l'exploration d'une des forces les plus étranges de la
nature qui n'est autre que l'activité cérébrale de l'homme.
Car Loki et Syrdon tranchent d'abord sur tout — ou presque
tout — ce qui les entoure par cela : ils sont *plus* intelligents;
d'une intelligence qui a sa forme et ses limites et qu'il faut
définir, mais qui est en évidence. L'exploration est
d'ailleurs double, couvre ce que nous appellerions et la
sociologie et la *psychologie* de l'esprit.

Loki et Syrdon sont des êtres « en marge », de naissance
inférieure, traités en inférieurs, incomplètement adoptés par
la société et se détachant eux-mêmes de la société [1] ? Mais
n'est-ce pas une expérience courante, de tous les pays et de
tous les temps, et qui a partout inspiré les littérateurs, que
l'esprit souffle où il veut, ignorant les barrières sociales
quelles qu'elles soient, et que tout régime comporte ce
scandale : l'appétit et le don du savoir éclatant dans un
valet, ou dans un bâtard, ou dans un nabot, ou dans un
hors-la-loi ou simplement dans un étranger ? Et n'est-ce pas
une autre expérience que souvent un homme « né » sort de
sa place et de son cadre, se déracine et se déclasse, parce

---

1. Z. Vaneti, « Obščestvo Nartov », *Izv. jugo-oset, naučno-issledov, Inst.
kraevedanija*, 2, 1935, p. 213, voit dans les rapports de Syrdon avec les Nartes
une manifestation de la lutte des classes.

qu'il est, comme on dit, « trop intelligent » ? Pour ces raisons et pour quelques autres, devant ce prodigieux ressort de subversion qu'est une pensée inquiète, l'ordre établi n'a-t-il pas des réactions de défense, d'hostilité — qui amènent par contrecoup l'esprit à consacrer une partie plus ou moins grande et souvent de plus en plus grande, de ses dons à ruser, à tromper, à intriguer, et aussi quand la sensibilité s'en mêle et s'aigrit, à persifler, à nuire, à haïr ? Dans Loki, dans Syrdon, il y a du Vanini.

Mais les mythes de Loki et les légendes de Syrdon ne mettent pas moins en scène les résultats d'une analyse, on oserait presque dire d'une profonde introspection, de l'une des formes les plus voyantes de l'intelligence.

On ne perdra pas de temps à rappeler que l'activité cérébrale est à chaque instant ambivalente, jetant des vues malignes et cocasses dans les méditations les plus sérieuses et les plus droites. Mais cette ambivalence est radicale et profonde : l'esprit détruit autant et plus qu'il ne conserve. Depuis un petit nombre de siècles, l'Occident s'est habitué à honorer le doute méthodique et la critique, l'observation et l'expérience; les manuels élémentaires de philosophie enseignent aujourd'hui que le véritable esprit scientifique ne connaît ni œillère métaphysique, ni tabou religieux, ni obstacle moral ou social. Mais ce sont là des conquêtes récentes et beaucoup de sages ne regardent encore ce statut qu'avec inquiétude, bien qu'il ait perdu, en devenant tout à fait conscient et en s'énonçant dans de graves formules, quelque chose de sa puissance. Avant d'être légitimé, de tout temps, ce statut existait; de tout temps, des esprits vifs ont connu la tentation de condamner et de supprimer quant à eux beaucoup de choses, petites et grandes, et d'en essayer d'autres. Loki et Syrdon n'ont pas le souci de la « tenue », se mettent en posture « ridicule » ? Loki gourmande Þórr quand celui-ci, prié de se déguiser en femme pour reconquérir son marteau, objecte le qu'en-dira-t-on ? Mais la tenue, la peur du ridicule ne sont-elles pas de ces contraintes sociales qui, neuf fois sur dix, seraient bien en peine de se justifier en raison ? Encore est-ce là menue matière. Il y a plus grave. Les esprits vifs sont volontiers des explorateurs, non seulement dans les domaines ouverts, là où ils peuvent espérer se faire gloire des résultats qu'ils obtiendront, mais dans les domaines secrets que le *consensus* des vivants, l'instinct de chacun, des scrupules héréditaires, considèrent comme défendus, à commencer par la sexualité et les sciences occultes. Il y a des liens subtils et forts entre la chasse amoureuse, la voluptuaire même, et certaines hardiesses intellectuelles. L'homme qui inquiéta le plus saint Bernard avait commencé par débaucher Héloïse et c'est une question légitime, bien qu'insoluble et inconvenante, de savoir si les hérésies sexuelles tant reprochées aux ouvriers du « miracle athénien » et de la Renaissance italienne, de Platon à Michel-Ange, n'étaient pas comme un sous-produit inévitable de la fermentation de leurs esprits. Quant aux sciences occultes, dans les dernières générations, les progrès accélérés des sciences patentes en ont exorcisé quelque peu le prestige; encore ne l'ont-ils fait qu'en distribuant une autre forme d'ivresse; jusqu'à des temps récents, des pythagoriciens à Kepler, et au-delà, le nombre est imposant des savants — pour ne pas parler des poètes et des politiques — qui ont cru gagner des lumières sur l'inconnaissable. Le docteur Faust est légion.

Qu'on regarde Syrdon et Loki. Leurs rapports avec l'autre monde, leurs auxiliaires merveilleux dans leurs courses rapides — le cheval à trois jambes qui va comme le vent, le plumage de faucon et les bottes magiques, — leurs dons de métamorphose, d'apparition et de disparition soudaines, de prévision, de vue à distance, etc., sont ceux-là mêmes qu'on attribuait volontiers dans notre Moyen Age, aux sorciers et aux sorcières et que, sûrement, dans leurs solitaires recherches, des milliers et des milliers d'individus avides ont tâché d'obtenir, et nos ingénieurs auraient-ils *inventé* le sous-marin et l'avion si tant de générations impuissantes n'avaient pas rêvé de l'homme-poisson et de l'homme-oiseau ? Cette maison souterraine, labyrinthique, que les Ossètes attribuent à Syrdon, cet étrange repaire, cet observatoire quadruple qui, parmi les rochers, sert de refuge à Loki, où il invente le filet

qu'ignoraient encore les dieux et les hommes et qui sera sa
perte, ne rappellent-ils pas les isoloirs où, à l'abri de la
société soupçonneuse, tant d'alchimistes et de magiciens
ont poursuivi et manqué les grands problèmes ?

Quant à Loki, sans qu'il soit besoin d'insister, il présente
de maintes façons, comme dit J. de Vries [1], *a bisexual
character* dont on mesurera la portée pour peu qu'on sache
combien la mythologie scandinave, dans son ensemble, est
pudique, sinon vertueuse : il se métamorphose en femme, il
enfante, on lui jette au visage qu'il est *argr, ragr,*
c'est-à-dire coupable d'*ergi* [2], d'accrocs à sa vocation
virile, et même il se mue en jument pour se faire saillir par
le cheval d'un géant; à quoi il ne faut pas négliger de
joindre un cas d'exhibitionnisme sous les yeux de Skaði.
De nos jours, la fiche de police de Loki serait chargée et les
psychiatres expliqueraient peut-être par cette vie secrète sa
fondamentale amoralité, son goût du mensonge (qu'ils
appelleraient mythomanie) et son glissement final vers le
crime. Rien de tel ne nous est conté de Syrdon : ses
métamorphoses en jeune fille et en vieille femme n'ont pas
cette pointe; mais la pudeur des clans caucasiens est grande
et ce sont là des choses dont on ne parle pas.

Instables, bénéficiaires et victimes d'une curiosité surex-
citée, tout à la jouissance du moment — spectacle, ou bon
tour, ou découverte, — jamais à court d'expédients mais
peu capables ou peu soucieux de prévoir les conséquences
d'un geste, Loki et, dans quelque mesure, Syrdon reprodui-
sent la marche de certains esprits, rapide et même
trépidante, tournée vers l'image et l'acte plus que vers la
réflexion, joueuse et étourdie, brillante dans l'immédiat et
ruineuse à longue échéance; bref, cette variété d'intelligence
dont les rouages chargés de la conservation sociale — les
Souverains, les Forts, les Riches — doivent à la fois
rechercher les services aussi souvent que l'imprévu les
assaille et redouter constamment les caprices et les malices.

---

1. *The problem of Loki,* p. 265.
2. On rapproche parfois grec *orkhis* « testicule », avestique *arəzi* « scrotum »,
v.-scandinave *ögurr* (pour **örgurr*) « pénis ». Cf. ci-dessus, p. 46, n. 1.

Quand il est encadré dans l'ordre social et y collabore (frère de serment et compagnon de route d'Óđinn, guide et servant de Þórr, bouffon chargé de désarmer par le rire la femme de Njörđr ou de lever la menace qui pèse sur Freyja, conseiller, messager, négociateur, factotum des Ases), Loki introduit dans cet ordre social un élément de fantaisie, de vie, de fertilité qui n'est pas sans danger, mais qui, en général, finit bien et qui, en tout cas, est irremplaçable. Mais quand il ne suit que ses propres impulsions ou les introduit dans ses tâches publiques, il met tout en péril ou fait scandale : envoyant Þórr sans arme chez le géant Geirrøđr, bâtonnant Þjazi, enlevant Iđunn, coupant les cheveux de Sif, gâtant le Marteau, bafouant la loi sexuelle et, finalement, tuant Baldr.

Même toute question d'amoralité mise à part, une telle forme d'activité cérébrale est trois et quatre fois amie du mensonge : et parce qu'elle aime créer et jouer et parce qu'elle est rapide et pressée, et parce que, n'hésitant pas à défaire ce qu'elle a d'abord fait, elle ne saurait attacher au « vrai » l'importance, la constance que lui prêtent les hommes graves; et aussi parce que mentir est pour elle la manière la plus économique de vérifier et souvent d'utiliser sa supériorité sur des médiocres, — géants ou dieux, ennemis ou amis. Mensonge d'enfant, « pour s'amuser »; mensonge sportif, « pour voir »; mensonge d'évasion, comme ceux du poète; mensonge de guerre : tout cela aboutit naturellement au mensonge d'habitude, au mensonge gratuit, au mensonge du pur menteur, *lokalýgi* [1].

Enfin, une telle forme de pensée est inévitablement vaniteuse, et donc vulnérable, indiscrète de ses découvertes comme des choses d'autrui; toute à l'éphémère, sans recul et sans perspective, elle ne résiste pas à la démangeaison de se dire, de dire tout haut : « J'ai gagné... je sais... quelle belle chasse !...) » Beaucoup des persiflages, des prophéties cruelles de Syrdon — et de Bricriu —, beaucoup des insolences et des indiscrétions de Loki sont de ce type; l'être qui sait ne se tient pas, bavarde, lâche son savoir en

1. Cf. ci-dessus, n° 14 II, 2), p. 56.

fusées éparses, au lieu de le thésauriser pour un de ces feux d'artifice qui « font sérieux », qui mènent aux sénats et aux académies.

2. Intelligence impulsive et intelligence recueillie

Nous avons, je crois, une preuve latérale que cette analyse n'est pas arbitraire, *a posteriori,* mais représente bien le sens et la raison d'être du « type Loki » dans la mythologie scandinave, du « type Syrdon » dans les légendes nartes. Il existe heureusement une autre forme de pensée, à bien des égards antinomique de celle-ci, et plus rassurante, bien qu'elle ait aussi des inconvénients : je dirais « la pensée lente », si le mot n'avait pris un sens fâcheux; l'intelligence recueillie, maîtresse de ses impulsions, tournée vers la réflexion plus que vers l'action, plus soucieuse d'assurer son cheminement que d'aboutir vite, et aussi morale et bonne, c'est-à-dire respectueuse des lignes de force de la société où elle s'exerce. Or, les Scandinaves ont personnifié cette forme d'intelligence, comme l'autre, et dans des conditions où elle fait diptyque avec celle de Loki, et cela dans l'entourage du dieu qui, en principe, doit le plus s'intéresser aux choses de l'esprit, le dieu de la première fonction, de la Souveraineté, Óđinn [1]. Un texte sûr, et trois autres qui, tous ou quelques-uns, paraissent avoir emprunté cette formule au premier [2], montrent trois dieux cheminant ou agissant solidairement à travers le monde : Óđinn, accompagné de Loki et de Hœnir. C'est ainsi associés qu'ils rencontrent l'aigle Þjazi [3], c'est ainsi qu'ils se présentent devant la cascade d'Andvari [4]; on les retrouve dans une ballade des îles Færøer [5] et probablement (« God » remplaçant, à côté de « Wod » et de « Lok », un

---

1. Cf. *Huginn, Muninn* : F. Ström, *GHÅ* 53 (1947), 1, p. 56; *Loki* (1956), pp. 61-80, sur les points de rencontre de Loki et d'Óđinn. — la meilleure partie du livre.

2. Cf. ci-dessus, p. 17.

3. Nᵒ 1 *a, b.*

4. Nᵒ 5 *a, b.*

5. Nᵒ 14 I, 1).

équivalent anglo-saxon de Hœnir ?) dans une incantation médicale du Lincolnshire [1]. Même si l'histoire de Þjazi est la seule où il soit original, ce groupe des trois dieux mérite considération.

On sait comment Loki se comporte dans l'histoire de Þjazi (et dans celle de l'or d'Andvari) : de la façon la plus étourdie, se plaçant lui-même et plaçant ses compagnons dans la situation la plus délicate. Et que fait Hœnir ? *Il ne fait rien*, bien que, comme on dit, il n'en pense pas moins. Les positions respectives des deux dieux méritent d'être regardées de près. Voici comment s'exprime le poème de Þórleifr [2] :

... st. 4 : « Le géant demanda à Hœnir de lui donner son saoul; il échut à Hœnir [3], près de la table sainte, de souffler [de colère : *blása*]. L'oiseau belliqueux se posa là où les très parcimonieux refuseurs de la gent divine étaient allés.

st. 5. « Óðinn dit aussitôt à Loki de partager équitablement le bœuf entre les hommes. Mais, après cela, le preste ennemi des dieux enleva de la large table quatre parts du taureau !

st. 6. « Et puis (cela s'est passé il y a longtemps), Þjazi mangea gloutonnement le bœuf, affamé qu'il était, perché sur une racine de chêne, jusqu'à ce qu'un dieu malin, éveillé [= Loki] frappa, de dessus, l'aigle entre les épaules avec un bâton.

st. 7. « Loki (lui que [maintenant] tous les dieux contemplent dans les chaînes) fut attaché à Þjazi : le bâton adhéra au fort, sinistre (?) géant, et les mains de Loki au bout du bâton... »

Or, cette attitude de Hœnir, réservée, muette, extérieurement passive, attitude qui est la plus sage, la seule sage,

---

1. N° 14 III.

2. Je suis l'édition et la traduction suédoise de I. Lindquist, *Norröna lovkväden från 800-och 900-talen, del I : förslag till restituerad text jämte översättning*, Lund (1929), pp. 82-83. Pour simplifier, et sans égard pour le sacrilège littéraire, je remplace les périphrases scaldiques par les noms en clair.

3. « L'ami d'Óðinn » (*Hrafnásar vínr*) : il est plus normal, puisque c'est sûrement à Hœnir (*Fet-meili*) que le géant a adressé sa demande (v. 1), de penser, avec Lindquist, que cette *kenning* désigne encore Hœnir : c'est la réaction de Hœnir. D'autres ont compris Loki (*Corpus Poeticum Boreale*, J. de Vries, etc.) : mais ce premier mouvement ne s'accorderait pas avec le service de tranche-viande que Loki rend à la strophe suivante. Les éditeurs du *Corpus Poeticum* avaient compris le vers tout autrement et de façon inadmissible (*hlaut af helgum skutli Hrafn-ásar vin(r) blása* signifierait « Loki had hard work to blow the fire » : il est bien question d'entretenir le feu à ce moment !).

comme le prouve ensuite la mésaventure de Loki, correspond exactement à l'unique « mythe de Hœnir », qui nous a été conservé par Snorri et qui vaut une définition. C'est au chapitre 4 de la *Heimskringla*, dans le récit du traité qui met fin à la guerre des Ases et des Vanes :

Les Vanes donnèrent aux Ases leurs meilleurs hommes, Njörđr le riche et son fils Freyr; en échange, les Ases donnèrent aux Vanes celui qui s'appelait Hœnir, disant qu'il était tout à fait apte à être chef [1]; il était grand et le plus beau. Avec lui, les Ases envoyèrent celui qui s'appelait Mímir, l'homme le plus sage (*inn vitrasti mađr*). Les Vanes envoyèrent en échange celui qui était le plus sage [2] de leur troupe (*þann, er spakastr var í þeira flokki*); il s'appelait Kvasir [3]. Et quand Hœnir arriva au Vanaheimr, il fut aussitôt fait chef. Mímir lui indiquait toutes les décisions (c'est-à-dire lui disait tout ce qu'il fallait dire ou faire) et, quand Hœnir était au þing où à l'assemblée sans que Mímir fût près de lui, et qu'un cas difficile était porté devant lui, il répondait toujours la même chose : « Que d'autres décident ! » (*rádi adrir !*), disait-il. Alors les Vanes soupçonnèrent que les Ases les avaient trompés lors de l'échange des hommes. Ils prirent Mímir, le décapitèrent et envoyèrent sa tête aux Ases. Óđinn prit la tête, l'oignit d'herbes pour qu'elle ne pourrît pas, prononça sur elle des chants magiques (*galdra*) et lui donna la puissance de lui parler et de lui dire beaucoup de choses secrètes [4].

1. *ok kölluđu hann allvel til höfđingja fallinn.*

2. *Spakr*, plus peut-être que *vitr*, comporte « the notion of prophetic vision » (Zoëga).

3. Autre variante de l'apparition de Kvasir, en désaccord avec celle de l'*Edda* en prose, du même auteur, qui a été citée plus haut, p. 74. Mais le sens profond est le même : c'est soit aux Vanes seuls (*Heimskringla*), soit à la collaboration d'eux-mêmes avec les Vanes (*Edda*) que les Ases, et spécialement Óđinn, doivent de posséder le génie du breuvage enivrant (**kvas > Kvasir*) qui, transformé deviendra l'hydromel de sagesse et de poésie. — On notera que c'est là encore une province de la « mythologie de l'esprit » : il est significatif qu'elle soit juxtaposée à la légende de Hœnir et de Mímir. — On notera enfin que, dans le récit de la capture finale de Loki (n° 11 *a*), c'est Kvasir qui, interprétant habilement la forme des cendres du filet, permet aux dieux de prendre Loki à sa propre invention : c'est, ici encore, un conflit entre deux « types d'intelligence », — et Loki a le dessous.

4. Sur Mímir et la voyance d'Óđinn, v. *Mitra-Varuṇa*, pp. 111 sq. De Mímir, on a rapproché le *Mimingus* qui apparaît dans le « *Balderus* » de Saxo (ci-dessus, n° 10 *d*); cf. M. Boberg, dans les *Aarb. f. nord. Oldkynd.*, 1943, pp. 103-106.

Ce mythe présente une véritable coupe anatomique de l'intelligence non plus précipitée, mais réfléchie [1]. Le binôme Hœnir-Mímir qui, réuni, fait un chef parfait et qui, séparé, ne vaut plus rien, n'est certainement pas une tromperie des Ases, comme l'ont cru les Vanes et, après eux, beaucoup de germanistes, mais au contraire un cadeau somptueux et en même temps une juste image du mécanisme de nos meilleures pensées : devant une question, une difficulté, nous suspendons d'abord notre réaction et notre jugement, nous savons d'abord ne pas agir et nous taire, ce qui est déjà une grande chose; et puis nous écoutons la voix de l'inspiration, le verdict qui nous vient de notre savoir et de notre expérience antérieurs ou de l'expérience héréditaire de l'espèce humaine ou de plus loin encore, cette parole intérieure qui, comme la Raison des philosophes ou la « conscience collective » des durkheimiens, est à la fois en nous et plus que nous, autre que nous. Mímir, près de Hœnir (et ensuite près d'Óðinn), représente cette partie mystérieuse, intime et objective, de la sagesse, dont Hœnir représente la partie extérieure, individuelle, l'attitude conditionnante. Hœnir a l'air d'un sot ? Il pourvoit seulement au vide, à l'attente que remplira Mímir. Ainsi Brutus passait pour un faible d'esprit; mais quand l'oracle annonça que le premier qui embrasserait sa mère deviendrait roi, il regarda ses cousins irréfléchis bondir en selle et courir embrasser leur mère humaine; il se laissa seulement tomber, comme par un faux pas, et baisa la terre, que la sagesse des nations enseigne être la mère de tous les hommes.

Je crois donc que ce dieu, qui passe pour énigmatique, est au contraire très clair quand on le considère ainsi différentiellement. Et naturellement, en tant que dieu de la pensée réfléchie, il appartient au cercle de la première fonction : il accompagne Óðinn; Óðinn et lui, dans des périphrases usuelles, sont réciproquement définis comme ami ou camarade l'un de l'autre; il est envoyé, on vient de

---

1. Le nom de *Hœnir* est obscur : que viennent faire ici le grec *kyknos*, ou le latin *ciconia* ? Celui de *Mímir* est sans doute de même famille que le latin *memor* : nous sommes en pleine opération intellectuelle.

le voir, aux Vanes par les Ases avec la note qu'il est tout à
fait propre à faire un chef, *höfðingi;* enfin, dans le monde
renouvelé qui succédera à celui-ci après la crise cosmique
où Loki aura joué son rôle violent, Hœnir incarnera la
fonction oraculaire [1] suivant le vers de la Völuspá (st. 63,
v. 1) : « Alors Hœnir pourra choisir la baguette de sort »
(c'est-à-dire explorer l'avenir en tirant les sorts) [2]. Du
même coup se trouve confirmée par opposition l'interprétation psychologique — « l'intelligence impulsive » —
proposée plus haut pour Loki.

Syrdon n'a pas devant lui, pour faire diptyque, l'équivalent de Hœnir. Il existe pourtant, de la valeur symbolique
qui lui a été ici attribuée, une confirmation du même ordre.
Syrdon trouve son maître, ou plutôt sa maîtresse. Il y a
quelqu'un parmi les Nartes, disent les Ossètes [3], qui est
plus malin que lui : c'est Satana, la sœur et femme
d'Uryzmæg, le modèle des dames d'Ossétie. Et pourquoi ?
Parce qu'elle est prévoyante, qu'elle réfléchit et sait
combiner de loin des plans où Syrdon, étourdiment, vient à
l'heure prévue jouer le rôle qu'elle lui a silencieusement
assigné. Les Nartes ont-ils besoin de savoir exactement le
nombre des soldats d'une armée magique qui n'est mise à
leur service qu'à cette condition ? Satana ne possède pas le
don merveilleux de calculateur que possède Syrdon, mais
elle a le moyen de faire parler Syrdon. Pendant la nuit,

---

1. « *Hœnir wird also in dem verjüngten Götterkreise die priesterlichen
Funktionen verrichten* », dit Gering dans son commentaire à *Völuspá*, 63 [1]. Cf.
H. Celander, *GHÅ*, 36 (1930), 3, p. 53.

2. *Pá kná Hœnir hlautvið kjósa...* (le vers suivant est malheureusement perdu).
On voudra bien noter que *tout* ce qui nous a été transmis sur Hœnir se trouve ici
solidairement considéré, — sauf trois désignations, indiquées par Snorri : « l'Ase
rapide », « le Long-Pied », l'*aurkonungr* (« Roi de l'Humide »), qui doivent faire
référence à des légendes que nous ne connaissons pas. Les deux premières,
paradoxales pour ce dieu qui « prend son temps », s'expliquent peut-être par un
thème comme celui du lièvre et de la tortue, — où c'est la tortue qui gagne à la
course parce qu'elle est méthodique : cf., en sens inverse, le proverbe færœien où
Loki, le rapide mais impulsif Loki, parti chercher l'eau pour baptiser une petite
fille, revient quand on en est à la marier, n° 14 I (4). Que le *Sögubrot*, 3 (XIIᵉ,
XIIIᵉ siècle ?) appelle Hœnir *hrœddast ása* « le plus anxieux, inquiet des Ases »
peut s'accommoder à l'interprétation ici présentée et oppose bien Hœnir à
l'*insouciant* Loki (cf., ci-dessus, l'attitude de Hœnir devant l'exigence de Pjazi : il
souffle de colère et se contient).

3. N° 2, au début, p. 180.

tandis que Syrdon rôde et compte pour s'amuser, elle coud une culotte à trois jambes et, quand vient l'aube, étale son ouvrage sur la haie. Syrdon aussitôt paraît et se met à la railler : « Tu es malade ! Il y a dans votre armée 30 fois 30 000 hommes avec 100 en sus et pas un seul qui ait trois jambes ! Et te voilà qui fabriques des uniformes à trois jambes ! » C'est précisément ce qu'attendait Satana : Syrdon, le léger Syrdon, pour le plaisir d'une raillerie et sans doute par vantardise, a dit le chiffre dont elle avait besoin [1]. Et voyez l'attitude de Syrdon et celle de Satana (Æxsijnæ) dans la terrible famine qui accable les Nartes [2] : Syrdon, certes, se tire d'affaire sur le moment en volant l'unique vache du ravitaillement officiel, et, sans souci du lendemain, il persifle, il outrage les malheureux Nartes, trop affaiblis pour lui répondre. Au contraire, prévenue par Uryzmæg, Satana révèle ses réserves : en maîtresse de maison prévoyante, elle a caché, stocké toutes les denrées pendant qu'elles étaient libres, elle peut rassasier les Nartes et, de fait, les rassasie. Il n'y a pas ici seulement l'opposition d'un égoïsme maladif et d'une saine charité; il y a vraiment l'opposition de deux types d'intelligence, l'un à court terme, l'autre à longue portée; simplement, par une liaison remarquable, la première est facilement « mauvaise », antisociale, la seconde est naturellement « bonne » et produit automatiquement un service d'assistance publique. Dans des affabulations bien différentes, les Ossètes incarnent donc, en face de Syrdon, comme les Scandinaves en face de Loki, et en ne donnant évidemment pas à Syrdon la supériorité, la forme de pensée qui s'oppose à la sienne [3].

1. N° 2, 1), *a*, *b*, *c*.

2. N° 7 *a*; cf. encore, dans le n° 10 *a* et *b*, les deux conduites opposées de Syrdon et de Satana.

3. [Note de 1986] La confrontation faite ici de Loki et de Hœnir n'est pas entièrement satisfaisante. M. Edgar Polomé me rappelle que, dans le principal mythe où il paraît, Hœnir fait couple avec Mímir et que, lorsqu'il est séparé de Mímir, il ne sait plus remplir son office. M. Polomé pense donc que, dans ce couple, Hœnir n'assure que la *communication* (cf. son rôle après le *Ragnarök*), la *réflexion*, la décision dûment pesée étant la chose de Mímir. Je reprendrai cette petite énigme, du point de vue de Mímir, dans une « Esquisse » de la quatrième série (76-100).

3. Óđinn, Hœnir et Lóđurr

Si l'on était sûr, comme beaucoup d'auteurs l'ont pensé, mais sans pouvoir fournir de preuve décisive, que, à la strophe 17 de la *Völuspá*, dans le récit de la création du premier couple humain par Óđinn, Hœnir et Lóđurr, ce dernier, *hapax* divin, n'est qu'une autre désignation de Loki (ce qui fournirait un autre cas de la triade Óđinn, Hœnir, Loki [1]), on tirerait de ces vers un enseignement du même ordre, bien qu'ils contiennent plusieurs mots très obscurs. Il s'agit des deux morceaux de bois, Askr et Embla, qui deviendront le premier homme et la première femme :

Ils n'avaient tous deux ni souffle vital (*önd*) ni esprit [(*óđr*) [2]

ni (? *lá*) ni (? *læti*) ni couleurs belles (*litir góđir*).
Óđinn donna souffle vital (*önd*), Hœnir donna esprit [(*óđr*),

Lóđurr donna (? *lá*) et couleurs belles (*litir góđir*).

Les mots *lá* (sans autre usage dans l'*Edda* poétique) et *læti* (qui ne se retrouve, avec la même indétermination, que dans un vers de la *Grípisspá*, 39[2]) ont été traduits de plusieurs manières; *læti* peut signifier « voix » (F. Jónsson, Nordal...) ou, moins probablement, « gestes » (Gering...); le sens de *lá* est tout à fait incertain (« chaleur », suivant Gering, d'après une étymologie hardie; il y a, en vieux-scandinave, plusieurs mots *lá* qui sont aussi peu admissibles ici les uns que les autres : « liquide », qu'il faudrait comprendre comme « sang », mais cet emploi n'est nulle part attesté; — « chevelure »).

Cette strophe est heureusement éclairée par un passage de l'*Edda* de Snorri où les dieux créateurs sont nommés collectivement « fils de Burr [3] » :

---

1. C'est même le seul argument qu'on donne pour assimiler Lóđurr et Loki. Il n'est pas nul, mais il est faible, frôle la pétition de principe.

2. Gering, *Edda Kommentar*, I, p. 21 : *önd* = « Atem, Atmungsvermögen »; *óđr* = « Vernunft, Geist ».

3. *Gylfaginning*, chap. VI, p. 16.

« Le premier donna souffle et vie (*önd ok líf*), le second intelligence et mouvement (*vit ok hrœring*), le troisième l'apparence, la parole et l'ouïe et la vue (*ásjónu, mál ok heyrn ok sjón*). »

Sauf le mouvement (*hrœring*), qu'on n'attend pas à cette place (et auquel d'ailleurs rien ne correspond dans la strophe de la *Völuspá*), la répartition des tâches est claire : le premier dieu (cf. Óðinn) fait le grand miracle, il anime, donne aux deux planches cette force vitale qui est commune à l'homme, aux animaux et aux plantes; le second (cf. Hœnir) leur donne ce qui est le propre de l'homme, l'esprit (*óðr*), l'intelligence ou la raison (*vit*) [et le mouvement, *hrœring* ? ?]; le troisième (cf. Lóðurr) leur donne les moyens de s'exprimer, la parole (*mál*, cf. *lœti*) et l'apparence (*ásjóna*) ou les « belles couleurs » (*litir góðir*), c'est-à-dire sans doute la « physionomie », et aussi, ajoute Snorri, les deux sens fondamentaux, l'ouïe et la vue. Sous le grand dieu Óðinn, qui fait le don primordial et le plus général (la vie), Hœnir patronne donc la partie profonde, invisible de l'intelligence, « l'intelligence en soi », tandis que Lóðurr patronne l'intelligence incarnée dans le « système de relation », dans les organes, accrochée aux sens, au gosier, à la peau, comme une araignée à sa toile. — Mais, encore une fois Lóðurr est-il Loki [1] ?

4. Mécanisme de la pensée mythique

Nous voici parvenus au terme de cette longue analyse psychologique, qui rencontrera, je le sais, des résistances [2]. Quoi, dira-t-on, les vieux Germains, les vieux Scythes auraient fait cette théorie ? Ils auraient disséqué la pensée, distingué la pensée curieuse ou hâtive et la pensée profonde

1. V. la bonne discussion et la conclusion réservée de J. de Vries, *The Problem of Loki*, pp. 28-37. L'auteur signale avec raison, pp. 29-30, que, en un sens, étymologiquement, on s'attendrait à voir l'*óðr* présenté comme un don d'Óðinn : la répartition n'en est que plus intéressante.
2. Avec mon accord, elle a été omise dans la traduction russe, *Osetinskij epos i mifologija* (Moscou, 1976), *Loki*, chap. IV « Sravnenija », pp. 111-131.

ou recueillie, et les Scandinaves auraient même, dans celle-ci, distingué deux temps, la concentration et la réflexion, l'attente et la réponse ? Et ils auraient incarné les résultats abstraits de cette analyse dans des personnages mythologiques ou épiques ? composé des scénarios pour les mettre en œuvre ? associé en diptyques ces représentations ? C'est là un travail à la fois subtil et puéril, concevable chez les auteurs du Roman de la Rose ou de la carte du Tendre, mais hors de question chez les barbares païens de l'ancienne Europe...

En effet, présenté sous cette forme, un tel « travail » de l'imagination germanique ou scythique est hors de question. Dans les pages qui précèdent, pour simplifier l'exposé, j'ai parlé comme s'il y avait eu *d'abord* analyse abstraite, *puis* traduction imagée des concepts ainsi obtenus, et *enfin* invention de petits drames pour en recomposer, en simuler le jeu naturel. Il est trop clair que, si le résultat final, le sens des mythes, peut bien être ainsi présenté, le processus qui a produit les mythes a été tout différent.

La pensée mythique, je veux dire celle qui crée et administre les mythes, est intermédiaire entre la pensée onirique et la pensée verbale, entre le rêve, dont elle a le caractère illustré, dramatique et en général symbolique, et le discours, dont elle a le caractère lucide, articulé et en général cohérent. Mais, comme le rêve et comme le discours (et sans être, bien entendu, absolument indépendante de l'un ni de l'autre), *elle se suffit à elle-même*, elle fait elle-même les opérations qui, transposées dans la pensée verbale, seraient des analyses et des synthèses, mais qui, en elle, comme dans l'intuition dynamique du peintre, du poète ou du romancier, sont plutôt la prise de conscience *immédiatement imagée et scénique* des rapports essentiels (liaisons causales, ressemblances, oppositions), *sans qu'il y ait à aucun moment dissociation de l'ensemble*. Ce n'est pas ici le lieu d'esquisser une théorie de la pensée mythique; elle soulève de gros problèmes dont l'un est justement celui de sa nature mixte, imagée et logique, de sa fantaisie associée à sa stabilité; et dont un autre (à moins que ce ne soit le même) est le « problème des auteurs » c'est-à-dire celui de la collaboration des individus et du groupe social dans la genèse, l'entretien, le rajeunissement, et aussi la « folklorisation » ou la mort des mythes. C'est la matière d'un petit livre qu'il faudra bien qu'un mythographe écrive un jour, et auquel contribueront certes la sociologie et l'ethnographie, mais aussi toutes les provinces de la psychologie, y compris la psychanalyse, et même la théologie, spécialement la théologie catholique, parce qu'elle connaît des problèmes partiellement comparables avec la maturation, l'acceptation et l'évolution des dogmes, des opinions probables et surtout des dévotions. Je voulais ici simplement avertir des critiques hâtifs de ne pas se laisser prendre aux apparences et de ne pas rejeter, à cause de la forme inévitablement discursive de l'exposé qu'en fait l'observateur moderne, l'idée que les barbares indo-européens, les Germains, les Scythes ont eu une « mythologie de la Pensée », comparable aux mythologies de la Voyance, du Droit, de la Force, de la Fécondité. Beaucoup de peuples ont une *philosophie mythique* fort avancée qui n'ont pas encore ou n'auront jamais de *philosophie discursive*. La *mythologie* précède, prépare souvent, en tout cas remplace l'*idéologie* et rend les mêmes services.

VI. — ÉLÉMENTS NATURALISTES :
LOKI, LE VENT, LE FEU

Je ne m'attarderai pas sur le troisième et dernier aspect de la mythologie de Loki (aspect auquel Syrdon, personnage simplement épique, ne participe guère), c'est-à-dire sur les éléments *naturalistes* qui, par suite d'affinités symboliques plus ou moins nettement perçues, se sont amalgamés à cette projection d'un type social et à cette incarnation d'un type psychologique. S'il paraît aujourd'hui indéfendable de *partir* de définitions comme celles qu'on proposait il y a quelques décennies (« Loki est le feu [1] »), on ne doit pas pourtant rester aveugle aux vêtements naturalistes, d'ailleurs discrets et variables, dont Loki se couvre parfois.

Deux éléments ou forces de la nature, semble-t-il, étaient prédestinés à rejoindre Loki : le vent et le feu [2]. Tous deux échappent aux cadres habituels de notre vie comme Loki échappe à l'ordre social : ne sont-ils pas à la fois insérés dans cette société d'éléments que forme n'importe quel paysage, et libres de tout lien, prêts à rompre cruellement toute solidarité ? Tous deux sont ambivalents : l'Iran ne distingue-t-il pas le bon côté et le mauvais côté de Vayu, établissant entre les deux mondes radicalement distincts du Bien et du Mal une liaison redoutable, et le feu n'est-il pas le type même du serviteur perfide [3] ? Tous deux sont de notre expérience quotidienne, nous rendent des services et nous jouent des tours à notre échelle, et, brusquement, dans la tempête et dans l'incendie, deviennent les agents de

---

1. A la suite de J. Grimm, *Deutsche Mythologie*, 4ᵉ éd. (1875), I, pp. 199-201; encore P. Herrmann, *Nordische Mythologie* (1903), pp. 403-419; E. H. Meyer, *Germanische Mythologie* (1903), pp. 275-277, E. Mogk, dans le *Reallexikon der germ. Altertumskunde*, III (1915), p. 163, G. Wilke, *Die Religion der Indogermanen in archäologischer Beleuchtung* (*Mannus Bibliothek* Nr. 31 1923), p. 119... C'est en ce sens que J. de Vries a raison de rejeter « the fire-nature of Loki », *The Problem of Loki*, pp. 151-162, notamment p. 161.

2. Ils paraissent avoir fourni aux Indo-Iraniens, le « dieu initial » et le « dieu final » des listes canoniques : v. *Tarpeia*, 1947, p. 66-97.

3. Cf. R. M. Meyer, *Altgermanische Religionsgeschichte*, 1910, p. 337.

catastrophes qui nous dépassent et nous détruisent. Tous deux sont des magiciens : le vent et le feu ne vont-ils pas partout, et vite, trop vite ? Ne surgissent-ils pas, ne disparaissent-ils pas sans qu'on sache d'où ils sont venus, où ils sont allés ? Ne prennent-ils pas, — le feu surtout — mille apparences ou ne laissent-ils pas, de leur passage, les marques les plus diverses ? Etc.

Aussi ne s'étonne-t-on pas de lire l'autre nom de Loki, *Loptr*, c'est-à-dire à peu près « *die Luft* », l'Aérien, le dieu de cet air où il circule si volontiers. Et même si son premier nom n'est pas un doublet de *logi* (masc.; cf. allemand *Lohe*) « flamme », les éléments ignés de ses mythes (et aujourd'hui, de son folklore) sont nombreux [1] : son match à armes égales avec *Logi*, la flamme personnifiée, dans le voyage de Þórr chez Utgarðaloki [2]; l'incendie qu'il allume d'un mot et qui embrase la salle d'Ægir à la fin de la *Lokasenna* [3]; son assimilation au charbon dans l'expression proverbiale islandaise qui fait allusion à la mort de Baldr [4]; en Islande encore, à la fin du XVIIIe siècle, l'attribution à Loki du « *sulphureus foetor quem fulgetra, ignes fatui et aliae faces igneae in aer relinquunt* » et le nom de la canicule, *Lokabrenna* [5]; au Danemark, l'attribution à Loki des mouvements scintillants de l'atmosphère [6]; les croyances et pratiques du sud de la Norvège et de la Suède qui assimilent Loki au feu du foyer [7]... Tout cela est indéniable [8] et ne doit

---

1. J'omets les fantaisies comme celles que J. de Vries a eu la patience de discuter sérieusement, *The Problem of Loki*, pp. 151-160 : « *The myth of his being caught in the shape of a salmon* » prouverait qu'il est proprement un « *fire-god* »... parce que, dans un runo magique finnois sur l'origine du feu, l'étincelle va se cacher dans le corps d'un poisson qu'il faut pêcher ensuite au filet (K. Krohn, « Magische Ursprungsrunen der Finnen », *FFC* 52, pp. 111, 117-118, 123-125...). En revanche, je ne crois pas qu'on puisse éliminer comme témoins valables de la conception ancienne de Loki les traits — convergents, mais divers — des folklores scandinaves modernes.

2. No 8.

3. Strophe 65 (noter encore le mot *logi*); no 11 *c*.

4. No 14 II, 4).

5. No 14 II 7) et 8).

6. No 14 V, 1).

7. No 14 VI, 1), 2), 3).

8. Les devinettes finnoises dont il a été fait mention ci-dessus, p. 111, n. 2, ont pour solution « le feu ».

pas être sous-estimé, pourvu qu'on ne revienne pas aux anciennes erreurs, pourvu qu'on ne voie pas dans ces traits ignés l'élément premier, le centre germinatif de la conception de Loki, d'où le reste serait sorti, pourvu qu'on les prenne pour ce qu'ils sont : des harmoniques naturalistes du type social et psychologique que représente d'abord et surtout Loki.

CHAPITRE V

BALDR, LOKI, HÖÐR
ET LE MAHĀBHĀRATA

Le problème des origines, tant pour le personnage de Loki que pour le Ragnarök — emprunt direct ou indirect ? héritage indo-européen —, était donc resté dans l'indécision en 1948, lors de la première édition de ce livre, avec une présomption, cependant, en faveur de l'héritage. A la fin de l'année précédente, cependant, une donnée nouvelle était intervenue : Stig Wikander, dans un article de Religion och Bibel, *avait établi que, si les textes conservés de l'Inde védique ne décrivent pas de « fin du monde », ni de « renouvellement du monde », la littérature ultérieure, le Mahābhārata, en présentait une, simplement transposée en termes épiques, des héros tenant le rôle des dieux. Il a fallu quelque temps encore pour reconnaître toutes les consé-quences de cette découverte, en particulier dans la province de mythologie qui nous occupe ici.*

Les résultats ont été publiés en 1959 dans Les Dieux des Germains, *dont ils forment le troisième chapitre. Comme ce petit livre, d'un débit insuffisant, a été mis très tôt au pilon par l'éditeur, je reproduis ici ce chapitre, à peine rajeuni par quelques notes. Le lecteur trouvera quelques redites : les supprimer eût été périlleux pour l'équilibre de l'exposé.*

Après avoir, dans les premiers chapitres, dessiné dans son ensemble la structure tripartie de la mythologie scandinave, celle qu'exprimaient encore, à la fin du

*pagagnisme, les cultes joints d'Oðinn, de Þórr et de Freyr
dans le temple d'Upsal, ce troisième chapitre abordait
comparativement, appuyé sur le Mahābhārata, le « drame
du monde », c'est-à-dire le meurtre de Baldr et, après la
crise eschatologique, son installation à la place d'Óðinn et
son règne heureux sur un monde renouvelé [1].*

1. Le chapitre II des *Dieux des Germains* s'achevait par une page (75) qui
soulignait le pessimisme d'une mythologie où les dieux souverains actuels font
mal, ou incomplètement leur office : « *Les dieux scandinaves ont beau punir le
sacrilège et le parjure, venger la paix violée, le droit bafoué* (W. Baetke, Die
Religion der Germanen, pp. 40-42), *aucun n'y incarne plus de façon* pure,
*exemplaire, ces valeurs absolues qu'une société, fût-ce hypocritement, a besoin
d'abriter sous un haut patronage; aucune divinité n'y est plus le refuge de l'idéal,
sinon de l'espérance. Ce que la société divine a gagné ici en efficacité, elle l'a
perdu en puissance morale et mystique : elle n'est plus que l'exacte projection des
bandes ou des Etats terrestres dont le seul souci est de gagner ou de vaincre. La
vie de tous les groupes humains, certes, est faite de violence et de ruse; du moins
la théologie décrit-elle un Ordre divin où tout n'est pas non plus parfait, mais où,
Mitra ou Fides, veille un garant, brille un modèle du vrai droit. Si les dieux des
polythéismes ne peuvent être impeccables, encore doivent-ils, pour remplir tout
leur rôle, encore l'un d'entre eux doit-il parler et répondre à la conscience de
l'homme, tôt éveillée, sûrement déjà bien éveillée, et mûre, chez les Indo-
Européens. Or Týr ne peut plus cela. Les Germains, ni leurs ancêtres n'étaient
pires que les autres Indo-Européens, qui se ruaient sur la Méditerranée, l'Iran ou
l'Indus, mais leur théologie de la souveraineté, et surtout leur « dieu juriste », en
se conformant à l'exemple humain, s'étaient amputés du rôle de protestation
contre l'usage qui est l'un des grands services que rendent les religions. Cet
abaissement du "plafond" souverain condamnait le monde, et le monde entier,
dieux et hommes, à n'être que ce qu'il est, puisque la médiocrité n'y résulte plus
d'accidentelles imperfections, mais de limites essentielles.
Irrémédiablement ? C'est ici qu'intervient Baldr, fils d'Óðinn et régent d'un
monde à venir. »*

I. — LES DIEUX SOUVERAINS MINEURS
DES INDO-EUROPÉENS

Mitra et Varuṇa ne sont pas les seuls dieux souverains de la religion védique. Ils sont les plus distingués d'un groupe, les Āditya, qui paraît n'avoir comporté d'abord, et déjà chez les Indo-Iraniens communs, que quatre termes, inégalement répartis sur les deux plans d'action qui sont définis par les dieux souverains majeurs, Mitra et Varuṇa : 1° *Mitra, Aryaman, Bhaga*, collaborant dans l'œuvre et avec l'esprit juridique et juste qui s'expriment dans le nom du premier; 2° *Varuṇa*, seul dans sa rigueur, dans sa magie et dans ses inquiétants lointains. Il y a des raisons de penser que c'est ce tableau, avec cette structure asymétrique, qui se retrouve, sublimé et cléricalisé, dans celui des deux premiers Archanges du zoroastrisme et des deux Entités étroitement associées au premier : 1° *Vohu Manah* (« La bonne Pensée »), *Sraoša* (« l'Obéissance »), *Aši* (« la Rétribution »); 2° *Aša* (« l'Ordre »). Pour le détail des analyses et des comparaisons, je ne puis que renvoyer, en dernier lieu, aux chapitres I, II et III des *DSIE* : « Les dieux indo-iraniens des trois fonctions »; « Les souverains mineurs de la théologie védique »; « Réformes en Iran ».

La présence de deux auxiliaires auprès de Mitra, le souverain qui « est ce monde-ci », se comprend aisément. L'un, Aryaman, qui porte le mot *arya* dans son nom, est spécialement affecté à la protection de la nationalité arya et de ce qui en assure la durée et la cohésion : alliances matrimoniales, hospitalité, dons, libre circulation, bien-être. L'autre, Bhaga, dont le nom signifie « la Part », préside à la juste, calme et pacifique distribution des biens entre Arya. Le zoroastrisme a simplement, pour Sraoša, remplacé la protection de la nationalité arya par celle de la communauté mazdéenne, de l'Eglise; et, pour Aši, ajouté à la distribution des biens temporels une autre distribution, ou plutôt rétribution, plus importante à ses yeux : celle des mérites, avant et après la mort du fidèle.

On a souvent noté que les Indiens védiques se montraient relativement peu soucieux de ce qui suit la mort : les représentations en sont contradictoires et affleurent rarement dans ces hymnes, éclatants de vitalité et d'ambition temporelle. Peut-être était-ce là, par rapport à l'état de choses indo-iranien, un appauvrissement. Il est en effet remarquable que ni les hymnes ni les rituels ne disent rien de ce qui est, au contraire, le principal, presque le seul office d'Aryaman dans l'épopée — qui, on le sait, conserve parfois des conceptions prévédiques que les Védas n'avaient pas retenues : là, Aryaman continue sa mission jusque dans l'autre monde, où il est le roi d'une catégorie d'ancêtres d'ailleurs mal définis, « les Pères », et le chemin qui mène vers eux, réservé aux hommes qui pendant leur vie ont exactement pratiqué les rites (par opposition aux ascètes, à qui s'ouvre un autre chemin), est appelé « chemin d'Aryaman ». Or, le zoroastrisme, occupé de l'au-delà au point de déséquilibrer à son profit les espérances du fidèle, donne semblablement à l'Entité dérivée d'Aryaman un rôle essentiel auprès des « bons » morts : c'est Sraoša qui accompagne et garde l'âme dans le périlleux voyage qui la conduit devant le tribunal de ses juges, dont il est membre. Cette rencontre précise confirme que, dans des milieux non proprement védiques, s'est conservée chez les Indiens, attendant de s'exprimer à la faveur de l'épopée, une conception prévédique qui faisait d'Aryaman le roi et le protecteur de la collectivité des Arya morts autant que celle des Arya vivants.

A Rome, j'ai signalé une association comparable de deux auxiliaires à Jupiter. Ces divinités ne sont malheureusement connues que dans le culte capitolin, en un temps donc où, Optimus et Maximus, Jupiter concentrait sur lui les deux aspects, « mitrien » et « varuṇien », de la souveraineté : le grand dieu loge dans son temple *Juuentas* et *Terminus*, l'une protectrice de la classe la plus importante de Romains pour la vitalité de la ville, les *iuuenes*, l'autre protecteur de la juste délimitation des propriétés foncières. En outre Juuentas garantit à Rome l'éternité et Terminus la permanence dans l'espace, sur son site. Encore moins curieux de l'au-delà de la vie que leurs cousins védiques, attachés au concret, dévoués à leur Ville, le seul « avenir indéfini », dont les Quirites aient confié le soin à une divinité est bien celui de Rome, et d'eux-mêmes, les Romains, mais des Romains successivement présents sur la terre, dans les vagues de vie sans cesse renouvelées qui forment la puissante et concrète marée nationale.

Si les poètes védiques parlent peu de l'au-delà et n'y engagent pas leur Aryaman, ils ne laissent pas non plus paraître, à propos de leur Bhaga et de la répartition des biens, ni d'ailleurs à propos d'autres dieux, ce qu'on pourrait appeler une théorie du destin. Bhaga, en particulier, n'est pas l'accusé du procès qu'ouvre vite la réflexion en cette matière : comment interpréter la fréquente injustice, le scandale même des « parts », le caprice ou l'insouciance du « distributeur » ? Bhaga est invoqué par les poètes des hymnes avec une visible confiance, autre marque de la vitalité et de l'optimisme qui caractérisent leur religion. En était-il de même partout, dans toute la société, chez tous les penseurs ? Non, sans doute, à en juger par une expression d'apparence proverbiale, peut-être populaire, que les livres rituels ont conservée et qu'ils expliquent à leur façon, mais qui se suffit à elle-même : « Bhaga est aveugle. » Bhaga fait partie d'un petit groupe de dieux mutilés, volontiers rapprochés dans les récits étiologiques, et dont la mutilation est aussi paradoxale que celle d'Óðinn, voyant parce que borgne, de Týr, patron des chicanes du þing, après avoir été amputé de sa dextre dans une procédure de garantie : Bhaga, qui distribue les « parts » et qui est aveugle, voisine avec Savitṛ, l'Impulseur, qui met toutes choses en mouvement et qui a perdu ses deux mains; avec Pūṣan aussi, protecteur de la « viande sur pied » que sont les troupeaux, et qui, ayant perdu ses dents, ne peut manger que de la bouillie. Il est probable que, dans le cas de Bhaga, cette expression que les Brāhmaṇa citent comme un dicton n'a pas d'autre sens que l'image occidentale qui met un bandeau sur les yeux de Tychè ou de Fortuna, distributrices des sorts.

II. — ESCHATOLOGIE INDO-IRANIENNE ET MAHĀBHĀRATA

Il est un dernier groupe de problèmes que la réflexion des hymnes ne se pose pas : ceux de l'eschatologie, de la fin du monde, ou du moins du monde présent. Les poètes parlent constamment des êtres démoniaques, sous des noms variés, mais c'est toujours dans le passé ou dans le présent, pour célébrer les victoires des dieux et en obtenir, dans l'immédiat, de nouvelles. Les Brāhmaṇa systématisent souvent cette représentation, opposant les dieux et les démons comme deux peuples rivaux bien qu'apparentés, racontant maint épisode de leur permanent conflit; mais ils ne parlent jamais de « la fin », qu'aucun rituel n'envisage, ne prépare. De plus, nulle part, aucun personnage n'est présenté comme le « chef » des forces démoniaques, qui agissent anarchiquement, en ordre dispersé. On sait que le zoroastrisme a construit au contraire son dogme, sa morale et son culte sur un sens tragique, obsédant de la lutte que les puissances du Bien soutiennent contre celles du Mal. Dans l'Avesta les deux partis sont organisés, hiérarchisés, chacun sous un commandement unique; leur symétrie est même poussée à l'extrême : chaque être « bon », Ahura Mazdā comme les Entités qui l'assistent — et en qui se prolongent, moralisées, les figures des dieux des trois fonctions de l'ancien polythéisme —, a son adversaire propre, sa réplique « mauvaise ». B. Geiger (1916) a bien montré, par des études de vocabulaire, que cette grandiose conception s'est formée d'éléments que n'ignore pas le R̥gVeda et que, en particulier, les deux mots *Aša* et *Druj*, « Ordre », et « Mensonge », qui expriment l'essentiel du bien et du mal dans le langage zoroastrien, ont même fonction et même articulation (*r̥ta*, *druh*) dans le langage védique; simplement, dans les hymnes, ces mots restent à l'état libre, se heurtent dans des formules, mais ne soutiennent pas, sur leur affrontement, toute une structure religieuse. De plus, comme il a été dit, le zoroastrisme appuie son souci et son effort sur l'avenir, non sur le passé ni le présent, et cela dans le cas de l'individu, qui doit sans cesse préparer son salut, comme dans celui de l'univers, qui un jour se libérera des puissances mauvaises, aujourd'hui trop égales à celles du bien. Au moment de la résurrection, dit le *Grand Bundahišn* (xxxiv, 27-32; éd. et trad. B.T. Anklesaria, 1956, p. 290-293),

Ohrmazd saisira le Mauvais Esprit, Vohuman saisira Akoman, Aša-Vahišt Indra, Šatrivar Sauru, Spendarmat Taromat, c'est-à-dire Nåṅhaiθya, Xurdat et Amurdat saisiront Taurvi et Zairi, la parole véridique la parole mensongère et Srōš (c'est-à-dire Sraoša) Aēšma (démon de la fureur). Alors resteront deux « druj », Aharman et Az (démon de la concupiscence). Ohrmazd viendra en ce monde, lui-même comme prêtre zōt avec Srōš comme prêtre ráspí, et tiendra la ceinture sacrée à la main. Le Mauvais Esprit et Az s'enfuiront dans les ténèbres, repassant le seuil du ciel par lequel ils étaient entrés... Et le dragon Gōčīhr sera brûlé dans le métal fondu qui coulera sur l'existence mauvaise, et la souillure et la puanteur de la terre seront consumées par ce métal, qui la fera pure. Le trou par lequel était entré le Mauvais Esprit sera fermé par ce métal. Ils chasseront ainsi dans les lointains la mauvaise existence de la terre, et il y aura renouveau dans l'univers, le monde deviendra immortel pour l'éternité et le progrès éternel.

Cette vision eschatologique, ce bonheur définitif succédant à la grande crise, est-ce une création *ex nihilo* du mazdéisme, ou bien les Indo-Iraniens rêvaient-ils déjà de ce grand jour où le Bien prendra une revanche absolue et totale des mille épreuves que lui imposent les puissances du Mal ? Jusqu'à des temps très récents, la seconde hypothèse paraissait exclue, mais un article de vingt-deux pages a renversé la probabilité.

En 1947, un savant suédois, Stig Wikander, a fait une découverte qui modifie profondément les perspectives de l'histoire des religions de l'Inde. On savait depuis quelque temps que la grande épopée du Mahābhārata conte parfois, en *excursus*, sous un costume rajeuni, des légendes que les Védas ne mentionnent pas, mais dont les Iraniens ou

d'autres peuples indo-européens offrent d'autres versions :
telle, entre autres, celle de la fabrication et du morcellement
du géant Ivresse, qui a été analysée dans le premier de nos
chapitres [1]. On sait maintenant davantage : les héros
centraux du poème, avec leurs caractères et leurs rapports,
prolongent eux aussi une structure idéologique indo-
iranienne, sous une forme en partie plus archaïque que ne
font les hymnes et l'ensemble de la littérature védique. Ces
héros, cinq frères, les Pāṇḍava ou pseudo-fils de Pāṇḍu,
sont en réalité les fils de cinq dieux qui, avec et sous
Varuṇa, constituaient la plus vieille liste canonique des
dieux des trois fonctions : Dharma « la Loi » (rajeunissement transparent de Mitra), Vāyu et Indra (deux variétés
indo-iraniennes de guerriers), les deux jumeaux Nāsatya ou
Aśvin (« troisième fonction »); l'ordre des naissances se
conforme à la hiérarchie des fonctions et le caractère, le
comportement de chaque fils à la définition fonctionnelle de
son père. Seul Varuṇa n'a pas de représentant dans la liste,
mais il a été facile de montrer qu'il n'est pas absent du
poème : avec quelques-uns de ses traits les plus spéciaux, il
a été transposé à la génération antérieure dans le personnage
de Pāṇḍu, père putatif des Pāṇḍava.

La transposition ne se borne pas à ce père et à ces fils.
Les auteurs de l'immense poème ont expliqué systématique-
ment au début du premier livre et maintes fois rappelé dans
la suite que les héros qui s'y affrontent ou s'y concertent ne
sont des hommes qu'en apparence : soit fils, soit incarnations totales ou partielles les uns de dieux, les autres de
démons, ce sont des intérêts cosmiques, c'est le drame
même du Grand Temps mythique qu'ils représentent, gèrent
ou jouent, par une sorte de projection, en un point de notre
espace et à un moment de notre temps, traduisant en
histoire passée ce que le mythe distribue entre le passé, le
présent et l'avenir. Lu dans cette perspective, traduit avec
cette clef que fournissent les auteurs eux-mêmes et que
confirment des analyses dont les Indiens ne pouvaient plus

---

1. Ci-dessus, pp. 74-82.

avoir conscience, l'épopée retrace d'abord les épreuves, les injustices et les spoliations que les puissances du Mal, aux ordres d'un astucieux inspirateur, d'un « héros-démon », font endurer aux puissances du Bien, aux « héros-dieux » que sont les Pāṇḍava; elle narre ensuite la bataille finale (ce qui serait, en langage mythique, la bataille eschatologique) dans laquelle ceux-ci, prenant leur revanche, anéantissent leurs ennemis; elle dépeint enfin, conséquence de cette terrible mêlée, le règne idyllique de l'aîné des Pāṇḍava. J'ai fait ailleurs, de ce point de vue, l'examen de la trame du poème [1], je n'en résume ici que les résultats. Voici d'abord la succession des événements, dans leurs apparences humaines.

A une certaine génération de la dynastie des Bhārata, naissent successivement trois frères, marqués chacun d'une déficience, bénigne pour le second, exclusive de la royauté pour les deux autres. Dhṛtarāṣṭra, l'aîné, est aveugle; Pāṇḍu, qui vient ensuite, est maladivement pâle; Vidura enfin est un sang-mêlé, sa mère étant une esclave substituée secrètement à la reine. Pāṇḍu devient donc roi. Après un règne bref, marqué par des triomphes et des conquêtes inouïs, il est frappé d'une malédiction qui lui interdit l'acte sexuel, et il se fait faire ses cinq fils par des dieux : le juste et bon Yudhiṣṭhira par Dharma; Bhīma, le géant à la massue, par Vāyu; le chevaleresque guerrier Arjuna, par Indra; enfin, par les deux Nāsatya ou Aśvin, les humbles jumeaux Nakula et Sahadeva, serviteurs de leurs frères. Quand il meurt, son frère Dhṛtarāṣṭra devient le tuteur de ses fils, encore jeunes, en attendant que l'aîné, Yudhiṣṭhira, puisse être roi. Mais Dhṛtarāṣṭra a des fils dont l'aîné, Duryodhana, respire une haine et une jalousie monstrueuses. Sans scrupules à l'égard de ses cousins les Pāṇḍava, il entend bien les dépouiller de leur héritage. Pendant leur jeunesse commune (ils sont élevés ensemble), à plusieurs reprises, il leur fait des farces désagréables,

---

1. Esquissée dans *IIJ* (1959), pp. 1-16, l'étude a été développée dans la première partie (pp. 33-257) de *ME* I, 1978 (5ᵉ éd., avec des notes complémentaires, 1986).

essayant même de les faires périr [1]; ils n'échappent que grâce aux avis secrets que leur fait tenir leur oncle Vidura, dévoué à la justice, à la modération, à la bonne entente familiale; en revanche Dhṛtarāṣṭra, tout en aimant ses neveux, dont il reconnaît et déclare les droits, fait preuve d'une extrême faiblesse devant son fils, ne lui résiste que pour céder un peu plus tard et permet en gémissant ses initiatives criminelles.

Ne réussissant pas à tuer les Pāṇḍava, Duryodhana imagine un autre procédé. L'aîné des cinq, le roi désigné, Yudhiṣṭhira, excelle aux dés, au point que nul joueur humain ne peut le vaincre; Duryodhana demande donc à son père la permission de faire provoquer Yudhiṣṭhira à une partie qu'il devrait normalement gagner, mais qu'il perdra, l'adversaire disposant de moyens surnaturels. L'aveugle résiste, hésite longtemps entre les sages et honnêtes adjurations de Vidura et les instances violentes de son fils. Finalement, il cède et donne l'ordre aux uns d'organiser la fatale partie, à Yudhiṣṭhira de s'y rendre. Yudhiṣṭhira perd tous les enjeux successifs : ses biens, la royauté, la liberté de ses frères et la sienne, sa femme même — qu'une outrance de Duryodhana sauve cependant de justesse. Privés de tout, les Pāṇḍava doivent s'exiler pour une longue période — douze ans dans la forêt, une treizième année dans un pays quelconque, mais dans l'incognito — au bout de laquelle ils pourront revenir réclamer leur héritage. Mais une irrémédiable hostilité est désormais établie entre les groupes de cousins et chacun des Pāṇḍava, avant de quitter le palais, se

---

1. *Mbh.* I, 128 (trad. de P. Ch. Roy), Duryodhana essaie d'empoisonner, puis de noyer Bhīma, que sauvent les *naga*; 129, nouvelle tentative d'empoisonnement, inefficace; 143, début du complot qui conduira à l'incendie de la maison de laque où les Pāṇḍava périraient sans l'avis de Vidura; 203, Duryodhana envisage sept stratagèmes pour affaiblir les Pāṇḍava (provoquer la désunion des aînés et des jumeaux, corrompre leurs ministres et leurs beaux-frères pour qu'ils les abandonnent; les inciter à rester chez leur beau-père Drupada; susciter la jalousie dans leur cœur; brouiller Draupadī avec ses maris; tuer Bhīma; tenter les Pāṇḍava avec de jolies femmes). En sens inverse, II, 46, Duryodhana est victime des illusions du palais de Yudhiṣṭhira : il tombe habillé dans l'eau ou, au contraire, se déshabille pour traverser une surface de cristal qu'il prend pour de l'eau. C'est seulement en II, 47 que Śakuni propose de vaincre Yudhiṣṭhira aux dés.

choisit d'avance l'ennemi qu'il abattra le jour de la revanche.

Le délai expiré, Yudhiṣṭhira fait valoir ses droits. Dhṛtarāṣṭra voudrait encore rétablir la justice, arriver du moins à un compromis entre les prétentions rivales, mais son fils l'accable de récriminations et d'insolences et, la mort dans l'âme, il répond négativement aux ambassades de ses neveux. C'est la guerre. Tous les rois de la terre se partagent entre les deux camps et il s'ensuit une énorme et meurtrière bataille, longtemps balancée, au cours de laquelle les Pāṇḍava, tenant parole, tuent les adversaires qu'ils se sont distributivement fixés. Duryodhana, notamment, tombe sous les coups de l'herculéen Bhīma. Tous les fils de Dhṛtarāṣṭra, tous les « méchants » périssent, mais, de l'armée des « bons », seuls survivent les Pāṇḍava et quelques rares héros.

Sur cette ruine, aussitôt, un ordre nouveau se fonde. Yudhiṣṭhira règne enfin, vertueux, juste, bon. Ses deux oncles sont dorénavant ses conseillers et ses ministres : l'aveugle Dhṛtarāṣṭra, dont la seule faiblesse a causé tout le malheur, et le champion de la concorde Vidura, qui n'a cessé de vouloir éviter, puis limiter ce malheur. La merveille de ce règne dure jusqu'aux morts successives des héros : de Dhṛtarāṣṭra d'abord que consume l'incendie allumé par son feu sacrificiel; puis de Vidura, qui, littéralement, se transfuse dans Yudhiṣṭhira; de Yudhiṣṭhira enfin et de ses frères, qui tombent l'un après l'autre dans le « grand voyage » vers la solitude et qui retrouvent au ciel ceux qu'ils ont aimés ou combattus.

Tel est l'aspect « historique » de la narration. Sous ce drame des hommes, s'en joue un autre, immense, celui des êtres divins et démoniaques qu'ils incarnent ou représentent. De même que les pseudo-fils de Pāṇḍu sont les fils (un passage dit : « les incarnations partielles ») des grands dieux des trois fonctions, axe central de la mythologie indo-iranienne, de même que Pāṇḍu se conforme au type de Varuṇa (figuré, lui aussi, dans certains rituels, comme maladivement pâle; frappé, lui aussi, dans une tradition,

d'impuissance sexuelle), de même l'animateur des com-
plots, le responsable des mauvais desseins qui aboutissent
d'abord au malheur des Pāṇḍava, puis à l'extermination de
presque tous les « bons » en même temps que de tous les
« méchants », Duryodhana, est le démon Kali incarné — le
démon qui porte le nom du mauvais âge du monde, le
quatrième, dans lequel nous vivons. Quand il est né, les
signes les plus sinistres, les bruits les plus lugubres ont
averti les hommes, mais son père, malgré les avis des
sages, a ouvert la série de ses faiblesses en refusant de
l'immoler au bien public. C'est donc, en filigrane, un grand
conflit cosmique qui se livre, avec trois « époques » : le jeu
truqué, par lequel le Mal triomphe pour un long temps,
écartant de la scène les représentants du Bien; la grande
bataille où le Bien prend sa revanche, éliminant définitivement le Mal; le gouvernement des bons.

Deux personnages, dans cette perspective, sont particulièrement importants : l'aveugle Dhṛtarāṣṭra et le sang-mêlé
Vidura qui, frères de Pāṇḍu, traversent avec des attitudes
bien différentes le long conflit des cousins, pour devenir
finalement les collaborateurs étroitement unis de Yudhiṣṭhira dans son règne idyllique. Il a été possible de montrer
que, de même que Pāṇḍu et Yudhiṣṭhira, les deux rois
successifs, représentent dans le jeu épique le Varuṇa et le
Mitra védiques et prévédiques (celui-ci rajeuni en Dharma),
de même les « presque-rois » Dhṛtarāṣṭra et Vidura représentent les deux souverains mineurs védiques et prévédiques
Bhaga et Aryaman. Vidura, dit le poème, est une incarnation de ce même Dharma dont Yudhiṣṭhira est le fils, ou, lui
aussi, une incarnation partielle et, quand il mourra, son être
rentrera, se jettera, se fondra dans celui de Yudhiṣṭhira :
traduction épique excellente du lien particulièrement intime,
confinant parfois à l'identité, qui existe dans les hymnes
entre Mitra et Aryaman. Son caractère, son action sont ce
qu'on attend d'Aryaman : il montre un souci constant à la
fois de la justice et de la bonne entente entre les membres
du *kula,* de la grande famille; il ne peut que contrarier pour
un temps les machinations fratricides de Duryodhana; même
reconnus excellents, ses avis ne sont pas suivis et, pendant
la bataille, il ne dit plus rien, ne se manifeste plus; il ne
reparaît qu'après la fin du conflit, pour collaborer étroitement avec ce Yudhiṣṭhira qui est presque lui, et appliquer
enfin les règles de justice et de bonne entente qu'il a
toujours préconisées. De Dhṛtarāṣṭra, par une lacune étrange
ou une exception presque unique, le poème ne fait le fils ou
l'incarnation d'aucun dieu; mais, tout le long du drame,
dans les paroles qu'il prononce comme dans les propos de
ses interlocuteurs, est établie et cent fois répétée sa
correspondance avec le destin (*daiva, kāla,* etc.); car cet
aveugle est lucide; il déclare lui-même que ses neveux ont

raison, il sait (Vidura le lui dit, et il acquiesce) que la
malice de Duryodhana ne peut produire qu'une catastrophe;
mais finalement, par manque de caractère, il prend, quant
au jeu, quant à la guerre, les décisions que lui suggère ce
triste inspirateur. Il est, dans tout cela, une image de la
fatalité. Ses hésitations, ses capitulations, ses décisions
grosses de malheurs copient le comportement du destin,
déconcertant comme lui : « Bhaga est aveugle... » Vidura
et Dhṛtarāṣṭra ne sont jamais en opposition que par leurs
discours, à propos des conseils que le second demande au
premier, qu'il approuve et n'applique pas. Mais il n'y a pas
entre eux d'hostilité et ils trouveront leur vraie vocation
dans « l'après-bataille », quand ils collaboreront tous deux,
côte à côte, à la royauté rénovée de Yudhiṣṭhira.

Il est intéressant de noter ici, dans les trois frères de la
première génération, Dhṛtarāṣṭra, Pāṇḍu et Vidura, un
nouvel exemple de la curieuse représentation, plusieurs fois
signalée ici, des mutilations ou déficiences qualifiantes : le
premier, qui devra prendre les plus lourdes décisions du
poème, qui, dans les circonstances les plus graves, pour un
bref moment, aura le choix, la liberté d'endiguer le mal ou
de le déchaîner, bref le répondant épique de Bhaga, naît
aveugle. Le second, Pāṇḍu, qui aura la plus glorieuse
descendance, « les Pāṇḍava », est frappé d'interdiction
sexuelle et, de plus, roi des Aryas basanés, naît maladivement pâle. Le troisième, dévoué de toute son âme au salut
et à la cohésion interne de la noble race, est un bâtard, un
sang-mêlé. Mais c'est surtout l'articulation des grands rôles
que je veux ici retenir : au premier des « temps » décisifs
de l'action, Duryodhana[-Démon] amène l'aveugle Dhṛtarāṣṭra[-*Destin], malgré les mises en garde de Vidura
[-*Aryaman], à organiser la partie de jeu où, normalement,
Yudhiṣṭhira[-*Mitra] devrait être invincible et où,
cependant, par le truquage surnaturel des instruments du
jeu, il sera vaincu et, par suite, et pour longtemps, obligé
de disparaître. Dans le second « temps » décisif, Duryodhana[-Démon] lance contre Yudhiṣṭhira[-*Mitra], contre
ses frères et ses alliés, une formidable coalition, et, dans la
bataille qui s'ensuit, les Pāṇḍava[-dieux fonctionnels] tuent

chacun l'adversaire de son rang, y compris Duryodhana. Enfin, dans le renouveau qui succède à cette crise, l'aveugle Dhṛtarāṣtra[-*Destin] et le juste Vidura [-*Aryaman], entièrement réconciliés, assurent l'œuvre que couvrent le nom et l'esprit de Yudhiṣṭhira[-*Mitra]. Ajoutons qu'une tradition latérale attestée par un Jātaka bouddhique économise le personnage de Yudhiṣṭhira et fait de Vidura même, appelé « Vidhura », l'enjeu de la partie de dés truquée (*Vidhura Pāṇḍita Jātaka* = V. Fausböll, VI, pp. 329-355; J. Dutoit, VI, pp. 316-339).

J'ai signalé ailleurs de remarquables analogies entre des parties de ce tableau et « la fin du monde » selon Zoroastre : dans le mazdéisme, la longue lutte du Bien et du Mal et les succès du Mal sont suivis, quand les temps sont révolus, d'une liquidation totale des forces de ce Mal, au cours de laquelle, notamment, les Archanges, transposition théologique des anciens dieux indo-iraniens des trois fonctions comme, dans l'Inde, les Pāṇḍava en sont une transposition épique, « saisissent » et éliminent chacun l'Archidémon qui lui est opposé. Mais c'est avec le drame scandinave de Baldr — la vie inefficace et le meurtre de Baldr, la bataille eschatologique, le renouveau du monde sous Baldr roi — que la comparaison du mythe indien sous-jacent à l'intrigue du Mahābhārata est particulièrement éclairante.

IV. — RAGNARÖK

La société des dieux scandinaves comporte un personnage extrêmement intéressant : Loki. Intelligent, astucieux au plus haut degré, mais amoral, aimant faire le mal, en petit et en grand, pour s'amuser autant que pour nuire, il représente, parmi les Ases, un véritable élément démoniaque. Plusieurs des assaillants du futur Ragnarök, le loup Fenrir, le grand Serpent, sont ses fils, comme est sa fille Hel, la présidente du sinistre séjour où vont les morts que n'accueille pas la Valhöll d'Óðinn.

D'autre part, entre les fils d'Óðinn, se détachent les deux figures diversement tragiques de Baldr et de Höðr. Du second, une seule action est connue, le meurtre involontaire de Baldr et, un seul trait : il est aveugle; non pas borgne et, par une suite paradoxale, « mieux voyant », comme son père, mais bien aveugle, et incapable de se gouverner par lui-même. Le premier rassemble sur lui l'idéal d'une vraie justice et d'une bonté sans détour et cette soif d' « autre chose » qu'aucun des grands Ases ne satisfait plus, puisque Týr est passé à la ruse, à la violence et « n'est point pacificateur d'hommes ». Auprès de ce Mitra scandinave dégénéré, c'est Baldr qui relève la fonction. La *Gylfaginning* de Snorri (chap. xv et xi : *Sn. E.,* p. 33 et 29-30) définit ainsi ces deux frères :

xv. Il y a un Ase qui s'appelle Höðr. Il est aveugle. Il est fort, mais les dieux voudraient bien qu'il n'eût pas à être nommé, car l'acte de ses mains sera longtemps gardé en mémoire chez les dieux et chez les hommes.

xi. Un second fils d'Óðinn est Baldr, et, de lui, il y a du bien à dire. Il est le meilleur et tous le louent. Il est si beau d'apparence et si brillant qu'il émet de la lumière; et il y a une fleur des champs si blanche qu'on l'a comparée avec les cils de Baldr : elle est la plus blanche de toutes les fleurs des champs — et, d'après cela, tu peux te représenter sa beauté à la fois de

---

1. Ci-dessus, p. 102.

cheveux et de corps. Il est le plus sage des Ases et le plus habile à
parler et le plus clément. Mais cette condition de nature lui est
attachée, qu'aucun de ses jugements ne peut se réaliser. Il habite
la demeure qui a nom « Largement Brillante », qui est au ciel. En
cet endroit, il ne peut rien y avoir d'impur.

Un intéressant complément sur la nature de Baldr se
déduit de ce qui est dit un peu plus loin, au chapitre XVIII (*Sn.
E.*, p. 33-34), de son fils, Forseti : « Il habite dans le ciel
une demeure appelée Gritnir et tous ceux qui s'adressent à
lui dans des querelles de droit s'en retournent réconciliés.
C'est le meilleur tribunal pour les dieux et les hommes. »
Tels sont les acteurs principaux du drame, dont voici
les principales scènes, encore d'après la *Gylfaginning*
(chap. XXXIII-XXXV : *Sn. E.*, p. 65-68) [1] :

Cette histoire commence par ceci, que le bon Baldr eut des
songes graves qui menaçaient sa vie. Quand il raconta ces songes
aux Ases, ils délibérèrent entre eux et l'on décida de demander
sauvegarde pour Baldr contre tout danger. Frigg [l'épouse
d'Óðinn, mère de Baldr] recueillit des serments garantissant que
le feu ne lui ferait aucun mal, ni l'eau ni aucune sorte de métal ni
les pierres ni la terre ni les bois ni les maladies ni les animaux ni
les oiseaux ni les serpents venimeux. Quand tout cela fut fait et
connu, Baldr et les Ases s'amusèrent ainsi : il se tenait sur la
place du þing et tous les autres ou bien tiraient des traits contre lui
ou lui donnaient des coups d'épée ou lui jetaient des pierres; mais,
quoi que ce fût, cela ne lui faisait aucun mal. Et cela semblait à
tous un grand privilège.

Quand Loki, fils de Laufey, vit cela, cela lui déplut. Il alla
trouver Frigg aux Fensalir sous les traits d'une femme. Frigg lui
demanda si elle savait ce qu'on faisait sur la place du þing. La
femme répondit que tout le monde lançait des traits contre Baldr,
mais qu'il n'en recevait aucun mal. Frigg répondit : « Ni armes ni
bois ne tueront Baldr : j'ai recueilli le serment de toutes les
choses. » La femme dit : « Tous les êtres ont-ils juré d'épargner
Baldr ? » Frigg répondit : « Il y a une jeune pousse de bois qui
grandit à l'ouest de la Valhöll et qu'on appelle *mistilteinn*,
"pousse de gui"; elle m'a semblé trop jeune pour que je réclame
son serment. »

La femme s'en alla — mais Loki prit la pousse de gui,
l'arracha et alla au þing. Höðr se tenait là, tout en arrière du
cercle des gens, parce qu'il était aveugle. Loki lui dit :

1. Ci-dessus, pp. 36-39.

« Pourquoi ne tires-tu pas sur Baldr ? » Il répond : « Parce que je
ne vois pas où est Baldr et, de plus, parce que je suis sans
arme. » Loki dit : « Fais comme les autres, attaque-le, je
t'indiquerai la direction où il est. Lance ce rameau contre lui ! »
Höðr prit la pousse de gui et, guidé par Loki, la lança sur Baldr.
Le trait traversa Baldr qui tomba mort sur la terre. Ce fut le plus
grand malheur qu'il y ait eu chez les dieux et chez les hommes.

Quand Baldr fut tombé, tous les Ases furent sans voix et
incapables de le relever. Ils se regardaient l'un l'autre et tous
étaient irrités contre celui qui avait fait la chose, mais personne ne
pouvait le punir : car c'était là un grand lieu de sauvegarde.
Quand les Ases voulurent parler, ils éclatèrent d'abord en larmes,
de sorte qu'aucun ne pouvait exprimer à l'autre sa douleur avec
des mots. Mais Óðinn souffrait le plus de ce malheur, parce qu'il
mesurait mieux le dommage et la perte qu'était pour les Ases la
mort de Baldr.

Ce drame, comme il ressort bien de la structure même de
la *Völuspá,* est la clef de voûte de l'histoire du monde. Par
lui, la médiocrité de l'âge actuel est devenue sans remède.
Certes, la bonté et la clémence de Baldr étaient jusqu'alors
inefficaces, puisque, par une sorte de mauvais sort, « aucun
de ses jugements ne tenait, ne se réalisait »; du moins
existait-il, et cette existence était protestation et consolation.

Après sa disparition, Baldr vit de la vie des morts, non pas
dans la Valhöll de son père (il n'était pas guerrier, il n'était
pas mort à la guerre), mais dans le domaine de Hel — et
sans retour possible par l'effet d'une méchanceté supplé-
mentaire de Loki [1]. A un envoyé d'Óðinn qui lui demandait
de libérer le dieu, Hel avait répondu :

qu'il fallait vérifier qu'il était aussi aimé qu'on disait. « Si toutes
choses au monde, dit-elle, vivantes et mortes, le pleurent, il
retournera chez les Ases; mais il restera avec Hel si quelqu'un
refuse et ne veut pas pleurer. » ... Aussitôt [connue cette
réponse], les Ases envoyèrent des messagers dans le monde entier
pour prier tous les êtres de tirer Baldr par leurs larmes du pouvoir
de Hel. Tous le firent, les hommes et les animaux et la terre et les
pierres et les arbres et tous les métaux... Alors que les messagers
revenaient après avoir bien rempli leur mission, ils trouvèrent
dans une caverne une sorcière qui se nommait Þökk. Ils lui

---

1. Ci-dessus, p. 39.

demandèrent de pleurer pour tirer Baldr du pouvoir de Hel. Elle répondit :

Þökk pleurera avec des larmes sèches la crémation
[de Baldr !
Vif ni mort, je n'ai pas profité du fils de l'homme :
  que Hel garde ce qu'elle a !

Mais on devine que c'était Loki, fils de Laufey, lui qui a fait tant de mal aux Ases.

Du moins les dieux réussissent-ils à saisir Loki et à l'enchaîner, malgré ses ruses. Il restera là, supplicié, jusqu'à la fin des temps. Car les temps finiront (*Gylfaginning*, chap. XXXVII-XXXVIII et XLI : *Sn.E.*, p. 70-73 et 75). Un jour viendra où toutes les forces du Mal, tous les monstres, Loki lui-même, échapperont à leurs liens et, des quatre orients, attaqueront les dieux. Dans des duels terribles, chacun des « dieux fonctionnels » succombera, abattant parfois son adversaire ou vengé par un autre dieu : Óðinn sera dévoré par le loup Fenrir, que déchirera à son tour Víðarr, fils d'Óðinn. Le chien Garmr et Týr s'entretueront. Þórr pourfendra le grand Serpent, mais tombera aussitôt empoisonné par le venin que crache la bête. Le démon Surtr tuera Freyr. Enfin, le dieu primordial Heimdallr et Loki s'effronteront et se détruiront l'un l'autre. Alors Surtr lancera le feu sur l'univers, le soleil s'obscurcira, les étoiles tomberont, la terre s'enfoncera dans la mer.

Mais au désastre succédera un renouveau : la terre émergera de la mer, verte et belle, et, sans semailles, le grain y poussera. Les fils des dieux morts reviendront dans l'Enclos des Ases, ceux de Þórr reprenant le Marteau de leur père. Baldr et Höðr sortiront ensemble du domaine de Hel. Tous les dieux parleront amicalement du passé et de l'avenir et les tables d'or qui avaient appartenu aux Ases seront retrouvées dans le gazon...

La tragédie de Baldr et le personnage de Loki d'une part, ce « destin des dieux » d'autre part (ou, comme on dit par une méprise que les Scandinaves païens avaient déjà légitimée, ce « Crépuscule des dieux ») ont été l'objet d'études et d'hypothèses innombrables. Quant au second, plusieurs savants ont admis une influence de l'eschatologie iranienne, zoroastrienne. Quant à « Balder the Beautiful », généralement interprété dans l'école de Mannhardt comme un dieu mourant et ressuscitant de rituel agraire, on a parfois supposé une influence des Attis, des Adonis de la Méditerranée orientale. La présentation d'ensemble qui a été faite, au début de ce chapitre, des données indo-iraniennes suggère une tout autre vue. Un fait capital saute aux yeux : *plus que la version iranienne de ces événements cosmiques, c'est l'ensemble mythique para- et prévédique conservé en transparence dans l'intrigue de l'épopée indienne qui se découvre parallèle à l'ensemble mythique scandinave;* comme pour les histoires de Kvasir et de Mada, étudiées au chapitre II, c'est ici encore, paradoxalement, Snorri et le Mahābhārata qui présentent les concordances les plus précises. Cette localisation géographique de la meilleure analogie exclut l'emprunt. C'est donc à partir de données déjà indo-européennes que Germains et Indo-Iraniens ont organisé leurs récits de la grande lutte, et, parmi ces derniers, les Iraniens que nous connaissons, ceux d'après la réforme zoroastrienne qui a dû repenser et sublimer ces récits comme tous les autres, n'ont pas été les plus fidèles. Précisons cette impression générale.

Considérons d'abord les acteurs. Óđinn a près de lui deux dieux, ses deux fils, l'un sage et clément, père du dieu conciliateur, mais dont, personnellement, les sentences restent sans effet; l'autre aveugle, dont il n'est rien dit d'autre et qui n'intervient à travers toute la mythologie (comme intervient aussi sa transposition épique « Hatherus » à la fin de la saga de « Starcatherus ») que dans cette occasion unique, pour un meurtre, où il est visiblement l'incarnation de l'aveugle destinée. Il est probable que nous avons ici l'aboutissement scandinave des deux souverains mineurs qui ont donné, chez les Indo-Iraniens, les dieux Aryaman et Bhaga, puis leurs transpositions épiques indiennes, les deux frères Vidura et Dhṛtarāṣṭra. Dans les hymnes védiques, Bhaga et Aryaman sont les auxiliaires de Mitra plutôt que de Varuṇa; dans le Mahābhārata, Vidura et Dhṛtarāṣṭra sont bien frères du personnage transposé de Varuṇa, Pāṇḍu, mais c'est comme auxiliaires de Yudhiṣṭhira, transposé de Mitra, qu'ils réalisent pleinement leurs personnages; dans la mythologie scandinave enfin, où Týr, l'homologue de Mitra, est non seulement dégénéré dans sa définition, mais déchu en importance, Óđinn restant en fait le seul « dieu souverain », c'est à Óđinn, comme ses fils, que sont directement rattachés Baldr et Höđr. Quant à Loki, avec une coloration particulière à la Scandinavie, il est l'homologue de l'inspirateur des grands malheurs du monde, de l'esprit démoniaque, que connaissaient sans doute certains récits des Indo-Iraniens, bien que les Védas l'ignorent, puisque le zoroastrisme l'a amplifié dans son Aṅra-Mainyu et que les auteurs du Mahābhārata l'ont transposé en Duryodhana, incarnation du démon de notre âge cosmique.

La dégradation de Týr fait, en outre, qu'il ne joue pas de rôle dans la tragédie, sauf accessoirement lors de la bataille finale, et que c'est Baldr qui concentre en lui les essences de Mitra et d'Aryaman, les rôles que le Mahābhārata distribue entre Yudhiṣṭhira et Vidura. Mais on sait à quel point Mitra et son principal collaborateur étaient proches dès les temps védiques et prévédiques et l'on a vu que le Mahābhārata va jusqu'à faire de Yudhiṣṭhira et de Vidura une sorte de dédoublement du même dieu, Dharma, dédoublement que la mort du second par « rentrée » dans le premier ramène à l'unité.

Considérons maintenant le drame lui-même, dans ses trois temps :

1° Le démoniaque Loki se sert de l'aveugle Höđr pour éliminer — ici : envoyer, par la mort, dans le long exil de Hel — le bon Baldr. Et il utilise un jeu que Baldr, en principe invulnérable, a toutes raisons de croire inoffensif, mais où il est tué par l'unique arme restée dangereuse pour lui, découverte par Loki et maniée par l'aveugle Höðr, sous la direction de Loki. Le ressort est parallèle à celui qui aboutit à la provisoire élimination, au long exil de Yudhiṣṭhira : le démoniaque Duryodhana arrache à l'aveugle Dhṛtarāṣṭra l'autorisation de monter le scénario qui perdra Yudhiṣṭhira. Et ce scénario est un jeu qui est apparemment sans danger pour Yudhiṣṭhira, meilleur que tous les joueurs, mais où son partenaire, complice de Duryodhana, fait des tricheries surnaturelles qui le réduisent, vaincu, à l'exil. Les deux principales différences sont et les spécifications diverses des jeux (dés, dans l'Inde, où les dés sont en effet le jeu type; jeu beaucoup plus spectaculaire et romanesque en Scandinavie), et le degré inégal de culpabilité d'une part de l'aveugle indien, qui sait à quel malheur aboutira son action et l'accomplit pourtant par faiblesse, d'autre part de l'aveugle scandinave, instrument entièrement involontaire, inconscient, de la ruse du méchant; en sorte que les responsabilités se répartissent simplement en Scandinavie entre Loki *ráðbani*, « meurtrier par le plan », instigateur, et Höðr, l'aveugle *handbani,* « meurtrier par la main », agent purement matériel, mais plus complexement dans l'Inde entre un *ráðbani*, Duryodhana, et deux *handbani* qui participent consciemment à son *ráð*, l'aveugle Dhṛtarāṣṭra et le partenaire tricheur de Yudhiṣṭhira. Ces différences laissent subsister le parallélisme essentiel, mais seraient suffisantes s'il était par ailleurs possible de la former, pour écarter l'hypothèse d'un emprunt ou même d'une influence littéraire de l'Inde sur la Scandinavie.

2° La scène du jeu fatal ouvre, dans les deux récits, une longue période sombre : tout le cours du monde actuel chez les Scandinaves, et, dans l'Inde, seulement le temps que Yudhiṣṭhira et ses frères sont en exil, temps réduit à quelques années par les nécessités du cadre épique, mais qui, dans le mythe originel, devait aussi être la partie finale d'un âge cosmique, puisque le responsable, le démoniaque Duryodhana, est justement Kali, l'incarnation du mauvais génie de l'âge actuel. Cette période d'attente finit, de part et d'autre, par la grande bataille où sont liquidés tous les représentants du Mal et la plupart des représentants du Bien. De cette bataille les circonstances introductrices sont différentes, puisque, en Scandinavie, elle est engagée par les forces du Mal jusqu'alors enchaînées — y compris Loki, en conséquence du meurtre de Baldr — et brusquement relâchées, tandis que, dans le Mahābhārata, elle est engagée par les bons héros, reparaissant après leur exil temporaire et réclamant leurs droits. Une autre divergence est que, dans le Mahābhārata, les survivants d'entre les « bons » sont les Pāṇḍava, Yudhiṣṭhira et ses frères, dont chacun a tué son adversaire particulier sans périr lui-même, tandis que, dans le mythe nordique, les homologues des Pāṇḍava, les dieux fonctionnels, périssent aussi bien que leurs adversaires et que les survivants ou renaissants sont, avec Baldr et Höðr, les fils des dieux.

3⁰ Cette différence est atténuée par le fait que les homologues indiens de Baldr et de Höðr, Vidura et Dhr̥tarāṣṭra, qui n'ont pas plus qu'eux pris part à la grande bataille, survivent comme eux et reçoivent, dans la renaissance qui suit, de nouveaux rôles : leur ancien désaccord terminé, ils sont, dans une union complète et confiante, les deux organes du gouvernement parfait de Yudhiṣṭhira. Ainsi, dans le monde qui renaît, purifié, délivré du Mal, après la bataille eschatologique et le cataclysme, Baldr et Höðr réconciliés sont à la place des souverains — Baldr tenant à la fois, comme il a été dit, les rôles de Yudhiṣṭhira et de Vidura.

L'ampleur et la régularité de cette harmonie entre le Mahābhārata et l'*Edda* règlent, je pense, les problèmes de Baldr, de Höðr, de Loki et du Ragnarök, qu'on a eu tort de morceler. Et, ce problème en réalité unique, elles le règlent d'une manière inattendue, écartant, sauf pour quelques détails accessoires et tardifs, les solutions fondées sur l'emprunt, iranien, caucasien ou chrétien, et mettant au jour un vaste mythe sur l'histoire et le destin du monde, sur les rapports du Mal et du Bien, qui devait être constitué déjà, avant la dispersion, chez une partie au moins des Indo-Européens.

Ainsi se complète la comparaison du mythe de Loki et de Baldr et de la légende ossète de Syrdon et de Soslan. Les Ossètes, on le sait, sont les derniers descendants des peuples scythiques qui, dès avant le temps d'Hérodote et jusqu'au Moyen Age, ont occupé de vastes territoires dans le sud de l'actuelle Russie. Les Scythes étaient un rameau du tronc iranien, tôt détaché, et qui n'a pas subi profondément l'influence du zoroastrisme. Il n'en est que plus précieux de retrouver chez eux, en forme épique encore, dans un folklore noté au XIXᵉ et au XXᵉ siècles, un proche parallèle, sinon de l'ensemble qui vient d'être découvert (effacées par le christianisme ou par l'Islam [1], l'eschatologie, la grande bataille n'y sont pas représentées), du moins de l'épisode du meurtre de Baldr : Soslan est lui aussi tué, à l'instigation du méchant Syrdon, vrai Loki, et, selon un groupe de variantes (tcherkesses), dans un jeu qui rappelle de très près celui où succombe Baldr. Le héros est invulnérable, sauf — c'est un secret — aux genoux. Syrdon, ou la sorcière qui le remplace, découvre ce secret. Il engage donc les Nartes à organiser un jeu d'apparence inoffensive : ils se placent tous sur le sommet d'une montagne, et le héros au pied; d'en haut, ils lancent sur lui la Roue tranchante, et il la leur renvoie, en la faisant rebondir sur la partie de son corps que lui désignent leurs cris. Que risque-t-il, puisque ni son front, ni sa poitrine, ni ses bras, ni presque rien de lui-même ne peut être entamé ? Mais bientôt, dans la chaleur du jeu, il oublie la seule lacune de son privilège et quand, d'en haut, on lui crie : « Avec les genoux ! », il oppose ses genoux à la Roue qui dévale, et elle les lui tranche. Il est probable que nous lisons ici le dernier débris de la version scythique du récit dont nous avons parcouru les versions scandinave, indienne et — dans le remaniement zoroastrien — iranienne [2].

---

1. Même sous ce revêtement, Syrdon joue un rôle important dans ce qui tient lieu d'eschatologie dans l'épopée ossète : « La fin des Nartes », ci-dessus, nº 17, p. 173.
2. Il faudra sans doute introduire dans le dossier comparatif les fins des Ages ou des Races successifs dans les traditions grecques et irlandaises.

TABLE DES MATIÈRES

PRÉFACE 7

INTRODUCTION (1948). — **Le problème de Loki** 9

CHAPITRE PREMIER. — **Loki** 15

    LES DOCUMENTS 16

      1. Loki, les dieux et le géant Þjazi 16
      2. Loki et la naissance de Sleipnir 19
      3. Loki, Þórr et le géant Geirrøðr 22
      4. Loki, Þórr et le géant Þrymr 24
      5. Loki et l'or d'Andvari 27
      6. Loki et les trésors des dieux 30
      7. L'accident du bouc de Þórr 32
      8. Loki et Logi 33
      9. Loki et le vol du joyau 34
      10. Loki et le meurtre de Baldr 35
      11. Le châtiment de Loki 42
      12. Loki et la fin de ce monde 48
      13. Traits divers 51
      14. Survivances modernes 53

CHAPITRE II. — **Contre-critiques** 61

    I. — RÉHABILITATION DE SNORRI 61

      1. Eugen Mogk contre Snorri 62
      2. Týr manchot 69
      3. Naissance et meurtre de Kvasir 74
      4. Snorri contre Eugen Mogk 82

II. — LES ABUS DE LA « SCIENCE DES CONTES » 84

III. — DISCUSSIONS DIVERSES 92
  1. Traditions foisonnantes 92
  2. Variantes inconciliables 94
  3. Contradictions internes 99
  4. A propos de quelques fantaisies 101
  5. Loki et le meurtre de Baldr 102
  6. Le supplice de Loki et la fin de ce monde.. 122

IV. — LOKI 128

CHAPITRE III. — **Syrdon** **131**

I. — LE NARTE SYRDON 135

II. — LES DOCUMENTS 138
  1. Naissance de Syrdon 138
  2. Le malin Syrdon 140
  3. Syrdon et les Nartes 144
  4. Histoires à la Nasreddin Hodja 147
  5. Syrdon, Uryzmæg et la Dame d'Urup 149
  6. Syrdon et les guerres des Boratæ et des
     Æxsærtægkatæ 152
  7. Syrdon et la famine des Nartes 153
  8. Syrdon, les Nartes et Batradz 154
  9. Syrdon, Xæmyc et la femme de Xæmyc 156
  10. Syrdon, les Nartes et le vieil Uryzmæg 160
  11. Syrdon et Soslan 161
  12. Syrdon et les deux « jeunes » de Sosryko.. 162
  13. Syrdon, Sozyryko et le tirage au sort 162
  14. Syrdon, Čelaxsærtæg et la cuirasse de
      Sosryko 163
  15. Syrdon et la mort du jeune allié de
      Soslan 164
  16. Syrdon et le meurtre de Soslan
      (Sosryko) 166
  17. Syrdon et la fin des Nartes 173
  18. Syrdon dans les légendes des peuples
      voisins des Ossètes 174

CHAPITRE IV. — **Comparaisons** **181**

   I. — LA MORT DE BALDR ET LA MORT DE
      SOSLAN-SOSRYKO 183

   II. — LOKI ET BALDR, SYRDON ET SOSLAN 194

   III. — EMPRUNTS ? 199

   IV. — ETAT SOCIAL ET MYTHOLOGIE 204

   V. — ELÉMENTS PSYCHOLOGIQUES DU TYPE
      LOKI-SYRDON 214

      1. L'intelligence impulsive 215
      2. Intelligence impulsive et intelligence
         recueillie 220
      3. Óðinn, Hœnir et Lóðurr 226
      4. Mécanisme de la pensée mythique 227

   VI. — ELÉMENTS NATURALISTES : LOKI, LE
      VENT, LE FEU 230

CHAPITRE V. — **Baldr, Loki, Höðr et le Mahā-
bhārata** **233**

   I. — LES DIEUX SOUVERAINS MINEURS DES
      INDO-EUROPÉENS 235

   II. — ESCHATOLOGIE INDO-IRANIENNE ET
      MAHĀBHĀRATA 238

   III. — DHṚTARĀṢṬRA ET VIDURA 245

   IV. — RAGNARÖK 248

   V. — RAGNARÖK ET MAHĀBHĀRATA 252

TABLE DES MATIÈRES **257**

CET OUVRAGE
A ÉTÉ REPRODUIT
ET ACHEVÉ D'IMPRIMER
PAR L'IMPRIMERIE MAURY EUROLIVRES
À MANCHECOURT EN OCTOBRE 1995

Nº d'éd. 16526. Nº d'impr. 95/10/M7900
D.L. : novembre 1995.
(Imprimé en France)